1759

la bataille du Canada

Conception graphique de la couverture: Violette Vaillancourt
Illustration: *Mort du général Montcalm* par G. Chevillet
(Archives nationales du Québec à Québec)

DISTRIBUTEURS EXCLUSIFS:

- Pour le Canada et les États-Unis:
  LES MESSAGERIES ADP*
  955, rue Amherst, Montréal H2L 3K4
  Tél.: (514) 523-1182
  Télécopieur: (514) 521-4434
  * Filiale de Sogides Ltée

- Pour la Belgique et le Luxembourg:
  PRESSES DE BELGIQUE S.A.
  Boulevard de l'Europe 117
  8-1301 Wavre
  Tél.: (10) 41-59-66
       (10) 41-78-50
  Télécopieur: (10) 41-20-24

- Pour la Suisse:
  TRANSAT S.A.
  Route du Grand-Lancy, 2, C.P. 125, 1211 Genève 26
  Tél.: (41-22) 42-77-40
  Télécopieur: (41-22) 43-46-46

- Pour la France et les autres pays:
  INTER FORUM
  13, rue de la Glacière, 75624 Paris Cédex 13
  Tél.: (33.1) 43.37.11.80
  Télécopieur: (33.1) 43.31.88.15
  Télex: 250055 Forum Paris

Laurier L. LaPierre

1759

la bataille du Canada

Traduit de l'anglais
par
Normand Paiement
et
Patricia Juste

 le jour,
éditeur

Données de catalogage avant publication (Canada)

LaPierre, Laurier L., 1929-

    1759, la bataille du Canada

    Traduction de: 1759: the battle for Canada
    Comprend des références bibliographiques: p.

    ISBN 2-8904-4446-5

    1. Québec (Québec) — Histoire — 1759 (Siège).
2. Abraham, Bataille des Plaines d', 1759.   I. Titre.
II. Titre: Mille sept cent cinquante-neuf, la bataille du Canada.
III. Titre: Dix-sept cent cinquante-neuf, la bataille du Canada.

FC386.L4614   1992   971.01'88   C92-096199-1
F1030.9.L4614   1992

L'ouvrage original a été publié par McClelland & Stewart, Inc.
(The Canadian Publishers)
sous le titre *1759 — The Battle for Canada*
(ISBN: 0-7710-4699-5)

Dépôt légal: 1er trimestre 1992
Bibliothèque nationale du Québec

ISBN 2-8904-4446-5

À mes fils Dominic et Thomas,
parce que cette histoire est aussi la leur.

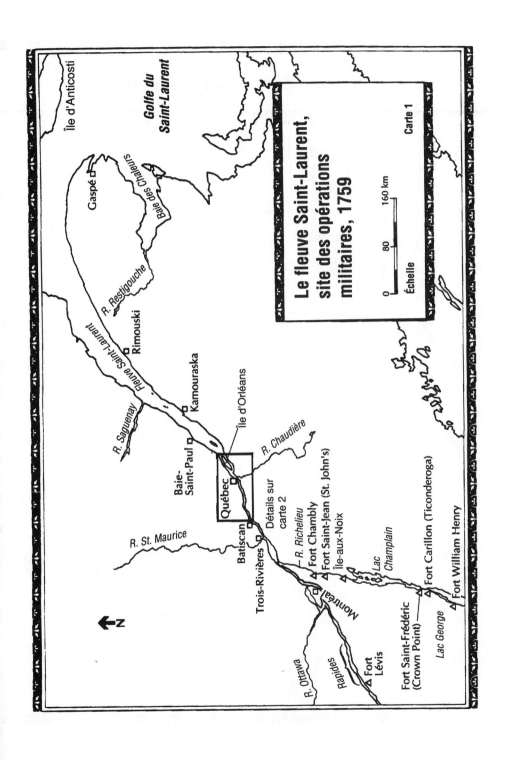

Le fleuve Saint-Laurent, site des opérations militaires, 1759

Carte 1

Échelle

0   80   160 km

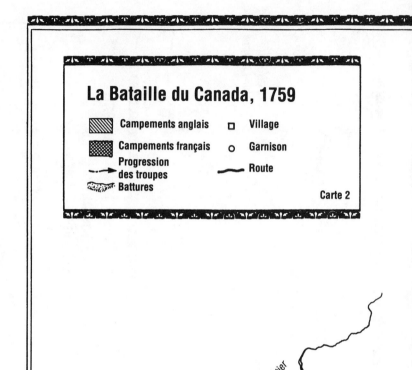

La Bataille du Canada, 1759

▨ Campements anglais ▨ Campements français

□ Village ○ Garnison

–→ Progression des troupes —— Route

Battures

Carte 2

R. Jacques-Cartier

Sai
Aug

Cap-Santé

Pointes-aux-Trembles

Saint-Laurent

Jacques-Cartier

Saint-Antoine

Deschambault

Fleuve

Sainte-Croix

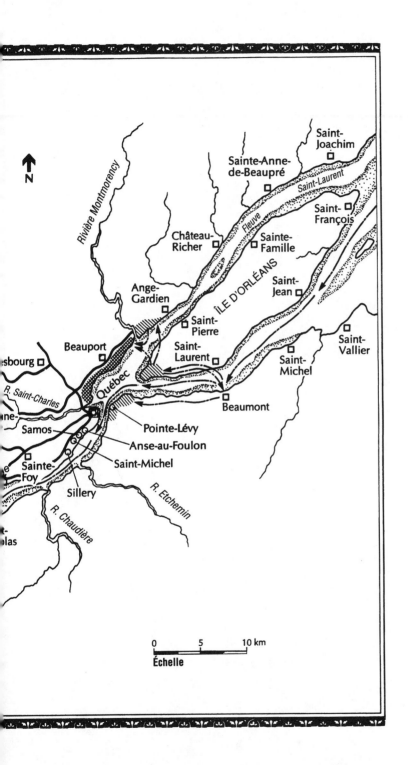

N

Rivière Montmorency

Saint-Joachim

Sainte-Anne-
de-Beaupré

Saint-Laurent

Saint-
François

Château-
Richer

Fleuve

Sainte-
Famille

ÎLE D'ORLÉANS

Ange-
Gardien

Saint-
Jean

Saint-
Pierre

Beauport

Saint-
Laurent

Saint-
Vallier

...sbourg

Québec

Saint-
Michel

R. Saint-Charles

Beaumont

...ne-

Samos

Pointe-Lévy

Anse-au-Foulon

Saint-Michel

Sainte-
Foy

Sillery

R. Etchemin

...las

R. Chaudière

0   5   10 km

Échelle

AVANT-PROPOS

Avant de vous relater les événements qui eurent lieu à Québec en 1759, il me faut vous parler un peu de moi et des raisons qui m'ont amené à écrire cet ouvrage.

Comme vous avez pu le voir sur la couverture de ce livre, je m'appelle Laurier L. LaPierre (le L. veut dire Lucien). Je suis originaire de Lac-Mégantic, une petite localité des Cantons de l'Est située à la frontière de la Beauce et du Maine. Vous avez peut-être déjà entendu parler de cet endroit, puisque Lac-Mégantic a servi de point de ralliement à l'armée de Benedict Arnold, lorsque celui-ci s'est lancé à la conquête du Canada, en 1775, pendant la Révolution américaine.

J'ai passé au Québec les quarante-neuf premières années de ma vie, mis à part les quelque dix années où j'ai étudié à Baltimore et à Toronto. À la fin de mes études, j'ai obtenu un doctorat en histoire de l'Université de Toronto. Au fil des ans, je suis devenu enseignant, journaliste, restaurateur manqué, animateur occasionnel de l'émission *This Hour Has Seven Days* — qui était, à l'époque, l'émission de télévision la plus populaire de tout le pays —, politicien défait, père de famille, cordon-bleu, amateur de poésie et de tout ce qui concerne le Nouvel Âge.

Pour l'heure, je me consacre à ce que je considère comme la tâche la plus importante de ma vie: vous raconter l'histoire de la conquête de Québec, survenue en 1759. Cet événement fait partie de moi. C'est lui, en effet, qui me confère la place que j'occupe dans le monde; il détermine ce que je suis et oriente toutes mes pensées et toutes mes énergies.

Depuis que je suis en âge de me poser des questions, j'ai passé une grande partie de mon temps à me demander pourquoi les Canadiens n'accordent pas à leur histoire la même importance que les autres peuples. Les Américains, par exemple, semblent trouver dans leur passé la justification de leurs actions actuelles. De même, les Britanniques n'ont rien oublié de leur grandeur d'antan, les Français s'enorgueillissent de leur histoire, les Allemands y puisent leur détermination, les Russes s'y réfèrent avec circonspection et les Chinois avec vigilance, l'histoire arrache des larmes aux Polonais et leur fait jouer du Chopin, cependant qu'elle permet au peuple grec de conserver sa flamme intérieure.

Les Canadiens, pour leur part, ignorant à quel moment elle commence et auxquels de ses éléments s'identifier, n'ont qu'une vague idée de leur histoire. Ils contournent généralement cette difficulté en la séparant en deux, la partie française et la partie anglaise, sans trop savoir que faire de tout ce qui ne se rattache ni à l'une ni à l'autre.

Il est triste de constater que les Canadiens ne possèdent pas de véritables héros nationaux, semblables à ceux qui peuplent la conscience collective et nourrissent l'imagination de la majorité des autres sociétés. Nos rares personnages historiques restent confinés dans chacune de nos deux principales communautés linguistiques, sans qu'aucun d'entre eux ne se voie accorder le titre de héros national.

On peut en dire autant des événements propres à notre histoire: nous n'en avons pas une perspective commune. Ils se sont produits au Québec, dans l'Ouest canadien, en Ontario ou dans les Provinces maritimes, parfois même dans l'Arctique ou à l'étranger dans des missions et sur des champs de bataille, mais jamais au Canada comme tel. Il est rare, en effet, que tous s'accordent à dire que tel ou tel événement fait partie intégrante de l'histoire du Canada.

Les Canadiens n'ont même pas de mythes en commun, ces vérités forgées de toutes pièces, mais acceptées telles quelles parce qu'elles éclairent les esprits et galvanisent la volonté populaire.

En d'autres termes, les Canadiens refusent d'avoir une vision globale de leur passé, de sorte que l'histoire, qui est le souvenir collectif de ce passé, ne suscite en eux aucune émotion. Ils ne s'en servent en fait que pour justifier leurs choix politiques.

Aussi ai-je décidé de faire tout ce qui est en mon pouvoir pour changer cette façon de concevoir l'histoire.

Il m'est apparu que la bataille des plaines d'Abraham, survenue au cours de l'été 1759 et suivie de la capitulation de la ville de Québec et de ses territoires adjacents, convenait parfaitement à mon propos. Il s'agit là, en effet, de l'événement le plus marquant de notre histoire. Il fait véritablement partie de l'histoire du Canada et, nous, nous en faisons tous partie.

REMERCIEMENTS

Jack McClelland m'a soumis ce projet il y a de cela quelques années; je ne peux que l'en remercier. France Lapierre a effectué les travaux de recherche avec son flair habituel, et elle n'a jamais cessé de m'encourager tout au long de la rédaction de cet ouvrage. Jim Oakes et Thomas LaPierre lui sont venus en aide à quelques reprises. Je dois à bon nombre de bibliothécaires et d'archivistes d'avoir pu mettre la main sur les livres, tracts, documents et illustrations dont j'avais besoin. Maggie Hosgood a classé une bonne partie des documents rédigés en anglais. Patrick Watson a veillé à la bonne marche du projet. Contrairement à ce qui est pratique courante dans ce domaine, mon agent littéraire, Lee Davis Creal, de l'agence Lucinda Vardey de Toronto, a eu l'amabilité de représenter mes intérêts alors que le projet était déjà en cours de réalisation.

Je leur suis profondément reconnaissant à tous et à toutes, ainsi qu'à Glenn Reiznar, à Don Wells et à Mary Pawlus, de même qu'à vous, chers lecteurs. J'espère que vous prendrez plaisir à lire cet ouvrage et que vous retrouverez une partie de vous-mêmes dans cette histoire.

AVERTISSEMENT

Il existe des centaines de documents concernant la bataille des plaines d'Abraham: lettres, dépêches, notes diplomatiques, journaux personnels, mémoires, etc. Leurs auteurs font une description générale du siège, de la bataille et de ses conséquences, mais très peu s'entendent sur ce qui s'est passé exactement. Souvent, seules une ou deux phrases, dans l'ensemble de ces textes, décrivent un incident ou un moment précis. Il m'a donc fallu lire entre les lignes pour arriver à reconstituer les événements qui eurent lieu à Québec et dans ses alentours entre le 26 juin et le 18 septembre 1759. Je suis toutefois convaincu que tout ce qui est rapporté dans cet ouvrage s'est réellement produit.

Tout au long de la lecture de ce livre, il vous faut garder à l'esprit que l'expression «les Anglais» désigne les forces britanniques en général. Les Canadiens, à l'époque, ignoraient qu'il y avait une différence entre les Gallois, les Anglais, les Écossais et les Irlandais. Aussi, les appelait-on, sans faire de distinction, «les Anglais».

De même, j'ai conservé le terme traditionnel d'«Indiens» — et je m'en excuse auprès d'eux — pour désigner les autochtones du Canada.

Mais arrêtons là les préambules. Il était une fois un pays, un peuple, une ville, un château, de nombreux vaisseaux et un vieil homme...

LAURIER L. LAPIERRE
Vancouver
1er juillet 1990

Première partie

La ville assiégée

Du 26 juin au 12 septembre 1759

Les Anglais sont arrivés*

Du 26 juin au 15 juillet 1759

Le 26 juin 1759

Sur les remparts de Québec, tôt le matin

L e vieil homme constata avec soulagement que le temps s'était enfin mis au beau. Pas un nuage, pas le moindre soupçon de brume ne venait obscurcir le paysage. Perché en haut des remparts de Québec, il voyait distinctement d'un côté à l'autre des deux rives du fleuve Saint-Laurent. Les flots, agités par des courants contraires, semblaient couler dans la mauvaise direction, une fois dépassée la Pointe-Lévis, à l'endroit où le fleuve se sépare pour faire place à l'île d'Orléans, quelque dix-huit milles plus loin. De son promontoire, il pouvait même apercevoir la Traverse, ce périlleux chenal que tous les navires remontant le fleuve vers Québec, capitale de la Nouvelle-France, devaient obligatoirement emprunter.

Cependant, s'il n'y avait ni nuage ni brouillard à l'horizon, autre chose dérangeait le vieil homme et le rendait soucieux. Jetant un coup d'œil sur la promenade située à une centaine de pieds au-dessous de lui, le marquis de Vaudreuil, gouverneur général de toutes les possessions nord-américaines de Sa Majesté Très Chrétienne Louis XV, roi de France, constata qu'il n'était pas le seul à s'inquiéter. Des citoyens s'étaient en effet réunis par petits groupes sur l'immense terrasse construite devant sa résidence. Le marquis reconnut les plus importants d'entre eux: le chef de police, François Daine, le notaire Jean-Claude Panet, le docteur Blaise Arnoux et son frère Joseph, apothicaire. Vaudreuil les avait à plusieurs reprises reçus à sa table et il sourit en se souvenant que, la dernière fois, sa femme s'était montrée plutôt cassante envers Panet, qu'elle trouvait mortellement ennuyeux. Il connaissait à peine, par contre, Jean Collet, un marchand qui faisait maintenant partie de la milice, et Colas Gauvreau, le tonnelier, qui se trouvaient aussi sur la promenade. Jetant des regards inquiets en direction de l'île d'Orléans, ils parlaient entre eux, bourrant sans arrêt leurs pipes en pierre noire de brins de tabac puant, prélevé à même les blagues en peau de phoque qu'ils conservaient au fond de leurs poches.

À quelques pas d'eux s'étaient rassemblées des femmes de tous âges et de toutes conditions sociales, des éclairs de panique dans les yeux. Certaines avaient les cheveux frisés et poudrés; les moins vaniteuses étaient coiffées d'un simple bonnet blanc. La plupart portaient un chemisier blanc et une jupe courte et droite tombant à mi-mollet, tandis que d'autres étaient drapées d'une longue cape marron ou bleue les couvrant depuis le sommet de la tête jusqu'à l'extrémité de leurs étroites chaussures à talons hauts. Le gouverneur vit avec satisfaction Mme Mounier, la femme d'un prospère marchand, demander à ses compagnes ainsi qu'aux enfants de prier. Il pouvait les entendre, imperceptiblement, réciter des *Je vous salue Marie**, prière que les Canadiens avaient l'habitude d'adresser à la Vierge Marie.

Vaudreuil aperçut, plus bas sur la terrasse, des élèves du Séminaire de Québec et du Collège des Jésuites. Parmi eux se trouvaient André Couillard et son frère Joseph, les fils d'un seigneur de Montmagny, village situé sur la rive sud. Le marquis remarqua avec plaisir que tous deux avaient revêtu leur uniforme. Il ne savait pas grand-chose de Jean-Marie Verreau, hormis que ses parents possédaient une grande ferme, dont les terres étaient en grande partie cultivées, à Château-Richer, tout près de la paroisse de Beauport où l'armée était campée. Il se souvenait par contre fort bien de Pierre Mennard, un jeune garçon de dix-huit ans dont le père, important homme d'affaires de Montréal, avait, en des temps plus prospères, reçu royalement les Vaudreuil, alors que, comme chaque année, la cour du vice-roi se trouvait installée là-bas pour l'hiver. Vaudreuil reconnut, près de Mennard, le jeune Jean-François-Xavier Lefebvre, âgé de quatorze ans, dont la mère était, selon l'évêque de Québec, *la plus dévouée des femmes** et, selon Mme Vaudreuil, une dame qui se mêlait toujours de ce qui ne la regardait pas. À leurs côtés se tenaient deux prêtres, vêtus d'une soutane noire et d'un chapeau à larges bords: Jean-François Récher, le curé français de Québec, et Charles Baudouin, un Canadien affecté au Séminaire, à qui Vaudreuil vouait un grand respect, même s'il lui arrivait de le trouver quelque peu agaçant.

*«Les Anglais sont arrivés! Les Anglais sont arrivés! Les Anglais sont arrivés!**» se mirent tout à coup à répéter les gens, stupéfaits, comme Vaudreuil lui-même, à la vue de grands vaisseaux à pavillon anglais massés à la pointe sud-ouest de l'île d'Orléans et en aval du fleuve.

On eût dit qu'ils étaient des centaines, prêts à attaquer les habitants de Québec.

*

Lorsqu'il avait appris, au printemps, que les Anglais rassemblaient leur flotte sur la côte est du Canada, Vaudreuil était convaincu alors qu'il leur serait impossible d'atteindre Québec en remontant le Saint-Laurent, à cause de l'obstacle «infranchissable» que représentait le chenal de la Traverse. Il faut savoir que, pour se rendre à Québec, tous les navires remontaient le fleuve en longeant la rive nord jusqu'à l'île d'Orléans; ils devaient alors passer du chenal nord au chenal sud, qui les conduisait jusqu'au port. Pour ce faire, ils étaient obligés d'emprunter le passage situé entre l'île d'Orléans et sa voisine la plus proche à l'ouest, l'île Madame. C'est à cet endroit que se trouvait la Traverse. Pendant des années, les navigateurs français et canadiens avaient soutenu que les navires de guerre anglais ne pourraient jamais traverser ce chenal sans s'échouer: les eaux y étaient trop agitées, trop peu profondes, et le passage trop étroit. Plusieurs vaisseaux français avaient déjà fait naufrage en tentant de le franchir, causant ainsi la mort d'un grand nombre de marins français et canadiens.

Selon les documents dont nous disposons, personne ne semble avoir contesté cette théorie. J'ai toutefois découvert que le commandant des troupes régulières françaises, le marquis de Montcalm, avait en sa possession une vieille carte dessinée par les Jésuites indiquant que la Traverse était suffisamment profonde et large pour laisser passer de grands navires. Il n'est mentionné nulle part, cependant, que Montcalm en aurait informé Vaudreuil ou qu'il aurait modifié ses plans de défense en fonction de ces nouvelles données. Il n'aurait pas davantage pris de mesures, en mai 1759, lorsque les Français s'étaient rendu compte qu'il leur faudrait plus de quarante de leurs plus gros vaisseaux pour bloquer la Traverse.

Selon moi, cette grave erreur de stratégie de la part de Vaudreuil et des autres commandants des armées de terre et de mer prouve, à elle seule, l'incompétence des capitaines français et canadiens.

*

Le 26 juin 1759, au moins soixante gros vaisseaux anglais, dont de nombreux navires de guerre, avaient réussi à franchir la Traverse, alors que les navires marchands français d'à peine cent tonnes osaient tout juste s'y aventurer.

Sur l'île d'Orléans, François Martel, qui avait toujours cru lui aussi que la Traverse était inviolable, eut la mauvaise surprise de constater, à son réveil, que les navires anglais naviguaient, sans trop de peine d'ailleurs, sur l'«infranchissable» chenal. Depuis près d'un mois, Martel avait surveillé les tentatives des Anglais pour approcher la Traverse; ils l'avaient sondée, traversée d'un bord à l'autre en décrivant des zig-zags et, enfin, conquise. Depuis sept heures, en ce matin du 26 juin, l'un des vaisseaux anglais, le navire de commerce *Goodwill*, était pratiquement ancré sur le pas de sa porte. Pendant un long moment, Martel l'avait observé à travers les arbres qui dissimulaient sa maison de la rive, située environ un mille plus loin, au pied d'une pente douce. Aucun des Anglais se trouvant à bord ne s'était aventuré sur le rivage, mais Martel pouvait apercevoir les marins gréant les voiles et les soldats exécutant leurs exercices de manœuvre sur le pont.

*

François Martel n'est pas né de mon imagination; il a bel et bien existé. Selon les registres, il était canadien et avait été ordonné prêtre en 1731 — il avait cinquante-quatre ans en 1759. Un mois après son ordination, il s'était installé dans la paroisse de Saint-Laurent et n'en était plus jamais reparti.

Aucun ouvrage ne décrit Martel, mais je vais tout de même tenter de le faire pour vous. Au cours des quelque vingt-cinq années qu'il avait passées à baptiser, éduquer, marier, puis enterrer ses paroissiens, le prêtre s'était passablement enrobé, avait perdu presque tous ses cheveux et était devenu de plus en plus solitaire. Ses fidèles s'étaient habitués à ses manières lourdes, à son rigorisme et à ses sermons ennuyeux; ils savaient qu'il leur était totalement dévoué.

*

Sentant qu'il n'avait guère de temps à perdre avant que les Anglais n'envahissent sa paroisse, le père Martel se mit à courir vers les hommes qui creusaient un trou au fond de son jardin, non loin de la vaste prairie dans laquelle ses vaches, ses chevaux et ceux de ses voisins broutaient paisiblement. Il s'arrêta pour réciter une prière dans un sanctuaire d'où on avait une vue imprenable sur le Saint-Laurent. Comme tous les sanctuaires édifiés en l'honneur de la Vierge Marie, celui-ci, entièrement recouvert de vigne, était fait de longues et minces lattes de bois.

La prière de Martel fut courte; elle rappelait à Dieu ses précédentes interventions — les siennes ou celles de la Mère de Son Fils — quand il s'était agi de sauver miraculeusement Québec. Croyant à l'intervention directe du Tout-Puissant, il espérait que celui-ci accorderait de nouveau ses faveurs à la colonie.

L'air, à l'intérieur du sanctuaire, était agréablement frais et, puisque les hommes travaillant à l'autre bout du jardin ne l'avaient pas interpellé, Martel s'assit sur un banc de pierre, songeant aux vingt-cinq années passées sur l'île d'Orléans, à ce que cette île représentait pour lui et à ce que les Anglais y trouveraient en y débarquant.

*

S'il avait pu lire nos romans d'espionnage modernes ou s'il avait eu un peu d'imagination, Martel aurait pu élaborer le scénario suivant:

Afin d'assurer la sécurité de leurs troupes au moment du débarquement, les Anglais envoient dans le village des hommes chargés d'interroger les habitants. Naturellement, étant l'un des plus anciens d'entre eux, le curé se trouve en tête de liste. Les agents anglais s'introduisent donc dans sa maison, en tous points semblable à celles des fermiers de sa paroisse, faites de pierres que les *habitants** ramassent au moment de défricher leurs champs. C'est une maison blanche aux fenêtres vitrées. À côté d'une grande pièce où trône un foyer en pierre et qui sert de cuisine et de salle à manger, on trouve deux petites chambres à coucher, dont l'une est équipée d'un poêle à bois. Les latrines sont à l'extérieur, tout près de la porte donnant sur l'arrière de la maison.

Les agents envahissent la salle à manger du père Martel et l'interrogent en français; ils n'ont nul besoin de recourir à la force puisque l'évêque de la Nouvelle-France, Henri-Marie Dubreuil de Pontbriand, a ordonné à ses prêtres de répondre à toutes les questions qui leur seraient posées.

AGENT: Combien y a-t-il de paroisses dans l'île?

MARTEL: Cinq. Saint-Pierre et Sainte-Famille sur la rive nord, et Saint-Laurent, Saint-Jean et Saint-François au sud. Nous occupons cette île depuis un siècle.

AGENT: Combien d'habitants?

MARTEL: Deux mille.

AGENT: De quoi vivent-ils?

25

MARTEL: Nous sommes cultivateurs. Nos outils sont rudimentaires, et nos connaissances limitées, mais nous réussissons à faire pousser différentes sortes de céréales, en particulier du blé et de l'avoine. Nous plantons également des petits pois, des haricots et du maïs, une plante que les Indiens nous ont fait découvrir. Lorsque la demande des brasseries est assez importante pour que la chose soit rentable, quelques braves gens cultivent de l'orge.

AGENT: Êtes-vous cultivateur, vous aussi?

MARTEL: Je ne possède qu'un potager. Je ne fais pas pousser de blé ni aucune autre céréale.

AGENT: Pourquoi?

MARTEL: Mes paroissiens m'approvisionnent en vertu de la dîme.

AGENT: Je vois.

Il regarde par la fenêtre.

Votre jardin est assez étendu, pourtant.

MARTEL: Oui, j'aime jardiner. J'ai des pommiers, des pruniers et des noyers. Je cultive des choux, des oignons et des betteraves, ainsi que des laitues, des carottes, des concombres et différentes sortes de melons, de courges et de citrouilles.

Martel se lève pour s'approcher de l'homme qui l'interroge, mais un garde le repousse dans son fauteuil. Quelque peu déconcerté par cette violence inutile, le prêtre continue à parler:

Si vous jetez un coup d'œil à l'autre bout du jardin, sur la droite, vous remarquerez que je possède une grande quantité de navets. Ils composent l'essentiel de mon régime pendant les mois d'hiver.

Martel hésite, puis ajoute timidement:

Je suis réputé dans toute l'île pour mes asperges et mes radis roses et noirs. L'évêque et le gouverneur me font même l'honneur de les servir à leurs tables. En outre, contrairement à mes voisins, j'ai fait des expériences avec des plants de pomme de terre et des topinambours, mais sans guère de succès. Par contre, comme vous pouvez le constater, j'ai eu davantage de chance avec mes plants de tabac. Bien entendu, je les réserve pour mon usage personnel. L'ennui, c'est que des garçons, dont certains ont à peine dix ou douze ans, viennent me les voler.

Le prêtre hésite de nouveau, puis ajoute avec tristesse:

Le jardin est sens dessus dessous. J'ai été obligé de l'abandonner quand vous avez commencé à remonter le Saint-Laurent.

AGENT: Pourquoi?

MARTEL: Il fallait évacuer les gens. Ils refusaient de partir; ils voulaient se défendre avec leurs fourches et leurs vieux mousquets.

Les agents se mettent à rire.

AGENT: Mais ils sont quand même partis.

MARTEL: Ils y ont bien été obligés. Les soldats se sont montrés passablement brutaux. J'ai bien essayé de les défendre, mais...

AGENT: Mieux vaut ne pas contrecarrer les soldats. Est-ce qu'ils sont riches, vos paroissiens?

MARTEL: Non, mais en temps de paix nous étions plutôt à l'aise. Toutefois, nous sommes en guerre depuis un certain temps. Par conséquent, les hommes n'ont pas eu beaucoup de temps pour labourer la terre, sans compter les sécheresses. Et comme le Gouvernement donnait peu pour le blé, les gens ont préféré le garder pour eux.

AGENT: Nous le trouverons bien.

Martel ne trouve rien à répondre.

*

Le prêtre en savait peu sur les Anglais, à part le fait que, toute sa vie durant, ils avaient été les ennemis de la France. C'étaient des protestants, apparentés à ces gens qui habitaient les treize colonies voisines se trouvant plus au sud. À l'instar de ses compatriotes, les colons américains revendiquaient les vastes territoires de l'Ouest canadien, essayant de se gagner l'appui des Indiens, devenu indispensable aux deux camps. Un souvenir lui revint qui accrut son anxiété: un visiteur lui avait récemment raconté que plusieurs chefs spirituels des colonies anglaises d'Amérique avaient demandé à l'Angleterre d'entreprendre une guerre sainte contre les Français catholiques. Il craignait donc de voir les Anglais provoquer d'énormes dégâts lorsqu'ils arriveraient dans sa paroisse.

Cependant, ceux-ci ne trouveraient pas le moindre objet de valeur dans le presbytère ni dans l'église, Martel ayant passé la matinée à tout enlever: le tabernacle, les trois châsses contenant les reliques de ses saints préférés, les quatre chandeliers d'argent qu'il avait reçus en cadeau, les deux calices d'or dans lesquels il buvait le vin pendant l'office, l'ostensoir incrusté de pierreries qu'on promenait dans les rues de sa paroisse les jours de fête, le missel dont il se servait pour dire la messe, ainsi que les statues finement décorées de l'Enfant Jésus, de la Vierge Marie et de saint Joseph. Avec grand soin, il avait plié les chasubles, les étoles et les lourdes chapes, les unes et les autres garnies de motifs décoratifs, ainsi que ses nappes d'autel, dont l'une avait appartenu à Samuel de Champlain, le fondateur de Québec. Il avait rangé tous ces objets dans des caisses qui attendaient d'être enfouies au fond du jardin. L'église était maintenant dénudée; il ne restait plus que quelques gravures sans valeur.

Une fois que les hommes eurent fini de creuser, le prêtre s'approcha et, se recouvrant les épaules d'une étole violette, il bénit le trou qui lui apparut comme une tombe. Il regarda les hommes qui y déposaient les caisses avec respect et précaution. Lorsque la fosse fut rebouchée et camouflée avec de l'herbe et des branches, le père Martel rentra chez lui.

Dans la petite pièce qui lui servait de bureau, le prêtre écrivit une lettre adressée aux «dignes officiers de l'armée anglaise». Il les savait «humains et généreux», écrivit-il. «Je vous prie d'avoir soin de mon église, de mon presbytère et de mes dépendances». Il ne demandait pas cette faveur pour lui-même, «mais par amour de Dieu et par compassion pour [ses] malheureux paroissiens privés de leur demeure». Avant de signer son nom et d'indiquer son titre, Martel ajouta: «J'aurais souhaité que vous fussiez arrivés plus tôt, afin de pouvoir goûter les légumes, tels que asperges, raves, etc., que produit mon jardin, et qui maintenant sont montés en graines.»

Martel jeta un dernier coup d'œil à son jardin bien-aimé, puis se rendit jusqu'à la porte de l'église sur laquelle il cloua sa lettre, répétant sans le savoir le geste accompli par Martin Luther cent cinquante ans plus tôt. Il ne se retourna pas lorsque, vingt minutes plus tard, il se mit en marche avec ses compagnons vers la rive nord de l'île. Une barque les y attendait pour les conduire à Beauport d'où ils prendraient une *calèche** jusqu'à Charlesbourg.

Après le départ du père Martel, les Anglais envahirent l'île d'Orléans. L'homme qui les y avait amenés était le vice-amiral Charles Saunders, commandant de la flotte anglaise. Il avait quarante-quatre ans et était au service de la marine depuis trente ans.

Saunders était le quatrième Anglais à avoir tenté de remonter le Saint-Laurent jusqu'à Québec, mais il était le premier à utiliser, pour ce faire, des navires aussi imposants. Avant lui, en 1629, Daniel Kirke et ses frères, Lewis, Thomas, John et James, avaient, eux aussi, réussi à conquérir Québec, restituée à la France en 1632. Un demi-siècle plus tard, William Phips avait à son tour conduit trente-deux petits vaisseaux et deux mille miliciens jusqu'à la citadelle française; on se souvient comment Frontenac, le gouverneur français de l'époque, l'avait envoyé paître. En 1711, quatre-vingt-dix-huit navires et douze mille hommes s'étaient de nouveau aventurés sur le fleuve. Mais, à cause de la maladresse et de l'incompétence de ses commandants, une bonne partie de la flotte anglaise avait fait naufrage et des centaines d'hommes avaient péri.

Aussi, pendant un demi-siècle, les Canadiens s'étaient-ils sentis invincibles, convaincus qu'ils étaient les plus forts et que Dieu était de leur côté.

Quarante-six ans plus tard, cependant, Charles Saunders et sa flotte composée de deux cents vaisseaux étaient aux portes de Québec. Quarante-neuf de ses navires appartenaient à la marine royale; certains étaient des trois-ponts et presque la moitié d'entre eux étaient armés d'au moins cinquante canons. Les autres servaient au transport, aux sondages et à la prospection, au ravitaillement et à l'approvisionnement; il y avait aussi des navires-hôpitaux et des vaisseaux d'ordonnance. Lorsqu'elle remonta le Saint-Laurent, la flotte de Saunders formait une ligne de cinquante milles de long.

Sur ces navires, s'entassaient treize mille cinq cents marins et fusiliers marins, huit mille cinq cents soldats et, çà et là, de nombreux civils accompagnant l'armée, pour la plupart des cantinières qui vendaient des provisions aux soldats, travaillaient comme infirmières ou vivaient du commerce de leurs charmes.

*

Selon moi, si un journaliste contemporain avait pu obtenir un bref entretien avec Saunders, lui braquant, telle une mitraillette, un microphone sous le nez, il aurait pu rapidement s'apercevoir à quel point il manquait de crédibilité. Cet homme, en effet, n'était pas au-dessus de tout soupçon puisqu'il s'était livré auparavant à des activités pour le moins suspectes. Aucun des divers postes de commandement qui lui avaient été confiés, entre 1746 et le moment de son affectation à

Québec, n'avait d'ailleurs été suffisamment important pour justifier sa nomination à la tête du quart des effectifs de la marine anglaise. Bien qu'il se fût honorablement acquitté de toutes ses missions, il avait obtenu ce poste grâce à la protection dont il bénéficiait en haut lieu. En fait, s'il n'avait pas été le protégé du commodore George Anson, avec lequel il s'était embarqué, en 1740, pour un voyage de quatre ans autour du monde, il est peu probable que Saunders aurait pu accomplir de grandes choses. Au cours de ce voyage, il était devenu pirate — pour le compte du roi sans doute, mais flibustier quand même, et en outre fort bien rémunéré — et avait continué de s'adonner à cette activité pendant la guerre de la Succession d'Autriche (1740-1748), amassant une véritable fortune au passage.

En 1750, toujours grâce à l'appui d'Anson, il avait été élu député, représentant deux circonscriptions électorales corrompues qui lui permirent d'acquérir, avec le temps, d'importants fonds de terre. Il s'était encore enrichi en devenant commodore d'une escadrille qui croisait au large des côtes de Terre-Neuve et protégeait les pêcheries, puis trésorier du Greenwich Hospital, une sinécure fort payante obtenue, encore une fois, grâce au soutien d'Anson et, enfin, contrôleur de la marine, poste qu'Anson lui confia en 1755. Aussi avait-il déjà bien assis sa fortune et son autorité lorsque, le 26 septembre 1751, il épousa une certaine demoiselle Buck, fille d'un richissime banquier.

Enfin, le 9 janvier 1759, toujours par l'entremise d'Anson, William Pitt, le secrétaire d'État du roi George II, lui avait confié le commandement de la flotte qui devait se rendre à Québec.

Il me semble évident que Saunders ne possédait pas une expérience de commandement suffisante pour hériter d'une mission aussi importante et, en tout cas, il n'avait aucune prétention à cet égard. Je souris à l'idée de ce qu'aurait pu donner une entrevue télévisée avec Saunders, dans le cadre d'une émission d'affaires publiques.

*

Saunders quitta donc l'Angleterre pour l'Amérique du Nord le 17 février 1759. La traversée de l'Atlantique fut aussi supportable que possible en cette époque de l'année, mais, lorsque, le 23 avril, il arriva à Louisbourg, il ne put entrer dans le port à cause des glaces flottantes qui lui en interdisaient l'accès, du brouillard épais et du froid glacial qui engourdissait les doigts des matelots perchés en haut des mâts, les empêchant de gréer les voiles aussi vite qu'il l'eût fallu. Saunders dut alors chercher refuge à Halifax, qu'il atteignit six jours plus tard.

Pour que leur expédition fût couronnée de succès, les Anglais devaient impérativement bloquer le Saint-Laurent le plus tôt possible au printemps, afin d'empêcher les Français de ravitailler Québec en armes et en provisions. Lorsque Saunders arriva à Halifax, une vingtaine de navires de ravitaillement français étaient déjà immobilisés à l'embouchure du golfe du Saint-Laurent; ils attendaient la fonte des glaces pour pouvoir remonter vers la capitale et aller prévenir ses habitants de l'imminence de l'attaque anglaise. Le contre-amiral Philip Durell, commandant d'une escadrille de neuf navires anglais ancrés à Halifax, était demeuré au port au lieu de croiser au large du golfe du Saint-Laurent comme il en avait reçu l'ordre. Après une véhémente dispute avec Saunders, Durell mit les voiles le 5 mai à la tête de la moitié de la flotte. Le 23 mai, soit treize jours après l'arrivée des vaisseaux français à Québec, il atteignit l'île du Bic, située à quelque cent soixante-dix milles en aval de la capitale. À compter de cette date, les Anglais détenaient le contrôle total du Saint-Laurent.

Le 15 mai, le temps permit enfin à Saunders d'accoster à Louisbourg, où il passa trois semaines à réunir les navires et les provisions nécessaires à la conquête de Québec. Pendant ce temps, le contre-amiral Charles Holmes arriva de New York avec six vaisseaux de guerre, neuf frégates et soixante-six navires de transport.

Enfin, le 4 juin, Saunders, à la tête de vingt-deux navires de guerre et de cent dix-neuf transports, se mit en route vers le Saint-Laurent et Québec, située à mille milles environ de Louisbourg. Les vingt-deux jours de voyage jusqu'à l'île d'Orléans furent difficiles et éprouvants. Les Anglais ne possédaient aucune carte précise du Saint-Laurent et, à l'exception d'un ou deux Canadiens que l'on avait persuadés, par la ruse ou par la force, de prêter main-forte à la flotte anglaise, personne à bord ne connaissait la voie navigable du Saint-Laurent. Les marées étaient fortes et les courants capricieux changeaient constamment de direction, obligeant les marins à sonder sans cesse la profondeur des eaux noires et agitées. De terribles tempêtes se déchaînaient soudainement, mettant en péril les plus frêles vaisseaux de la flotte et contrecarrant les plans échafaudés par Saunders. Toutefois, comme les Français n'avaient installé aucun poste de défense le long du Saint-Laurent, la flotte anglaise ne subit aucune attaque, à part celle d'un Canadien qui tirait à l'occasion d'inoffensifs coups de feu en direction des navires qui passaient. Saunders savait que les autorités en place à Québec étaient informées de la progression de la flotte anglaise, car, à mesure que celle-ci avançait, il pouvait apercevoir, sur la rive, d'immenses feux dont les signaux étaient relayés jusqu'à la capitale.

Malgré ses dangers et ses caprices, le fleuve demeurait magnifique et majestueux. Les rivières qui s'y déversaient en cascades étaient aussi vastes que des océans et les hauteurs qui, de part et d'autre, le surplombaient semblaient rejoindre le ciel, couvertes d'«arbres fiers et de grande taille», comme l'écrivit l'un des enseignes de vaisseau. Les flots sombres regorgeaient de poissons et de mammifères marins de toutes sortes, et les marins et soldats entassés à bord des nombreux navires s'amusaient à pêcher afin d'agrémenter leur ordinaire.

À mesure que les navires approchaient des premiers hameaux canadiens situés à quelque cinquante milles en aval de Québec, le rivage était de plus en plus élevé au-dessus du niveau du fleuve. Pour la première fois, les Anglais aperçurent de charmants villages où se regroupaient d'élégantes maisons et d'imposantes granges, construites sur les étroites bandes de terre donnant directement accès au fleuve. Les vallées étaient couvertes de champs immenses et parsemées de sobres moulins à eau et à vent. De hauts clochers dominaient le paysage.

Le 14 juin, les éclaireurs de Durell, parmi lesquels se trouvait James Cook, capitaine du *Pembroke* et futur «découvreur» de la Colombie-Britannique, avaient réussi à percer les mystères de la Traverse. Le capitaine du transport *Goodwill,* un vieil homme nommé Killick, trouva le chenal plus facile à franchir que «mille endroits de la Tamise», laquelle était, selon lui, «cinquante fois plus dangereuse» que la Traverse.

Le 20 juin, ses pilotes ayant réussi à dompter la Traverse et Durell, à se rendre maître de la partie inférieure du fleuve, Saunders décida de garder la majeure partie de la flotte sous ses ordres. Il ordonna que les transports, suivis des plus petits vaisseaux de guerre, franchissent la Traverse et jettent l'ancre dans le bassin de Québec. Les plus gros navires comme le *Neptune* à bord duquel Saunders avait traversé l'Atlantique, et qui était équipé à lui seul de quatre-vingt-dix canons, furent renvoyés en aval, passé l'Île-aux-Coudres, afin d'empêcher les Français de remonter le Saint-Laurent.

C'est ainsi que, le 26 juin 1759, Saunders, ayant hissé son pavillon sur le *Stirling Castle,* un navire armé de soixante-quatorze canons, naviguait paisiblement à quelques milles de la forteresse qui était la cible de l'opération baptisée la «Grande Entreprise». Le lendemain, l'armée débarquerait.

Sur la pointe ouest de l'île d'Orléans, peu avant minuit

Le vent qui avait secoué les bateaux en fin d'après-midi était, à présent, complètement tombé. Dans l'obscurité de la nuit, les silhouettes des vaisseaux anglais dominaient celle du jeune homme qui s'éloignait à pas lents de la rive. Il tenait une lanterne dans une main et dans l'autre un mousquet; des couteaux et un tomahawk pendaient à sa ceinture. Il était tout vêtu de noir; seuls les boutons blancs de sa veste sans manche et de son kilt brillaient dans la lumière de la lune. En prenant soin d'éviter les zones éclairées par la lune, il escalada le court escarpement le séparant de la côte.

Cet homme était le lieutenant Meech et il faisait partie d'une troupe de «guérilleros» américains formée en 1757 par le major Robert Rogers, un fermier du New Hampshire. Recrutés dans la plupart des colonies, ces Rangers, comme on les appelait alors, suivaient scrupuleusement les vingt-huit règles du «code de discipline» établi par Rogers, et qui leur avait bien souvent sauvé la vie. Les Anglais, cependant, considéraient les soldats américains comme des «chiens galeux, lâches et méprisables», fortement enclins à déserter, et ils voyaient les Rangers comme les «plus mauvais soldats de l'univers». Tout comme les Canadiens, les Rangers avaient leurs propres méthodes de combat, lesquelles n'avaient pas grand-chose en commun avec celles des Européens. Ils scalpaient en effet leurs ennemis, tout comme le faisaient les Canadiens et les Indiens.

Après s'être assuré qu'il n'y avait pas âme qui vive dans les environs, Meech agita sa lanterne à trois reprises et s'accroupit pour attendre ses quarante compagnons. Il pouvait sentir l'humidité qui montait de la terre détrempée et le traversait jusqu'aux os, mais, habitué aux pires conditions, il n'y prêta guère attention. Une fois que ses hommes l'eurent rejoint, il entreprit sa mission.

Ayant reçu l'ordre de vérifier s'il restait encore des colons sur l'île, les hommes de Meech, divisés par petits groupes, s'enfoncèrent à l'intérieur des terres en zigzaguant, se tapissant au sol et se mettant à couvert derrière les arbres comme ils avaient appris à le faire. Ils débouchèrent bientôt dans une clairière où ils découvrirent une cabane en bois rond abandonnée. Meech y posta cinq hommes pour en assurer la garde et continua son exploration.

Les Rangers aperçurent bientôt les rayons de lumière projetées au loin par des lanternes. En se rapprochant, ils purent distinguer quatre silhouettes qui creusaient un trou. Persuadé que ces individus s'affairaient à enfouir des fusils et des munitions, Meech dispersa ses hommes, leur enjoignant de ne pas tirer avant qu'il en eût donné l'ordre. Le terrain plat et la lumière de la lune aidèrent les Rangers à avancer lentement et prudemment. Il fallut peu de temps à Meech pour voir distinctement les quatre hommes et conclure qu'il ne s'agissait pas de soldats, puisqu'ils ne portaient pas d'uniformes. Ceux-ci avaient maintenant cessé de creuser. L'un d'eux se tenait au fond du trou, un autre lui tendait différents objets cependant que leurs compagnons fumaient leur pipe en les observant, lanternes et mousquets posés à leurs pieds. De temps en temps, un homme faisait un signe en direction de la forêt environnante.

Lorsque les Rangers ouvrirent le feu, les quatre Canadiens se jetèrent au sol afin de récupérer leurs mousquets et d'éteindre leurs lanternes. Ils répliquèrent aussitôt et se mirent à courir vers le bois, couverts par quelques camarades qui y étaient déjà dissimulés. Craignant qu'ils ne fussent inférieurs en nombre, Meech ordonna à ses hommes de se replier rapidement vers la cabane, où ils se barricadèrent. Toutefois, plutôt que de les suivre, les Canadiens se ruèrent vers le chenal nord et, sautant dans leurs embarcations, se mirent à ramer en direction de Beauport. Quelques Indiens, demeurés immobiles dans les broussailles, avaient assisté, impassibles, à l'escarmouche. Lorsque le lieu de la bataille fut désert, ils découvrirent le cadavre d'un Ranger; l'homme avait reçu une balle en pleine poitrine.

Quelques heures plus tard, aux premières lueurs de l'aube, Meech reprit sa mission, sentant déjà la chaleur du jour à venir. À quelque distance de la cabane, les Rangers tombèrent sur le corps de leur compagnon. Il avait été scalpé et des oiseaux ou d'autres petits animaux lui avaient dévoré les yeux et le nez. Sa joue n'était plus qu'une énorme cavité sanglante remplie de fourmis et de mouches. Un rat était en train de lui dévorer la langue et une ribambelle d'asticots rampaient le long de son corps.

Sans même se donner la peine d'enterrer leur camarade, les Rangers continuèrent leur chemin. Quatre heures plus tard, Meech déclara au major auquel il devait se rapporter que l'île était déserte. L'armée pouvait débarquer en toute quiétude.

C'est ainsi que se termina la première journée du siège de Québec. On notera que personne n'a encore trouvé ironique le fait que, dans le cadre de cette «Grande Entreprise» menée par les Anglais, à savoir la conquête de Québec, les premiers à débarquer et à mourir en sol canadien furent des Américains du Connecticut.

Le 27 juin 1759

À bord du Richmond, à trois heures

Cette journée serait la plus importante de sa carrière et, puisqu'il ne faisait aucune distinction entre sa vie professionnelle et sa vie privée, elle serait aussi la plus importante de sa vie. Le général James Wolfe avait alors trente-deux ans. Roturier issu d'une famille modeste, il était un amant passionné mais maladroit et sûrement l'homme le plus laid que Charles Saunders eût jamais rencontré. Brigadier dans l'armée britannique, il avait été nommé major général en Amérique du Nord et commandant en chef des troupes chargées de conquérir la ville de Québec et qui se trouvaient au large de l'île d'Orléans, à bord des vaisseaux appartenant à George II.

La longue traversée de l'Atlantique lui avait amplement laissé le temps de préparer ses plans. Wolfe comptait débarquer à Beauport, ville située à quelques milles à l'est de Québec, traverser à gué la rivière Saint-Charles, monter la côte d'Abraham jusqu'aux portes de Québec et demander la reddition de la ville. En cas de refus, il donnerait l'assaut et détruirait la capitale. À la fin du mois de juillet, et même avant avec un peu de chance, il pourrait reprendre le fleuve pour aller s'emparer de Montréal. Au début de l'hiver, il serait de retour en Angleterre où il récolterait les honneurs que ne manquerait de lui valoir son audacieuse entreprise. Le roi, reconnaissant, le nommerait pair du royaume. Sa mère et sa fiancée seraient tellement fières de lui!

En sortant de sa cabine, Wolfe vit un matelot allumer trois lanternes et les donner une à une à ses compagnons; ceux-ci faisaient la chaîne afin de les remettre à un homme qui les accrochait en haut d'un mât. C'était le signal donnant le feu vert au débarquement des soldats en sol canadien. D'ici une heure, plusieurs bateaux plats se regrouperaient autour de la frégate *Lowestoft* pour venir chercher les troupes. Chaque embarcation, manœuvrée par vingt rameurs, transporterait soixante-six soldats jusqu'au rivage. Un matelot se tiendrait à l'avant de chaque bateau, un mortier à pivot à la main; à l'arrière, un enseigne arborerait le drapeau portant les croix de saint Georges et de saint André et, au milieu, un tambour rythmerait les ordres donnés ou un air qui lui serait commandé. Le débarquement était prévu pour six heures. Lorsque Wolfe revint dans sa luxueuse cabine afin d'y attendre le début des opérations, le vague sourire qui étirait ses minces lèvres reflétait à la fois le sentiment du devoir accompli et la satisfaction qu'il en éprouvait.

*

Pour bien comprendre Wolfe et, par la même occasion, la place qu'il occupe dans notre histoire, il est important de mieux le connaître.

James Wolfe naquit le 2 janvier 1727 à Westerham, dans le Kent en Angleterre. Son père, le général Edward Wolfe, était un officier de la marine respectable mais n'ayant accompli aucun exploit mémorable. Selon James, c'était un homme «extrêmement honnête et bon» dont les «défauts et imperfections étaient largement compensés par ses innombrables qualités». Il mourut alors que son fils était en route pour Québec. La mère de James, Henrietta Thompson, était, semble-t-il, une femme bornée, égocentrique et mélancolique; elle était de santé fragile, sa capacité d'aimer était fort limitée et elle se mêlait sans cesse des affaires de son fils — en particulier de ses affaires de cœur. Celui-ci se disputait souvent avec elle, et ce fut encore le cas peu de temps avant son départ pour Québec. Elle l'avait à ce point irrité qu'il ne daigna même pas aller lui faire ses adieux, se contentant de lui écrire sur un ton glacé une lettre où il l'appelait, comme il le faisait toujours, «chère Madame».

Wolfe entreprit sa carrière militaire en 1741 — il avait alors quatorze ans — dans le Premier Régiment des fusiliers marins commandé par son père. Un an plus tard, il optait pour l'armée régulière et, à l'âge de seize ans, il fit son baptême du feu à la bataille de Dettingen, en Bavière, alors que George II et ses alliés du Hanovre battirent les Français le 27 juin 1743. Trois ans plus tard, le 16 avril 1746, Wolfe était à Culloden en Écosse, où il contribua à mettre fin aux prétentions de Charles Édouard Stuart aux trônes d'Angleterre et d'Écosse. Alors que Samuel Johnson rédigeait son *Dictionnaire* et que, à des milliers de milles de là, Benjamin Franklin inventait le paratonnerre, Wolfe fut blessé au cours de la sanglante bataille de

Lawfeld, le 2 juillet 1747, aux Pays-Bas, pendant la guerre de la Succession d'Autriche.

Durant les huit années de paix qui suivirent, Wolfe resta en garnison en Écosse et dans le sud de l'Angleterre; en 1757, un an après le début de la guerre de Sept Ans, il reçut le grade de colonel du 67e Régiment d'infanterie. L'année suivante, il fut nommé brigadier à Louisbourg et chargé d'un corps d'élite de fantassins et de grenadiers. D'après tous les rapports militaires de l'époque, Wolfe était un homme brave, compétent et aussi ingénieux qu'impitoyable durant les batailles. C'est ainsi que, ayant reçu l'ordre de détruire les villages acadiens situés le long du golfe du Saint-Laurent, il «ordonna que tout fût brûlé», comme le rapporte l'un de ses aides de camp, le capitaine Thomas Bell. Wolfe lui-même écrivit à son commandant, Jeffrey Amherst, qu'il avait «fait beaucoup de mal, et répandu la terreur des armes de Sa Majesté dans toute l'étendue du golfe, mais sans rien ajouter à sa réputation».

Lorsque Wolfe revint en Angleterre au début de l'hiver 1758, il jouissait d'un certain prestige; très vite, il exerça des pressions afin d'obtenir une nouvelle mission en Amérique, «en particulier sur le fleuve Saint-Laurent». William Pitt, qui était le véritable chef du Gouvernement, le recommanda auprès de George II, lequel lui ordonna de se rendre à Québec le 12 janvier 1759. Un mois plus tard, notre homme embarquait à bord du vaisseau amiral de Saunders, le *Neptune.*

Saunders n'a pas consigné dans son journal de bord ses impressions sur Wolfe — et, apparemment, il ne tenait pas de journal personnel —, mais il fut, sans aucun doute, frappé par son apparence physique. En effet, Wolfe manquait d'attrait au point d'en être ridicule. Son visage était parfaitement triangulaire et son front, entièrement dégarni. Ses quelques cheveux roux, maladroitement ramenés vers l'arrière, tombaient sur sa nuque en une mince natte. Il n'avait pour ainsi dire pas de front et son gros nez était retroussé comme pour mieux déterminer la direction du vent. Il avait un menton fuyant et une bouche pratiquement dépourvue de lèvres. Ses yeux bleu d'azur étaient en fait le seul élément intéressant de son visage. Sa longue ossature, sa démarche lente et son teint habituellement aussi pâle que celui d'un moribond rendaient son allure générale encore plus stupéfiante. Lorsqu'il était excité ou irrité — comme cela lui arrivait souvent puisqu'il ne fallait pas grand-chose pour l'offenser et le faire sortir de ses gonds —, son visage s'empourprait, la ligne formée par ses lèvres devenait encore plus mince, et ses yeux transperçaient sans pitié quiconque le contrariait.

Wolfe était généralement vêtu d'un fonctionnel pardessus rouge et d'un gilet de la même couleur. Il portait des haut-de-chausses bleus et des guêtres recouvertes de cuir. Une cartouchière et une baïonnette étaient fixées à son ceinturon et, depuis son arrivée à Halifax, il avait noué un brassard noir autour de son bras gauche, en signe de deuil pour la mort de son père. Dans sa main droite, il tenait toujours un mousquet léger ou une baguette d'officier.

La plupart des gens qui le rencontraient le trouvaient insignifiant, tout à fait dépourvu d'humour et extrêmement affecté, arrogant et imbu de son importance. C'est en ces termes que le dépeignait Horace Walpole, un écrivain du XVIIIe siècle qui, dans ses *Mémoires*, fit la chronique des dernières années de George II. Tout le monde considérait Wolfe comme un individu étrange, la rumeur voulant même qu'il fût fou. Une histoire affligeante à son sujet avait fait le tour du tout-Londres: Un jour qu'il était invité à la table de Pitt, vers la fin du repas, le futur commandant de l'armée de Sa Majesté envoyée à la conquête de Québec avait soudain bondi de son siège, saisi son épée et s'était mis à pourfendre des centaines d'ennemis imaginaires de part et d'autre de la salle à dîner, tout en prédisant à haute voix les exploits qu'il allait accomplir. Pitt était complètement atterré et ne cessait de marmonner: «Grand Dieu! dire que j'ai placé le sort du pays et de mon administration en de telles mains.» Quand le sénile George II apprit la nouvelle, il aurait déclaré au duc de Newcastle: «S'il est enragé, j'espère qu'il mordra quelques-uns de mes généraux.»

Non seulement il était laid et avait un comportement étrange, mais encore Wolfe était hypocondriaque et passait son temps à se plaindre de sa pauvre vessie envahie de calculs urinaires et des rhumatismes dont il était perclus. Se tracassant sans cesse à propos de sa «constitution chancelante», il était pessimiste quant aux possibilités de se voir un jour offrir la chance d'accomplir de grandes choses, mais il aurait «mieux aimé mourir que de refuser aucune espèce de service qui se présente». Son pessimisme faisait naître en lui toutes sortes de mauvais pressentiments, et des visions d'une mort prématurée venaient sans cesse hanter son esprit. Cela le rendait souvent cruel et tatillon à l'extrême; il se refermait sur lui-même et se conduisait de façon déconcertante.

Cependant, lorsque les circonstances l'exigeaient, Wolfe pouvait être charmant et sympathique. Il était alors courtois, obligeant et volubile. Katherine Lowther, la femme qu'à l'époque il avait l'intention d'épouser, était touchée par l'amour qu'il vouait aux enfants et aux chiens. Saunders l'admirait pour la sollicitude avec laquelle il traitait ses hommes qui, en retour, avaient pour lui une grande affection. Wolfe compensait amplement son absence de dons naturels par son zèle et son ardent sens du devoir. Ainsi, écrivit-il un jour à sa mère: «Tout ce que je souhaite pour moi est d'être prêt en tout temps à rencontrer d'un œil ferme le sort qu'on ne peut éviter, et à mourir avec honneur et grâce quand l'heure viendra.» Wolfe était par ailleurs un excellent danseur.

Avant de partir pour l'Amérique, et entre deux campagnes militaires, Wolfe demeurait en garnison en Écosse, où il construisait des routes et étudiait les mathématiques et le latin. Conscient de n'être guère doué pour les activités mondaines, à l'automne de 1752, il se rendit à Paris. Il pensait qu'«en fréquentant des hommes de condition supérieure à la mienne et en m'entretenant avec des personnes du sexe opposé», il pourrait acquérir «civilité et maintien». Wolfe demeura six mois dans la capitale française. Il apprit la langue, l'escrime et les bonnes manières à la résidence de l'ambassadeur britannique, s'exerça aux mondanités dans les salons de Paris en compagnie de femmes coquettes et enjouées et d'aristocrates au teint transparent, fut présenté au roi et à la reine à Versailles, rencontra Mme de Pompadour, la maîtresse de Louis XV et sa conseillère la plus influente, et se familiarisa avec le calendrier grégorien, que l'Angleterre adoptait enfin en 1751, soit cent soixante-neuf ans après qu'il eut été décrété par le pape Grégoire XIII. Comme tous les anglophones, Wolfe eut beaucoup de mal à s'habituer au fait qu'onze jours avaient été ajoutés en septembre et que 1752 avait commencé le lendemain du 31 décembre et non le 25 mars. Néanmoins, ce calendrier ne lui était pas tout à fait étranger puisqu'il était en usage depuis 1600 en Écosse.

Durant son séjour à Paris, il ne se passa pas grand-chose dans la vie sexuelle de Wolfe, si jamais il en eut une. En fait, il ne connut rien de plus que ce qu'il avait connu en Angleterre et en Écosse. Il semblerait qu'il fût resté vierge jusqu'à l'âge de trente et un ans. En raison de sa laideur, il n'avait pas grand succès auprès des femmes et, par conséquent, ne recevait pas d'invitation à partager leur lit. Il était trop maladroit pour les séduire et évitait de fréquenter les prostituées. Peut-être était-il un homosexuel qui s'ignorait.

Un jour où il rendait visite à sa mère à Bath, au début de l'année 1757, Wolfe fit la connaissance de Katherine Lowther, la fille d'un ancien gouverneur de la Barbade. Même si les affaires militaires ne lui laissaient guère de temps pour présenter une demande en mariage, la relation lui sembla suffisamment prometteuse pour qu'il allât voir la jeune femme lorsque, de retour de Louisbourg en décembre 1758, il prit à Bath quelques semaines de repos. Peu de temps avant Noël, ils devinrent amants. En janvier et en février 1759, alors que Wolfe préparait son expédition à Québec, ils se rencontrèrent à plusieurs reprises et se fiancèrent en dépit des objections de Mme Thompson, la mère de Wolfe. Pour marquer leurs fiançailles et, sans doute, en gage de son amour pour lui, Katherine offrit à son amant un exemplaire d'*Elegy in a Country Churchyard*[1], de Thomas Gray, et un médaillon renfermant un portrait d'elle sur lequel elle souriait; il promit de toujours le garder au cou, où qu'il allât.

Ainsi donc, alors que Wolfe brûlait d'impatience de débarquer au Canada, de défaire ses ennemis et d'accomplir sa destinée, son cœur palpitait contre le médaillon de sa bien-aimée. Il était sur le point de connaître la surprise de sa vie.

*

Au château Saint-Louis, à onze heures

Réunis en conseil de guerre dans la grande salle de réception du gouverneur général, les ennemis de Wolfe se préparaient eux aussi à faire face à leur destin. Ils ne semblaient pas s'inquiéter outre mesure, cependant, puisque, comme ils ne manquaient pas de se le rappeler, la dernière fois que les Anglais étaient venus à Québec, ils en étaient repartis au début de l'hiver; les problèmes qu'ils avaient créés avaient été, pour la plupart, réglés par les traités ayant temporairement mis fin aux hostilités entre la France et l'Angleterre. Il ne leur vint pas un seul instant à l'esprit que les Anglais étaient à Québec pour y rester.

Pour se rendre au château de Vaudreuil, les officiers devaient traverser la place d'Armes où se déroulaient toutes les cérémonies, et pouvaient admirer, pour peu qu'ils fussent disposés à le faire, les gran-

---

1. *Élégie écrite dans un cimetière campagnard* (poème composé de quatrains à rimes alternées, publié en 1751). *(N.D.T.)*

des et belles maisons de pierre qui bordaient la place, toutes surmontées de larges cheminées et entourées de magnifiques jardins.

Ceux qui, comme le chevalier François-Gaston de Lévis, commandant en second des troupes régulières, arrivaient de la haute ville devaient passer devant la magnifique église des Récollets où Frontenac et d'autres gouverneurs généraux avaient été inhumés. D'autres officiers sortaient pour leur part de l'une des plus belles demeures du Canada; située sur la rue Saint-Louis, non loin de la porte du même nom, elle était décorée de précieuses œuvres d'art et possédait une salle de séjour dont les murs étaient recouverts de miroirs.

Trois officiers passèrent par la rue des Jardins, qui devait son nom aux jardins entourant le couvent des Ursulines. Quelques Canadiens appartenant aux *troupes franches de la marine** arrivèrent par la porte Saint-Jean et longèrent l'imposant Collège des Jésuites, le plus bel édifice de la ville, puis traversèrent la place de l'Église où se dressait la cathédrale. L'évêque et son compagnon empruntèrent la rue du Parloir, qui conduisait au Séminaire de Québec, un vaste ensemble composé d'édifices et de chapelles. Un seul personnage officiel prit la rue des Pauvres, où trônait l'Hôtel-Dieu; l'édifice ayant été grandement endommagé par un incendie désastreux, il était en cours de reconstruction.

La voiture transportant l'intendant François Bigot et ses amis passa par la porte du Palais. L'imposant palais de Bigot, situé à l'extérieur des murs de la ville, n'abritait pas seulement sa magnifique résidence et sa somptueuse *salle de bal** (où se divertissait le gratin de la société québécoise et où l'on autorisait, de temps à autre, quelques colons à venir jeter un coup d'œil sur les joueurs et les fêtards, dont faisait partie leur évêque, qui s'amusaient et s'empiffraient), mais également les bureaux officiel, juridique et législatif de la colonie. Les jardins donnaient sur la rive est de la rivière Saint-Charles, où avaient été érigées des palissades de bois surmontées de canons que des gardes surveillaient en permanence. Tout près de là, se trouvaient la prison et les entrepôts de la Grande Société, cette bande d'escrocs et d'entrepreneurs présidés par l'intendant, qui détournaient toute l'économie canadienne à leur profit.

Le jeune colonel français Louis-Antoine de Bougainville, aide de camp du commandant des troupes régulières françaises, était venu de son quartier général. Celui-ci avait été établi dans la maison de son cousin, François-Joseph de Vienne, à la Canardière, appelée ainsi parce qu'un grand nombre de canards venaient y faire leur nid et qui était située à faible distance de Beauport et du palais de l'intendant.

Les officiers de la basse ville empruntèrent en *calèche** d'étroites rues pavées et luisantes bordées de maisons en bois, hautes de trois ou quatre étages. Toutes les demeures faisaient face au port, lequel était si bien protégé que près de cent navires pouvaient y accoster en toute sécurité.

Lorsqu'ils se rendaient au château, les officiers du port avaient l'habitude de faire une halte dans une taverne. Les gens ordinaires s'y retrouvaient en bonne compagnie, rencontrant parfois quelque voyageur épuisé qui trouvait là gîte et nourriture. En période d'abondance, on pouvait y faire un repas composé de tourte, de pâté en croûte, de *ragoût**, de *fricassée**, de *tourtière** (nommée ainsi en raison du moule servant à la faire et dont il y avait autant de recettes que de cuisiniers dans tout le Canada), de *crêpes**, de *beignets**, de gâteaux et de *galettes**. Mais on y venait surtout pour prendre un verre d'*eau-de-vie** ou de *tafia**, un alcool fait de mélasse et de sirop de canne à sucre qui n'était pas sans rappeler le rhum que les Anglais consommaient en grande quantité. Toutefois, la boisson préférée des habitués était la *bière d'épinette**, qu'ils appelaient aussi *petite bière**, un fort breuvage à base d'épinette, de mélasse, de gingembre, de piments de la Jamaïque et de levure, qu'on laissait fermenter pendant au moins vingt-quatre heures. Cependant, toutes les tavernes de Québec étant fermées en ce deuxième jour de siège, les officiers durent renoncer à consommer leur *petite bière**. Ils devraient également s'en passer au château puisque le gouverneur, obligé de se plier aux exigences de ses pairs français, ne servait que du vin importé de la mère patrie.

Pour se rendre au château Saint-Louis, les officiers passèrent devant les magasins du Roi, un ensemble d'édifices délabrés abritant les provisions du Gouvernement, traversèrent la place Notre-Dame, au milieu de laquelle se dressait la vieille église Notre-Dame-des-Victoires, puis le square où, avant l'arrivée des Anglais, le marché avait lieu une fois par semaine; c'est aussi à cet endroit qu'avaient lieu les exécutions, pour le plus grand plaisir des colons.

Les officiers remontèrent ensuite la côte de la Montagne, le seul passage convenable que les calèches et les charrettes pouvaient emprunter pour aller et venir entre la basse ville et la haute ville. La route, large et sinueuse, était recouverte de fondrières et montait en pente raide, bordée, de chaque côté, de spacieuses demeures. Au sommet, se trouvait l'imposant palais de l'évêque, beaucoup trop grand pour ses besoins. L'édifice en pierre était constitué de deux ailes s'élevant sur deux étages et sa façade était bordée de colonnes qui tombaient en ruine. Ses lucarnes offraient aux visiteurs une vue imprenable sur le Saint-Laurent. Comme sur toutes les maisons de la basse ville, des planches avaient été clouées en travers des fenêtres du palais qui servirait à des fins militaires une fois que l'évêque aurait quitté Québec et se serait réfugié, tout comme le père Martel, chez le curé de Charlesbourg.

Après avoir dépassé l'évêché, les officiers roulèrent le long de la rue du Fort jusqu'au château Saint-Louis, un édifice de pierre à deux étages, plein de saillies et d'encoignures, qui avait été érigé à l'endroit même où Samuel de Champlain avait construit sa forteresse en 1620 après la destruction de son «Habitation». Dressé à cent soixante pieds au-dessus du Saint-Laurent, le château dominait la ville et ses environs.

Le dernier personnage à arriver sous escorte et accompagné de son secrétaire, M. Marcel, dont on ignore totalement le prénom, était le marquis Louis-Joseph de Montcalm, seigneur de Saint-Véran, de Candiac, de Tournemine, de Vestric, de Saint-Julien et d'Arpaon, baron de Gabriac, lieutenant-général et commandant en chef des troupes régulières françaises en Amérique du Nord. Il avait chevauché son cheval noir pour parcourir la distance qui séparait sa résidence de la rue des Remparts du château du gouverneur.

Après avoir traversé la cour surveillée par des gardes, tous ceux qui avaient reçu l'ordre de participer au conseil de guerre empruntèrent une longue allée bien entretenue conduisant à l'entrée principale du château. De là, ils furent escortés jusqu'à la grande salle de réception où allait se tenir le conseil. La pièce était richement décorée; de nombreuses œuvres d'art ornaient les murs et un imposant foyer dominait la salle. Au milieu, se trouvait une immense table de pin rectangulaire, autour de laquelle étaient disposés un trône, à une extrémité, et douze fauteuils destinés à accueillir les personnages les plus importants. Les autres invités resteraient debout tout au long de la réunion, à moins que le gouverneur général n'en décidât autrement. En attendant son arrivée, les hommes buvaient un excellent vin arrivé de France en mai, tout en échangeant quelques politesses. En temps normal, l'épouse du gouverneur, Jeanne-Charlotte de Fleury Deschambault, une Canadienne de soixante-quinze ans, aurait présidé cette partie de la réunion, mais elle avait quitté Québec pour Montréal un peu plus tôt, ne faisant qu'une halte à Trois-Rivières afin de se réapprovisionner en *eau-de-vie**.

La plupart des militaires réunis dans la grande salle doutaient que l'on pût prendre, au cours de ce conseil de guerre, des décisions importantes. Bougainville savait par expérience que Montcalm et Vaudreuil ne cesseraient de se disputer, que les officiers des troupes régulières trouveraient à redire sur tout, que les officiers des *troupes franches de la marine** se fâcheraient et que les Canadiens se sentiraient offensés chaque fois que les Français feraient la moindre remarque. Il était persuadé que même l'arrivée imminente des Anglais ne parviendrait pas à leur faire entendre raison.

À midi trente précises, le secrétaire canadien du gouverneur général, qui était également son neveu et dont le père était connu pour avoir engendré trente-deux enfants, vint annoncer aux membres du conseil l'arrivée imminente du marquis de Vaudreuil.

Le premier à pénétrer dans la salle fut un Canadien, parent du gouverneur général et capitaine de sa garde. Il se plaça derrière le trône cependant que l'évêque, entré à sa suite, prit place dans le fauteuil qui lui était assigné, à la droite du trône. Quelques minutes plus tard, Pierre de Rigaud de Cavagnal, marquis de Vaudreuil, Grand-Croix de l'Ordre royal et militaire de Saint-Louis, gouverneur général de la Nouvelle-France, s'avança majestueusement dans la pièce, suivi de l'esclave noir dont il avait fait l'acquisition à l'époque où il était gouverneur en Louisiane.

L'évêque commença par implorer l'Esprit Saint, le priant de conférer la sagesse aux membres de l'assemblée, puis demanda à la Vierge Marie de leur procurer l'harmonie dont leurs délibérations antérieures avaient toujours été dépourvues. Vaudreuil leur fit ensuite prêter serment d'allégeance au roi et ouvrit la séance. Pendant près de deux heures, ils palabrèrent sans relâche et les esprits s'échauffèrent, les officiers s'efforçant de se mettre en évidence pour que leurs mérites soient reconnus. De leur côté, les deux marquis s'empêtraient dans leurs envolées oratoires, rendant l'atmosphère de la salle insupportable. François Bigot réclamait des denrées alimentaires à meilleur prix afin de pouvoir les revendre à l'armée avec d'énormes profits, le commandant de la ville de Québec s'étendait à n'en plus finir sur les dispositifs de défense, l'évêque s'insurgeait contre les mœurs dépravées des colons et Vaudreuil faillit verser des larmes.

Il y avait tout de même un point que personne ne pouvait contester: les Canadiens avaient répondu en masse à l'appel de Vaudreuil pour défendre leur pays. D'après le recensement effectué avant l'arrivée des Anglais, il avait été établi que le Canada comptait un peu plus de quinze mille hommes capables d'aller au combat, c'est-à-dire âgés entre seize et soixante ans. Cependant, bien davantage encore s'étaient portés volontaires. Sur une population d'à peine soixante-dix mille habitants, plus de seize mille Canadiens, des garçons dont certains avaient tout juste douze ans et des hommes dont quelques-uns étaient âgés de soixante-dix à quatre-vingts ans et plus, avaient répondu à l'appel de Vaudreuil. La mobilisation avait donné des résultats remarquables, même si la plupart n'avaient, bien entendu, aucune expérience des combats européens.

Malgré la cacophonie qui régnait dans la salle, les membres du conseil parvinrent à s'entendre sur quelques points. En premier lieu, les Français n'étaient pas aussi préparés à affronter Wolfe qu'ils auraient dû l'être. Les rives du Saint-Laurent manquaient de fortifications, notamment dans les environs de Cap-Tourmente, trente milles en aval de Québec, et la Pointe-Lévis qui faisait face à la capitale, de l'autre côté du fleuve, avait été plus ou moins abandonnée aux Anglais. Des ponts avaient toutefois été construits au-dessus des rivières Cap-Rouge et Jacques-Cartier, à l'ouest de Québec, pour permettre à l'armée de les traverser au cas où elle serait obligée de s'enfuir. L'accès par la rivière Saint-Charles était protégé par un ouvrage à cornes érigé sur la rive est de la rivière et par un pont flottant facilitant le transport et les communications entre les deux rives. Des palissades de bois surmontées de nombreux canons avaient été érigées autour du palais de l'intendant, et un barrage composé d'une batterie de douze pièces d'artillerie bloquait l'embouchure de la rivière, empêchant toutes les embarcations de passer.

Vaudreuil et Montcalm se disputèrent avec véhémence à propos des fortifications qui auraient dû être construites pour protéger Beauport. Si cela avait été fait deux ans plus tôt, comme Montcalm l'avait recommandé, les Français eussent été en meilleure position pour se défendre. À cette époque, la plupart des officiers du Haut Commandement s'accordaient pour dire que, si les Anglais remontaient le Saint-Laurent — un exploit que Vaudreuil jugeait irréalisable —, Beauport serait le seul endroit où ils pourraient débarquer pour attaquer Québec. Les forêts denses et les rivières tumultueuses de la rive sud étaient d'accès difficile; par ailleurs, tous étaient convaincus que les troupes ennemies n'essaieraient pas de débarquer en amont de Québec, où s'élevaient de hautes falaises et où les canons de la basse ville étaient prêts à détruire tout navire montrant la proue. Beauport était donc l'endroit tout désigné.

La plage de Beauport s'étendait vers l'est à environ six milles de la rivière Saint-Charles. Les marées hautes la recouvraient et laissaient, en se retirant, de vastes étendues de vase. Le littoral montait en pente douce avant de céder la place aux hautes falaises qui s'élevaient jusqu'au plateau sur lequel le village de Beauport avait été construit. Tout ce paysage était dominé par les chutes Montmorency qui dégringolaient le long de la falaise jusqu'à la rive avant d'aller se jeter dans le Saint-Laurent.

Aucune barricade, cependant, n'avait été construite à Beauport avant que Montcalm et Bougainville n'arrivent de Montréal, le 22 mai 1759. À cette époque, les Anglais avaient déjà commencé à remonter le Saint-Laurent, et les Français avaient été obligés de réagir vite. Cela n'avait pas été facile. Il avait plu presque sans répit et les dix mille huit cents hommes, en majorité des Canadiens, qui durent creuser des milles de tranchées, construire des douzaines de redoutes et autres fortifications et ériger un campement après l'autre, devaient la plupart du temps patauger dans la boue. Les rares fois où le soleil faisait son apparition, ses rayons ardents brûlaient la peau des travailleurs et la terre devenait aussi dure que le roc. Bien souvent, les hommes ne disposaient même pas de charrette pour entasser les billots de bois devant être transportés sur de longues distances. Leurs abris étaient inadéquats, on leur servait de maigres rations de nourriture et les mouches les harcelaient en permanence.

Malgré tout, en l'espace de cinq semaines, sous le commandement de Bougainville, ils avaient réussi à construire une ligne de défense qui serpentait sur près de quinze milles, entre la rivière Saint-Charles à l'ouest et les chutes Montmorency à l'est. Les retranchements décrivaient des lacets sur les hauteurs de Beauport alors que des pièces d'artillerie avaient été placées aux endroits stratégiques, notamment près de la rive du Saint-Laurent. Des rangées de tentes et quelques huttes parsemaient le paysage, au centre duquel se dressaient l'église de Beauport et, non loin de là, le manoir de la famille Salaberry, fortifié pour servir de quartier général à Montcalm, ainsi qu'à la cavalerie et à l'infanterie légère. Les fortifications étaient à ce point avancées qu'au cours du conseil Montcalm ordonna que les deux mille soldats réguliers et les huit mille miliciens quittent leur quartier général temporaire pour s'installer dans les campements de Beauport.

Lorsque vint le temps de débattre la question des défenses de Québec, les discussions se firent interminables, Montcalm, Bougainville et d'autres officiers français étant convaincus que les fortifications de la ville, qui tombaient en ruine, étaient sans utilité aucune. À la fin de l'automne 1758, Montcalm avait d'ailleurs déclaré à la cour de Versailles: «Québec manque de fortifications et il est impossible de la fortifier davantage... Si l'ennemi se rend aux pieds de ses murs, nous devrons capituler.»

D'autres membres du conseil firent néanmoins remarquer que les fortifications érigées pour protéger Québec contre les attaques des colons américains et des Indiens étaient toujours efficaces, la géographie naturelle des lieux jouant à cet égard un rôle important. La ville, perchée sur un promontoire, ressemble en effet à un immense amphithéâtre; elle est protégée en face par le Saint-Laurent, au nord et à l'est par la rivière Saint-Charles, et à l'ouest par les falaises du Cap-Rouge et par le chemin du Roi. Deux mille hommes placés sous les ordres de Jean-Baptiste-Nicolas-Roch de Ramezay avaient reçu pour mission de défendre la capitale en compagnie de quelque mille cinq cents marins. Sur les remparts protégeant la voie d'accès à l'ouest, on trouvait cinquante-deux canons, alors que quarante-deux autres pièces d'artillerie faisaient face au Saint-Laurent et protégeaient le port, dont la sécurité était également assurée par des batteries flottantes et des navires armés de canons. En outre, l'on avait construit des palissades de six pieds de haut, équipées de trois batteries de huit canons chacune, au nord, ainsi que des palanques surmontées de six canons chacune au sud-est et au sud-ouest. Par ailleurs, afin de protéger la haute ville, on avait condamné deux de ses trois portes d'accès; seule la porte du Palais demeurait ouverte à la circulation.

Dans la basse ville, chaque maison était susceptible d'être transformée en redoute et toutes les rues menant à la haute ville avaient été barricadées, hormis la côte de la Montagne. On y trouvait quatre importantes batteries: la Saint-Charles, la Dauphine, la Royale et la Construction, toutes constituées de canons de différents calibres. Enfin, deux batteries composées chacune de quatre pièces d'artillerie avaient été installées sur la côte de la Montagne.

Cependant, Montcalm n'était toujours pas satisfait; il aurait voulu que la basse ville fût détruite. Vaudreuil s'y était catégoriquement opposé, se contentant d'y interdire la circulation et d'en évacuer les habitants dont la plupart avaient trouvé refuge dans la haute ville. À la fin du débat, Montcalm fut bien obligé d'accepter les choses telles qu'elles étaient, ce qui ne l'empêcha pas de répéter pour la postérité ce qu'il avait toujours affirmé: la capitale du Canada ne pouvait être défendue que de l'extérieur de ses murs.

La question de la nourriture et des approvisionnements souleva également la controverse, opposant, d'un côté, l'intendant et ses associés et, de l'autre, l'évêque et Montcalm. Au cours des deux ou trois années ayant précédé l'arrivée des Anglais, la nourriture avait constitué un problème majeur. Les mauvaises récoltes s'étaient succédé et, le nombre de miliciens ayant augmenté, les réserves du fournisseur avaient été rapidement épuisées. Durant ces années, les Canadiens de Trois-Rivières, de Montréal et, en particulier, de Québec, de même que les soldats en campagne ou cantonnés dans ces trois villes, avaient connu des conditions de vie difficiles. L'intendant avait réduit de façon draconienne la ration de pain des militaires et leur avait imposé de manger de la viande de cheval, chose qui répugnait à la plupart d'entre eux, d'une part parce qu'ils avaient grand besoin de ces animaux et d'autre part parce qu'ils y étaient attachés. Pourtant les paysans des alentours avaient, pour la plupart, d'importantes réserves de nourriture, mais ils refusaient de les vendre au Gouvernement en échange de papier-monnaie sans grande valeur.

Afin de parer aux urgences, il avait fallu importer de plus en plus de nourriture chaque année, et 1759 n'avait pas fait exception à la règle. Maintenant que les Anglais s'étaient emparés de l'île d'Orléans et de plusieurs villages, seigneuries et fermes situés à l'est de Beauport, la nourriture se ferait encore plus rare et, si les troupes ennemies s'avisaient d'occuper la rive sud, la menace d'une famine deviendrait réelle.

En mai, le munitionnaire canadien Joseph Cadet était revenu de France avec seize vaisseaux remplis de marchandise destinée à réapprovisionner ses magasins vides. Bigot et Cadet déclarèrent qu'ils avaient suffisamment de vivres pour nourrir l'armée en garnison à Québec et dans les alentours jusqu'au 10 septembre. Les soldats et miliciens cantonnés à fort Carillon (Ticonderoga) devraient se débrouiller tout seuls à compter du 10 août, alors que ceux qui étaient en garnison au lac Ontario et plus à l'ouest seraient approvisionnés jusqu'au 1er septembre. Pour leur part, le père Récher et les sœurs des deux hôpitaux disposeraient de nourriture qu'ils pourraient distribuer à la population civile, et le sieur Dupont, le boucher, continuerait de recevoir des rations à l'intention des pauvres. Vaudreuil, que l'évêque approuvait totalement, n'étant pas disposé à prendre les mesures nécessaires pour obliger les colons à vendre leurs biens à Bigot et à Cadet, il fallait s'en tenir aux accords déjà conclus et espérer que les Anglais auraient quitté le pays d'ici le 15 septembre.

Vaudreuil avait d'ailleurs un plan pour les forcer à rebrousser chemin le plus vite possible, mais, avant même qu'il n'ait eu le temps de l'exposer à ses compagnons, un messager entra en trombe dans la salle et annonça que Wolfe avait été vu sur la pointe nord-ouest de l'île d'Orléans. À cet instant, un violent coup de vent fit claquer les fenêtres donnant sur la terrasse, et la pluie se mit à tomber avec une force inhabituelle.

*

J'imagine très bien Montcalm et Vaudreuil. Ce dernier, malgré sa stature imposante, était un homme affable et courtois; il était né à Québec le 22 novembre 1698, alors que son père était le gouverneur général de l'époque. Âgé de quarante-sept ans, Montcalm était un véritable aristocrate; il avait une forte corpulence, un visage énergique, des yeux vifs et il était aussi passionné que peut l'être un homme du midi de la France. Alors que Vaudreuil était indécis, mesquin et peu perspicace, Montcalm était vaniteux, dogmatique et manquait de tact. Optimiste de nature, Vaudreuil était convaincu que tout problème avait sa solution, même si celle-ci devait relever d'un miracle. Montcalm était, quant à lui, un grand pessimiste qui pensait toujours que les choses allaient tourner au désastre et qu'il en serait tenu pour responsable, ce qui, bien entendu, ruinerait sa carrière.

Vaudreuil et Montcalm avaient, malgré tout, deux traits communs. Le premier était une grande tendance à l'exagération. J'imagine Vaudreuil, avant le siège, en train de dicter une lettre adressée au roi. Martelant son pupitre pour donner plus de poids à ses propos, la voix empreinte d'émotion et de loyauté, il déclare solennellement: «Le zèle dont je suis animé pour le service du roi me fera toujours surmonter les plus grands obstacles. Il n'est point de ruse, de ressource, de moyens que mon zèle ne me suggère pour tendre des pièges aux ennemis et enfin pour les combattre lorsque le cas l'exigera avec une ardeur et un acharnement même qui surpasse l'étendue de leurs vues ambitieuses.» Pour lui, il n'est nullement question de capituler, car il est «convaincu des suites dangereuses qu'elle [la capitulation] aurait pour tous les Canadiens; la chose est si certaine qu'il serait incomparablement plus doux pour eux, leurs femmes et leurs enfants, d'être ensevelis sous les ruines de la colonie».

J'ai parfois l'impression de si bien connaître Bougainville que j'entre dans sa peau. Marchant à mes côtés, Montcalm se confie à moi, Bougainville. Ses propos se retrouveront dans les lettres que, plus tard, il enverra à son ministre à Versailles. «Pour combattre les Anglais, murmure-t-il un jour sur un ton théâtral, je ne possède que mon zèle, mon courage et mon opiniâtreté. Je vous le garantis, *monsieur le colonel**, j'ose répondre d'un entier dévouement à sauver cette malheureuse colonie, ou à périr.» Après une telle déclaration, il me salue et s'éloigne.

La seconde caractéristique que Vaudreuil et Montcalm avaient en commun, c'était leur tendance à faire traîner les choses. Le gouverneur n'était pas du tout ce genre d'êtres impétueux qui agissent spontanément (il avait épousé sur le tard un femme de quinze ans son aînée, qu'il avait courtisée pendant près d'une décennie). Constamment ballotté entre deux idées contradictoires, il finissait sans doute par choisir la solution la plus facile, mais au moins il agissait.

Montcalm, lui, semblait n'avoir aucune suite dans les idées. Il dressait des plans d'action, mais laissait à d'autres le soin de les exécuter. En privé, le marquis exprimait en toute franchise ses opinions, notamment avec Lévis et Bougainville, mais il leur demandait de jeter ses lettres au feu. Cet homme semblait obsédé par l'idée terrifiante que ses décisions pourraient se retourner un jour contre lui. Il se contentait par conséquent d'indiquer à Vaudreuil les tâches à accomplir, mais sans jamais trop insister, se gardant toujours ainsi une porte de sortie.

En cette année 1759, le sort du Canada était entre les mains de ces deux personnages qui s'étaient haïs pratiquement dès leur première rencontre, au printemps 1756: Vaudreuil voyait en Montcalm un éventuel usurpateur de son autorité militaire, et Montcalm considérait Vaudreuil comme un civil s'amusant à faire la guerre. Le fait que le gouverneur général était un Canadien de souche récente et Montcalm un Français issu de la vieille noblesse n'était pas sans jouer un rôle considérable dans la haine que se vouaient les deux hommes. Avec le temps, les préjugés de Vaudreuil, que sa femme ne faisait rien pour dissiper, se firent encore plus manifestes. Il trouvait Montcalm solennel, arrogant et un peu trop enclin à se croire invincible. Aux yeux de Montcalm, Vaudreuil était un être ignorant, corrompu et, le pire de tout, trop canadien.

Les fonctions de commandement confiées respectivement à Montcalm et à Vaudreuil par les ministres de Versailles, à quatre mille milles de là, n'ont guère contribué à améliorer leurs relations. Vaudreuil était le commandant en chef de toutes les forces armées du Canada, le commandant direct des *troupes franches de la marine** et de la milice, le protecteur des Indiens (si je puis me permettre cette expression), le stratège et planificateur en chef, et le général auquel on devait suprême obéissance. Montcalm était *commandant des troupes de terre** et responsable des campagnes. Ils se disputaient sans vergogne, s'accusant de faire preuve de mauvaise foi et de manigancer toutes sortes de complots, à tel point que leurs ministres respectifs (le ministre de la Marine pour Vaudreuil et celui de la Guerre pour Montcalm) étaient excédés de les voir sans cesse se critiquer mutuellement, chacun craignant que l'autre ne parvînt à le supplanter ou à recevoir une meilleure audience en France.

Deux autres faits qui n'ont pas manqué d'envenimer leurs relations sont également à considérer, le premier ayant trait à Vaudreuil et le second à Montcalm.

À mon avis, le fait que Vaudreuil fût canadien explique ses humeurs, ses rapports avec Montcalm et une bonne partie de ses agissements pendant les événements de l'été 1759. Le Canada était son pays, sa terre natale, et il considérait ses habitants comme ses enfants. Ses intérêts et son sort étaient liés aux leurs. Tout au long de cette bataille de 1759, Vaudreuil fut déchiré, partagé entre son devoir envers son royal chef suprême et son devoir envers son peuple. Du roi, dont il était la créature, il recevait honneur et prestige, mais il faisait cause commune avec le peuple pour défendre le mieux possible cette terre qui faisait partie de lui. Je crois que le vieil homme vivait un terrible cauchemar.

Sachant quels étaient les intérêts de son peuple, le gouverneur acceptait mal les interventions des étrangers. Je dis bien «étrangers». Vaudreuil était canadien et les Français étaient français. Il ne les appelait probablement jamais «étrangers», mais il les considérait sans aucun doute comme des expatriés ne venant au Canada que pour une courte période de temps. Ils n'avaient qu'une seule ambition: faire carrière, agir de leur mieux pour ne pas entacher leur honneur et celui de leurs familles et rentrer chez eux pour y recevoir médailles et pension. N'ayant pas d'intérêts à long terme au Canada, ils y vivaient le plus luxueusement possible, dilapidant les ressources coloniales pour satisfaire leur plaisir et leur avancement, et dressaient des plans de bataille sans se préoccuper des intérêts des Canadiens. Vaudreuil était tellement excédé par ces gens-là qu'il avait l'intention de se débarrasser d'eux une fois la guerre terminée. D'ailleurs, il avait déjà demandé le rappel de Montcalm.

Si Vaudreuil se faisait trop de soucis pour ses prérogatives et était d'une jalousie maladive, Montcalm était défaitiste et sournois. Après avoir remporté, en 1758, la bataille de Carillon, il avait fini par perdre tout espoir de voir le Canada demeurer entre les mains des Français. Lorsque Bougainville s'était rendu à Versailles en novembre 1758, Montcalm lui avait remis les plans d'une éventuelle retraite des forces françaises vers la Louisiane, via la rivière des Outaouais, les Grands Lacs et le Mississippi. À sa requête, Bougainville n'avait demandé que peu de renforts pour défendre le Canada. Montcalm était par ailleurs d'accord avec le plan que Bougainville avait transmis à Mme de Pompadour, selon lequel l'armée devait ménager ses efforts au Canada afin de se concentrer sur l'invasion des deux Carolines.

Vers la fin de février 1759, Montcalm avait écrit à Lévis: «La colonie est perdue si la paix n'arrive pas; je ne vois rien qui puisse la sauver.» Lorsque les Anglais avaient commencé à remonter le Saint-Laurent, Montcalm avait rédigé les articles de la capitulation de Québec et envoyé ses provisions à Batiscan, situé à environ cinquante milles en amont de Québec, sans aucun doute dans le but de les récupérer avant de prendre le chemin de la Louisiane. Je crois qu'il avait déjà perdu la bataille avant même que Wolfe ne débarque sur l'île d'Orléans.

Afin de sauvegarder sa réputation et son honneur, d'éviter la ruine personnelle qui le guettait constamment, d'avoir bonne conscience lorsqu'il ferait face à sa mère tyrannique et d'assurer la prospérité de ses héritiers, Montcalm devait avoir une seconde chance de sauver l'honneur de la France, comme il le disait lui-même. Et la Louisiane était à ses yeux cette seconde chance. Il dut être très déçu, pour ne pas dire complètement abattu, lorsque, peu de temps avant de quitter la France pour le Canada en mai 1759, Bougainville lui fit transmettre ce message: «Retraite à la Louisiane admirée, non acceptée.» Pareille nouvelle dut plonger Montcalm dans le plus grand désarroi et accroître son pessimisme.

À la lumière de ces faits, on comprend mieux la stratégie employée par Montcalm à Québec en 1759. Elle était très simple: attendre une première offensive de la part des Anglais. Si ceux-ci attaquaient, il les battrait en un seul engagement; s'ils refusaient d'attaquer les premiers, il les laisserait poireauter. Après tout, ils seraient bien obligés de repartir quand arriverait l'hiver. Peut-être s'agissait-il là de la seule stratégie militaire possible, mais elle avait peu de chances de sauver le Canada.

Pour juger les faits et gestes de Vaudreuil, que la plupart des historiens anglophones considèrent comme un parfait idiot, et ceux de Montcalm, qui pour eux est un héros, il est important de se rappeler que ce dernier était, à l'époque du siège de Québec en 1759, le commandant en chef de toutes les forces armées du roi de France en poste dans son empire du Nouveau Monde. Les instructions données à Vaudreuil par l'entremise de Bougainville, lorsque celui-ci revint de France en mai 1759, étaient très claires: il devait respecter la volonté de Montcalm pour tout ce qui touchait directement ou indirectement l'effort de guerre et ne devait pas s'immiscer, de quelque façon que ce fût, dans les plans de Montcalm. Le vieil homme n'avait même pas le droit d'être présent sur le champ de bataille sans l'autorisation de Montcalm. Ce dernier assumait seul le poste de commandement.

Il vous faut garder cela à l'esprit tout au long de votre lecture. À présent, allons rejoindre Wolfe, qui fait route vers le chenal nord qui sépare l'île d'Orléans de la côte de Beauport.

*

À l'île d'Orléans, à midi

Pendant que ses ennemis tenaient conseil sans prendre son arrivée trop au sérieux, Wolfe posait le pied sur le sol canadien. Il était accompagné de huit mille cinq cents hommes, soit trois mille cinq cents de moins que ce qu'on lui avait promis. C'était une mince consolation pour lui de savoir qu'il s'agissait de soldats professionnels et aguerris sortant tout droit de régiments anglais de métier, dont certains avaient tenu garnison en Amérique. Hormis les six compagnies de Rangers qui l'avaient accompagné à Québec, Wolfe comptait peu d'Américains parmi ses hommes et aucun régiment colonial.

En débarquant de la chaloupe qui l'avait emmené du *Richmond*, il ne put s'empêcher de penser que ses hommes ressemblaient davantage à des soldats de plomb qu'à de véritables militaires, avec leurs uniformes inconfortables et mal ajustés qui rendaient leurs mouvements difficiles. Heureusement, Wolfe avait ordonné que les tenues fussent modifiées, de sorte que les tuniques étaient maintenant plus amples et plus courtes. Les parements de dentelle avaient été supprimés et les chapeaux des fantassins, remplacés par des calots dotés d'une étoffe qui, dépliée, couvrait le visage jusqu'au menton afin de «garder le soldat au chaud lorsqu'il s'allonge». Grâce à ses instructions, ses hommes portaient désormais leurs havresacs à bonne hauteur, attachés *à l'indienne** avec des sangles passant par-dessus leurs épaules, ce qui rendait la marche plus facile. Il avait fait coudre sur leurs manteaux des poches supplémentaires destinées aux balles de mousquet et aux pierres à feu, et avait ordonné que les cartouchières fussent accrochées sous le bras gauche et les cornes à poudre sous le bras droit, alors que baïonnettes, couteaux et haches étaient suspendus au ceinturon. Il n'avait toutefois rien pu faire pour les officiers qui se plaignaient que des rats et des souris cherchaient parfois refuge dans leurs cheveux nattés et poudrés.

Ses troupes s'étaient maintenant dispersées. Les soldats montaient leurs tentes (à raison de cinq hommes par tente), entreposaient leur matériel, creusaient des tranchées et construisaient des latrines et des fortifications cependant que les cantinières installaient les cuisines et l'hôpital. Wolfe aperçut des soldats qui fouillaient les granges pour trouver du bois de chauffage et de la paille, alors que plus loin d'autres réunissaient des bœufs, des porcs et de la volaille dans des enclos. Il ordonna aussitôt que cessent ces actes de pillage si «déshonorants», sous peine de punitions sévères, tant pour les coupables que pour les officiers qui toléraient de tels agissements. Il exigeait de ses hommes qu'ils fussent responsables, disciplinés et toujours prêts à se mettre en route et à combattre.

Alors que Wolfe faisait sa ronde parmi les soldats, John Knox, lieutenant affecté au 43ᵉ Régiment, s'approcha de lui et lui remit la lettre du père Martel qu'il avait trouvée sur la porte de l'église. De l'endroit où il se trouvait, le général pouvait apercevoir l'élégant édifice de pierre surmonté de sa haute flèche blanche. Il lut la lettre mais déclina l'invitation de Knox à se rendre jusqu'au potager du prêtre afin de vérifier si les radis et les asperges étaient réellement montés en graines.

Il faisait un temps magnifique, aucun nuage ne pointait à l'horizon et le soleil brillait de tous ses feux. Aussi Wolfe renonça-t-il à prendre la voiture tirée par des chevaux qui devait le conduire jusqu'à l'extrémité nord-ouest de l'île, située à environ deux milles de la paroisse de Saint-Laurent, préférant faire le trajet à pied. Il se fit accompagner par une escorte de fantassins et par le major Patrick Mackellar, ingénieur en chef qui avait été prisonnier à Québec en 1756 et en 1757. Celui-ci avait pu alors étudier la topographie et le système de défense de la ville et le plan qu'il en avait tracé constituait la seule information concrète que Wolfe possédait sur la capitale.

Le général était ravi d'être enfin sur la terre ferme et de pouvoir marcher d'un bon pas dans l'air frais. Les fleurs étaient écloses et il pouvait entendre le bourdonnement des abeilles et le chant des grillons. Lièvres et écureuils détalaient à toute allure sur son passage et les mouches qui l'avaient incommodé pendant la remontée du Saint-Laurent le laissaient maintenant en paix. Wolfe était d'excellente humeur lorsqu'il atteignit l'extrémité nord de l'île: il allait enfin pouvoir découvrir ce que ses ennemis faisaient pour protéger Québec et inspecter à distance et en toute sécurité la rive sur laquelle il comptait débarquer. Il fut consterné par ce qu'il vit.

Les Français s'y trouvaient déjà en grand nombre. On voyait des tranchées, des batteries et des redoutes, des campements et des tentes, et partout où portait son regard Wolfe pouvait apercevoir des pièces d'artillerie et des milliers d'hommes s'appliquant à rendre leur position imprenable. À le voir froncer les sourcils et à l'entendre marmonner entre ses dents, tout en inspectant la rive de Beauport, il était évident que le général anglais ne s'était pas attendu à un tel spectacle. En fait, il avait espéré ne rien trouver. La stratégie qu'il avait mise au point pendant la traversée de l'Atlantique ne lui était plus d'aucune utilité. D'après les renseignements qu'il possédait alors, il avait estimé que Montcalm avait à sa disposition moins de cinq mille soldats enrôlés dans les rangs de l'armée régulière et des troupes coloniales, en plus de huit à dix mille miliciens et de mille Indiens. Selon ses prévisions, si les Anglais attaquaient les Français sur trois fronts à la fois (Québec, Montréal et Niagara), Montcalm serait obligé de diviser ses troupes et de garder à Québec à peu près le même nombre de soldats que Wolfe.

Le général aurait alors pu débarquer sur la plage de Beauport, traverser la rivière Saint-Charles et attaquer Québec qui, selon Mackellar, était mal fortifiée. La tâche n'aurait pas été facile, mais, avec un peu de chance, elle aurait pu être menée à bien au début de l'été, ce qui lui aurait permis de poursuivre sa route jusqu'à Montréal et de mettre un terme à la conquête du Canada. Cependant, Wolfe se rendait compte maintenant, d'après ce qu'il pouvait voir, que son plan initial était tout à fait irréalisable. Québec était trop bien défendue. Il lui fallait trouver un nouveau plan, et le plus vite possible.

Découragé, le général rentra au campement principal avec l'intention d'aller chercher réconfort dans sa luxueuse cabine du *Richmond*. Dès qu'il mit le pied sur le pont, il fut soumis pour la première fois aux caprices du climat québécois. Un violent orage amené par le vent d'ouest éclata sans qu'on l'eût vu venir.

Les soldats avaient eu la chance de trouver, au cours de leur pillage, quantité de paille et de foin sur lesquels ils purent s'étendre, à l'abri de leurs tentes, en attendant la fin de l'orage. La flotte, par contre, se trouvait en mauvaise posture. Dans un journal de bord de la Marine royale, un chroniqueur inconnu nota, avec l'économie de mots alors en usage, que «chaque position était précaire». Un grand nombre de navires étaient ancrés au large, mais plusieurs avaient été amenés au bord de la rive. L'amarrage était insuffisant et le reflux, puissant. La catastrophe était inévitable en dépit de la promptitude avec laquelle les matelots amenaient les vergues et les mâts de hune et manœuvraient les vaisseaux pour leur donner une bonne longueur de câble. Sept navires perdirent leur ancre, neuf s'échouèrent et deux durent être abandonnés. N'eussent été la promptitude, la discipline et l'adresse des équipages et de leurs officiers, les dommages auraient pu être plus considérables.

Wolfe se montra néanmoins très critique à l'égard des marins, et en particulier du vice-amiral Saunders. Il nota dans son journal: «Quantité de bateaux perdus et singulière négligence de la part des équipages des bâtiments de guerre.» Montcalm, qui avait assisté à la scène depuis son repaire de Beauport, considérait avec beaucoup plus d'admiration l'adresse des marins anglais. Il déclara à Bougainville: «Il est fort probable que, dans les mêmes circonstances, une flotte française eût péri.»

Peu après quatre heures, la tempête se calma, se dirigeant vers les montagnes situées au nord-ouest. Dans la douce lumière du soleil couchant, les soldats allumèrent des feux de camp, avalèrent leur souper et se préparèrent à passer leur première nuit en sol canadien.

Le 28 juin 1759

À Beauport, au quartier général de Montcalm, tôt le matin

Les aumôniers récollets n'avaient pas encore commencé à célébrer l'office lorsque Bougainville arriva en voiture de la Canardière. Montcalm l'attendait pour faire sa tournée d'inspection. Le ciel était couvert, mais il ne pleuvait pas. Les soldats étaient déjà levés et quelques-uns avaient pris place dans les tranchées. Certains s'affairaient autour de leurs tentes; les autres faisaient la queue près des cantines, attendant de recevoir leur ration quotidienne de viande (du *porc salé** ce jour-là) et de pain. Les hommes qui avaient été servis trempaient leur pain dans la mélasse, ou échangeaient un fruit, un navet ou un radis avec leurs compagnons. Ceux qui avaient passé la nuit à jouer et qui avaient eu la chance de gagner de précieuses denrées les revendaient maintenant à prix fort. Bientôt, des milliers de Canadiens tireraient sur leur pipe et rempliraient l'air d'une odeur âcre qui répugnait aux narines raffinées de Bougainville. Les soldats mangeaient encore lorsqu'un nuage noir vint obscurcir les campements.

*

Je me plais à imaginer que Bougainville, ce jeune colonel séduisant, intelligent et dévoué, me rend visite au moment où j'écris ces lignes. À mon âge, il s'agit là d'un doux rêve! Laissez-moi vous raconter comment je le vois.

Louis-Antoine de Bougainville avait vingt-neuf ans à l'époque du siège de Québec. Orphelin de mère, il était le fils d'un notaire vivant à Paris et ayant pour voisin le célèbre mathématicien et *encyclopédiste** d'Alembert. Ce dernier insuffla au jeune Bougainville une passion pour les mathématiques qu'il allait garder toute sa vie. À vingt-deux ans à peine, il avait déjà rédigé le premier tome de son *Traité de* calcul intégral, qui fut publié en 1755. Entre-temps, sur l'insistance de son père et de son frère, il s'était inscrit au barreau. Il était également devenu une fine lame et un excellent cavalier.

Cependant, il n'était pas dans son caractère de se satisfaire d'une vie consacrée à l'étude et d'une banale carrière d'avocat. Le jeune homme avait besoin de partir à l'aventure, de prendre des risques et de connaître de multiples expériences. Il s'engagea donc dans l'armée, tout d'abord à titre d'aide-major* dans la milice de Picardie, puis en tant que lieutenant chez les mousquetaires noirs*, un régiment d'élite jouissant des faveurs du roi. Bougainville avait vingt-quatre ans lorsque lui fut confiée sa première mission diplomatique à Londres. Au cours de ce séjour en Angleterre, il apprit l'anglais, fut élu à la Royal Society de Londres et se lia d'amitié avec certains des officiers de l'armée anglaise qui, quelques années plus tard, allaient attaquer le Canada.

Bougainville n'avait pas la moindre notion de navigation ni de botanique. Je mentionne ce fait parce que vous savez peut-être que cet explorateur fut le premier Français à avoir fait le tour du monde en bateau, contribuant grandement à la réputation de paradis tropical dont jouit Tahiti dans la littérature mondiale. C'est également lui qui fit la «découverte» de cette magnifique plante grimpante aux fleurs d'un rouge éclatant connue sous le nom de bougainvillée.

Bien qu'il fût trapu et eût tendance à faire de l'embonpoint, Bougainville était un homme de belle apparence et les femmes de Québec le trouvaient fort séduisant. Il avait un regard doux et rêveur, un nez droit et des lèvres «charnues et invitantes», comme le décrivit un jour Mme de Beaubassin, la maîtresse de Montcalm. Bougainville avait une stature imposante, de larges épaules et des cuisses fortes contre lesquelles les femmes ne manquaient pas de se frotter lorsqu'elles passaient près de lui. Je suis sûr qu'il arrivait toujours à se faire remarquer, même quand il se trouvait dans une pièce remplie d'officiers, car il se tenait tout le temps le plus droit possible. Il parvenait ainsi à dominer même ceux qui étaient plus grands que lui, excepté Lévis.

Bougainville fit la connaissance de Montcalm vers la fin de février 1756, alors que tous deux se trouvaient à Versailles, où ils avaient la fastidieuse tâche de réunir les instructions, mandats et ordres nécessaires à leur mission au Canada, Montcalm en tant que major général et commandant en chef des troupes régulières, et Bougainville en tant que son aide de camp.

Montcalm fut immédiatement séduit par le jeune homme, qu'il décrivit par la suite à sa mère comme un «homme d'esprit et de société aimable». Il enviait les passe-temps intellectuels de Bougainville, sa nature hédoniste et ses nombreux talents. Ce qui l'impressionnait le plus, cependant, c'étaient les relations extraordinaires que Bougainville entretenait en haut lieu. La marquise de Pompadour surnommait affectueusement son oncle «Boubou»; le comte d'Argenson, alors ministre de la Guerre (et à qui Montcalm et Bougainville devaient rendre des comptes), était son protecteur; sa mère adoptive, Mme Hérault, était la fille du contrôleur des finances de la France et la belle-sœur du ministre de la Marine, responsable des colonies françaises à l'époque où Bougainville était au Canada. Dans l'ordre hiérarchique en vigueur à la cour de France, il s'agissait là de relations exceptionnelles.

Le seul moment où ces relations lui firent défaut fut probablement en hiver 1758-1759, alors que Vaudreuil et Montcalm l'envoyèrent à Versailles afin de presser le roi de faire un petit effort pour le Canada. Bougainville ramena à Québec de maigres renforts, mais les honneurs et les promotions ne manquaient pas (Montcalm avait été nommé lieutenant général, Lévis, maréchal de camp et Bougainville, colonel). «C'est peu!» s'était exclamé Montcalm, qui ajouta sur son ton acerbe: «Mais le peu est précieux à qui n'a rien.»

En 1756, durant la période où Montcalm et Bougainville préparaient leur voyage au Canada, ils eurent probablement de nombreux entretiens aux cours desquels ils échangèrent des renseignements, puis des confidences à mesure que leur amitié se développait. Je suis certain que Montcalm raconta à Bougainville qu'il était né le 28 février 1712 au château de Candiac, dans le sud de la France, ajoutant une phrase comme celle-ci: «Mes ancêtres furent les premiers à appartenir à la noblesse de robe mais, au XVIIe siècle, ils devinrent soldats et je crois qu'ils se sont battus de façon très honorable. Ma famille a toujours eu un désir farouche de servir le roi.»

Il sourit timidement, regarde Bougainville et dit: «Lorsqu'on m'a proposé ce mandat, ma femme et moi avons hésité. Mais ma mère, qui a une volonté de fer, m'a déclaré sans ambages que jamais, dans toute l'histoire de notre famille, un Montcalm n'avait refusé un poste offert par le roi. Aussi ne pouvais-je me désister et me voilà ici! Il m'est cependant difficile de quitter ma femme et mes enfants pour une mission aussi lointaine et périlleuse.»

Bougainville s'était renseigné sur Montcalm et savait déjà que celui-ci avait épousé Angélique-Louise Talon du Boulay en 1736.

«Mon cher monsieur de Bougainville*, elle a des relations elle aussi. Son père était marquis et colonel du régiment d'Orléans — *ça aide!** Après tout, les Montcalm ne sont ni riches ni puissants et nous vivons loin des lieux où les décisions se prennent. Savez-vous que nous avons cinq enfants — deux garçons et trois filles? Comment pourrai-je voir à la carrière de mes fils en étant à des milliers de milles de distance? Et mes filles? Les mariages à convenir! Les dots à payer! Il y a tellement de choses dont je dois m'occuper, croyez-moi.»

Après une pause, il ajoute: «*Madame de Montcalm, ma femme**, a quelques connaissances sur le Canada. Elle est la petite-nièce de Jean-Baptiste Talon, qui s'est rendu deux fois en Nouvelle-France comme intendant au siècle dernier.»

Montcalm n'avait pas besoin d'expliquer à Bougainville combien il était important d'avoir des relations, le jeune homme le savait fort bien, et l'ascension rapide du marquis dans l'armée en était la preuve. Après s'être engagé à l'âge de vingt et un ans, Montcalm avait passé les trente et une années suivantes à servir fidèlement le roi. Il avait participé à onze campagnes et avait été blessé à cinq reprises. En 1753, il reçut une pension bien méritée.

«Vous devriez aller à Candiac, dans ma Provence bien-aimée. Il y a là tout ce qu'un homme peut désirer. Malheureusement je n'ai jamais pu y vivre plus longtemps que sept années consécutives; le reste du temps il me fallait partir à la guerre. J'ai des oliviers et des amandiers magnifiques qu'il me faut constamment surveiller, comme des enfants. Mais maintenant je ne serai plus là pour le faire.»

Bougainville pouvait déceler la douleur et l'anxiété qui se reflétaient dans les yeux de Montcalm. Cependant il lui fallait obéir au roi — et sa Majesté payait relativement bien ses sujets. En tant que *maréchal de camp**, Montcalm touchait vingt-cinq mille *livres** de solde, douze mille *livres** pour ses frais de déplacement, seize mille *livres** d'allocation de subsistance alors qu'une pension de six mille *livres** l'attendait à son retour en France. Les émoluments de Bougainville étaient loin d'atteindre une telle somme, mais, en tant qu'officier, il était suffisamment bien rémunéré pour mener une vie agréable et pour emmener avec lui quantité de bagages et quelques serviteurs au Canada.

Montcalm et Bougainville quittèrent le port de Brest le 3 avril à dix-sept heures. Lorsqu'il apprit que la santé de Mme Hérault s'était détériorée, Bougainville écrivit à son frère pour lui faire part de sa tristesse et de son inquiétude. «Je vous prie de lui parler quelquefois de moi, cher frère, et de préserver l'amitié qu'elle a eu la bonté d'accorder à un malheureux enfant qui ne l'aurait jamais quittée s'il avait pu prévoir comment les choses évolueraient.» Dans cette même lettre, il fit l'éloge de Montcalm en ces termes: «Il est aimable, plein d'esprit, franc et ouvert [...] Il ne cache rien, me fait l'honneur de me consulter, honneur que je reconnais en ne conseillant pas.»

Les trente-huit jours que dura le voyage sur la Licorne furent difficiles: le navire eut parfois à affronter des vagues plus hautes que lui, dévia de sa route et fut retenu prisonnier par les glaces flottantes pendant six jours. Le 12 mai 1756, il accosta enfin dans le port de Québec.

Sous les ordres de Montcalm, Bougainville dut mener, entre 1756 et l'année suivante, trois difficiles campagnes au cours desquelles il combattit avec zèle, fut évidemment blessé et négocia des trêves et des capitulations avec les Anglais.

«Vous, Canadiens, vivez dans un pays cruel, me confie Bougainville, et qui manque certes de confort. Mais que pouvez-vous espérer d'autre? Votre environnement naturel, comme je l'ai un jour écrit à *ma chère maman**, engendre et entretient la mélancolie. Pendant que je séjournais dans votre pays, mon humeur était toujours noire; je trouvais cela atroce, et même terrifiant.»

Il se met à rire, puis ajoute: «Quelle terre propice à la misanthropie que votre pays! Quelle carrière pour les regrets et les désirs! Je me suis réjoui à l'idée de quitter cet exil, mais très vite la triste réalité s'est de nouveau imposée à moi: je n'avais peut-être pas d'avenir.

— Mais vous en avez certainement retenu quelque chose... quelque chose d'important?

— Oui, j'ai appris une chose: que je pourrais désormais endurer à peu près n'importe quoi. L'immensité, la rudesse de ce pays et les souffrances qu'il m'a infligées ont peut-être contribué à ruiner ma santé, mais en même temps elles m'ont stimulé. Je suis rentré jusqu'à la taille dans des rivières agitées et glacées, j'ai dormi sur la dure, avec un coin de rocher pour tout oreiller. Oui, j'ai été capable de supporter toutes ces choses et je dois vous avouer qu'à l'occasion cela m'a apporté paix intérieure et sérénité. Les vôtres ne m'ont pas aidé, vous savez. Je souhaitais les aimer et à la longue j'y suis arrivé, mais il m'a fallu beaucoup de patience. Ils n'étaient pas des plus accueillants et se complaisaient dans leur aversion pour nous, les Français.

— C'est ce que vous avez écrit à votre frère et vous avez même ajouté: "Tout ce que je puis vous dire, c'est qu'en quittant ce pays, nous chanterons de bon cœur l'*In exitu Israël!*"

— J'imagine que je traversais alors une sorte de crise. Au Canada, je suis devenu un être plutôt étrange, parfois philosophe, d'autres fois non. En fait, j'étais habité par les mêmes passions qu'auparavant, mais j'avais plus fréquemment des élans de sagesse et j'avais davantage de bonnes idées, mais sans grands moyens de les mettre en pratique. Avec le temps, le Canada m'a appris que, pour survivre, il me fallait acquérir *une âme à plusieurs étages**.

— Un cœur vaillant.

— Oui, c'est cela, un cœur vaillant!»

Afin de retrouver ses forces entre deux campagnes, Bougainville lisait, écrivait, avait d'interminables discussions avec les jésuites de Québec et les sulpiciens de Montréal et réfléchissait. Il poursuivit ses recherches scientifiques et apprit beaucoup de choses sur la langue et les us et coutumes des Indiens. Durant les longs mois d'hiver, le jeune homme partageait son temps entre Montréal et Québec, honorant de sa présence les réceptions mondaines et les somptueux dîners; l'été, il participait à de fastueux pique-niques et à de grandioses excursions. Tout au long de l'année étaient organisées des soirées qui faisaient scandale. Même la famine qui menaça la Nouvelle-France ne put mettre fin à de telles extravagances. Bougainville fut alors obligé de consommer de la viande de cheval, apprêtée en plats auxquels on donnait des noms alléchants comme *petits pâtés de cheval**, *filet de cheval à la broche avec poivrade**, *semelles de cheval au gratin**, *langue de cheval au moroton**, *frigousse de cheval**, *langue de cheval boucanée** (que Bougainville préférait à la langue d'orignal) et *gâteau de cheval** (bien plus appétissant que le *gâteau de lièvre**).

Aux tables de jeu de l'intendant Bigot, Bougainville faisait preuve d'astuce et d'intelligence, ne perdant jamais plus que ne l'exigeait l'honneur ou la politesse. Il courtisait avec insouciance toutes les belles femmes qui l'entouraient. Il les trouvait séduisantes, bien faites, intelligentes et, de plus, elles avaient de la conversation. Elles flirtaient elles aussi avec passion, mais devaient trop souvent se contenter de minces faveurs qui manifestement ne dépassaient pas le stade du péché véniel, comme le constata un jour Montcalm. Ce qui n'empêchait pas les rumeurs d'aller bon train, tant à Montréal qu'à Québec, au sujet de telle ou telle dame ayant échangé avec Bougainville des caresses relevant du domaine des péchés mortels. On racontait même que, dans l'arrière-pays, plus à l'ouest, une Iroquoise lui avait donné un enfant. Les Iroquois de Saint-Louis avaient adopté le jeune officier et le considéraient comme un frère. Il avait reçu le nom de Garoniatsigoa, qui signifiait Grand Ciel en courroux, à cause de la fureur émanant des chants guerriers qu'il avait l'habitude d'improviser. Au fil des ans, Bougainville rendit fréquemment visite à ses frères iroquois et à leurs familles dans le petit village qu'ils habitaient et où ils cultivaient leurs champs, gardaient leurs troupeaux, éduquaient leurs enfants dans la religion catholique, faisaient la traite avec les Français, combattaient les Anglais et dressaient les chevaux.

Bougainville devait beaucoup aux Iroquois. Non seulement ils lui avaient appris à survivre et à faire des embuscades dans les bois, mais ils l'avaient aussi initié à leur spiritualité, par laquelle il se sentait irrésistiblement attiré.

«Saviez-vous, monsieur LaPierre, que leurs rêves contiennent leurs désirs secrets et que leurs sorciers leur en donnent l'explication? Ils voient des esprits partout et s'efforcent de vivre constamment en harmonie avec le Manitou qui habite en toute chose. J'ai été subjugué par la puissance de leur imagination et charmé par le caractère sacré de leurs mythes et par la façon dont ils évoquent leur passé à travers des histoires interminables.»

Au fil des années que Montcalm et Bougainville passèrent ensemble, leurs liens s'intensifièrent et ils devinrent profondément attachés l'un à l'autre. Avec le temps, Bougainville finit par considérer Montcalm comme un père pour qui il n'avait aucun secret. Celui-ci lui rendait bien son affection, car il trouva en lui un fils chéri à qui il confiait des missions aussi personnelles que confidentielles.

Bougainville savait que Montcalm avait de nombreux ennemis influents et qu'il était souvent difficile de traiter avec lui. Cependant, il lui était reconnaissant de son amitié et de sa compassion et admirait son tempérament passionné et l'enthousiasme avec lequel il servait son pays. L'un et l'autre rêvaient d'accomplir des exploits qui les couvriraient de gloire et d'honneurs.

Bougainville me confie: «Nous avions tous deux l'esprit de famille, nous étions très attachés aux familles que nous avions quittées. Pas un seul jour ne s'écoulait sans que nous fîmes allusion à elles, sans que *mon général** s'inquiétât de la situation financière de sa famille et de l'avenir de ses enfants.

— Est-ce la raison pour laquelle il se préoccupait tant de ses relations avec les autorités de Versailles? Craignait-il, par ses agissements, de menacer la sécurité de ses enfants?

— C'est exact. Dans le monde où nous vivions, il pouvait être fatal de perdre ses bonnes relations. Si vous n'aviez pas d'influence au sein des cercles appropriés, vous vous retrouviez face à un monde hostile. Je crois que ma présence à ses côtés a quelque peu calmé ses appréhensions. Je l'écoutais, je partageais son anxiété et, pendant que j'étais en France en hiver 1758-1759, je pus prendre en son nom les dispositions nécessaires au mariage de l'une de ses filles. Malheureusement, à mon retour, je dus lui faire part d'une triste nouvelle. Peu de temps avant mon départ pour le Canada, à la fin de mars 1759, j'avais appris que l'une de ses filles venait de mourir. Je ne pus même pas lui dire de laquelle de ses trois filles il s'agissait. Nous pleurâmes côte à côte, tout comme nous l'avions fait le jour où j'avais appris que mon ami Hérault avait été tué à la bataille de Minden.»

Sur ces paroles, Bougainville me salue et me laisse poursuivre mon récit.

*

Avant que les deux hommes n'entreprennent leur tournée d'inspection, Bougainville informa Montcalm des plans du gouverneur général pour cette troisième journée de siège: Vaudreuil avait ordonné la destruction de la flotte anglaise. Si le temps le permettait, l'opération aurait lieu au cours de la nuit.

Dans le port de Québec, tard dans la soirée

Le vent était favorable et la nuit noire, mais dans le ciel brillaient tout juste assez d'étoiles pour éclairer les eaux qui séparaient le port de Québec et les rives de l'île d'Orléans, près desquelles mouillait la flotte anglaise. Pour détruire cette dernière, Vaudreuil avait décidé d'utiliser six brûlots qui attendaient dans le port, équipés pour la circonstance. Les Français fondaient beaucoup d'espoir sur l'efficacité de ces navires, tandis que les Canadiens étaient convaincus que le Tout-Puissant allait accomplir le miracle que, depuis deux jours, ils ne cessaient de réclamer dans leurs prières.

Les navires transformés en brûlots, vendus fort cher à la Couronne par Cadet, étaient tous armés de la même façon. Plusieurs madriers de cinq pouces avaient été évidés, étendus sur les ponts et joints entre eux à l'aide de poutres transversales, elles aussi évidées, afin d'atteindre les hublots que la chaleur intense ferait éclater. Les madriers conduisaient à des barils de poix qui, une fois allumés, répandraient leurs flammes dans les mâtures et les gréements. De la résine fondue avait été étendue partout et, entre les ponts, de grandes cheminées créeraient un courant d'air ascendant capable d'alimenter l'incendie. Enfin, des caisses contenant des grenades, de vieux mousquets et canons bourrés de poudre et de balles ou de boulets avaient été éparpillées sur les ponts.

Pour assurer la sécurité des hommes chargés de manœuvrer les brûlots, une petite plate-forme avait été aménagée contre la coque de chaque navire. De cet endroit partait un autre madrier rempli de poudre à canon et relié à l'une des poutres transversales. Une chaloupe était attachée à cette plate-forme; il suffisait donc aux marins de sauter dedans avant d'incendier leurs brûlots respectifs.

À l'origine, cette flotte était composée de huit navires: l'*Ambassadeur*, les quatre navires que l'on appelait les *Quatre Frères*, l'*Américain*, l'*Angélique* et la *Toison d'Or*. L'un d'eux avait toutefois explosé le 8 juin — toute la basse ville avait d'ailleurs failli brûler — et un autre était inutilisable.

Les ordres de Vaudreuil étaient clairs: les brûlots devaient quitter le port de Québec à vingt-trois heures précises. Et puisqu'il leur faudrait parcourir six milles avant d'atteindre la flotte anglaise, ils ne devraient pas être allumés avant de se trouver à environ un mille de distance de l'ennemi.

À peu près une heure avant le départ des navires pour leur périlleuse expédition, Vaudreuil se fit conduire à l'église de Beauport. En compagnie de son aide de camp et de son esclave, il gravit péniblement les marches délabrées menant au clocher. Montcalm, Lévis, Bougainville et quelques autres officiers supérieurs se tenaient sur les marches. Depuis leurs tranchées, les soldats observaient silencieusement la scène. Dans le noir, l'on arrivait à peine à distinguer la flotte anglaise ancrée dans le bassin de Québec.

Tous les habitants de la ville qui avaient pu de se rendre sur les lieux — des prêtres et des séminaristes, des fonctionnaires et des marchands, des officiers, des marins et des soldats qui n'étaient pas en service, des vieillards, des femmes et des enfants — étaient rassemblés sur les remparts et la terrasse du château Saint-Louis; quelques-uns s'étaient même faufilés jusqu'à la rive et le long des quais. Seules les religieuses étaient demeurées dans leurs couvents. De leurs nombreux points d'observation, les hommes fumaient la pipe pendant que les femmes et les enfants récitaient leur rosaire, tous espérant le miracle.

Posté dans la tranchée creusée sur la pointe ouest de l'île d'Orléans, le jeune soldat anglais qui était de garde se sentait épuisé. Durant toute la journée, le temps avait été incertain; lui et ses compagnons avaient essuyé des rafales soudaines et des averses glaciales. Pendant plusieurs heures, l'orage les avait menacés, puis, comme la veille, avait fini par fondre sur eux, dans un fracas d'éclairs et de tonnerre. La tempête ayant duré des heures, le repas du soir avait dû être retardé et la sentinelle était trempée jusqu'aux os. Les cordages d'ancre de plusieurs bateaux mouillant près de son poste d'observation s'étaient emmêlés. Certains s'étaient heurtés et plus d'un petit vaisseau étaient allés se fracasser contre les rochers. L'orage était maintenant terminé et le ciel de la nuit était de nouveau serein, mais le jeune homme, frissonnant, était exténué et affamé.

À vingt-trois heures précises, le sieur de Louche, le capitaine de la flotte des brûlots, donna l'ordre de mettre les voiles. Les vaisseaux franchirent sans encombre les trois premiers milles. L'*Ambassadeur* avançait à bonne allure et son commandant, le capitaine Dubois de La Militière, distinguait au loin la silhouette des mâts des navires anglais dressés contre le ciel. Autour de lui naviguaient les autres brûlots, celui du sieur de Louche en tête.

Soudain, bien avant que les navires n'eussent parcouru la distance voulue, La Militière vit un torrent de flammes jaillir du bateau du sieur de Louche. Bientôt, les quatre autres navires s'embrasèrent à leur tour; capitaines et matelots sautèrent à toute vitesse dans leurs chaloupes et se mirent à ramer vers la rive. De Louche, pris de panique, avait mis le feu à son bateau alors qu'il était encore trop loin des navires anglais.

La Militière demeura calme et poursuivit sa route tandis que les autres brûlots, dévorés par les flammes, partaient à la dérive. La plupart de ses hommes se jetèrent par-dessus bord, mais deux marins demeurèrent à ses côtés. Quand il fut à un mille du premier navire anglais qu'il put apercevoir distinctement, La Militière mit le feu à son vaisseau. Dès que les flammes se mirent à courir le long des poutres et des gréements, il y eut une énorme explosion.

La Militière supporta l'intense chaleur, les volutes de fumée et l'odeur nauséabonde et âcre qui se dégageaient du brasier aussi longtemps qu'il le put, puis il sauta dans l'embarcation que ses hommes maintenaient le long du navire en flammes. Ils s'en étaient à peine éloignés lorsqu'ils entrèrent en collision avec l'un des autres brûlots. Sous le choc, ils furent précipités dans les eaux sombres du Saint-Laurent. L'*Ambassadeur*, toujours en flammes, gardait son cap.

Le jeune soldat anglais distingua tout d'abord des masses noires surgissant de l'obscurité et voguant dans sa direction. Il les observa pendant un instant, puis appela les soldats qui se trouvaient près de lui dans la tranchée. Écoutant les bruits étranges qui parvenaient jusqu'à eux, ils attendirent, inquiets.

Soudain, une torche s'alluma! Puis une autre! Des détonations déchirèrent le silence de la nuit. Le Saint-Laurent était embrasé, couvert de brasiers flottants. Des langues de feu léchaient le ciel. On entendait des canons tonner et des grenades éclater. Le jeune soldat regardait avec effroi les flammes de l'enfer qui se dirigeaient droit sur lui, sur son poste, sa flotte et ses camarades. La fumée lui emplissant les poumons et lui brûlant les yeux, il se précipita hors de la tranchée en hurlant de terreur, bientôt suivi de ses compagnons.

Dès que la vigie du *Richmond* aperçut les brûlots en flammes, Wolfe fut averti de ce qui se passait. Il tenta aussitôt de dissiper la panique et la confusion qui s'étaient emparées des sentinelles. Craignant une attaque des Français postés à Beauport, le général envoya un détachement de fantassins au nord de l'île et ordonna aux autres soldats de prendre les armes. Puis il enjoignit son aide de camp de noter le nom et le grade de chacun des hommes qui s'étaient laissé gagner par la panique.

À bord du *Sterling Castle*, le vice-amiral Saunders fut alerté par les coups de canon venant du *Centurion*, le navire qui se trouvait le plus près des brûlots. Il se précipita sur le pont pour observer les vaisseaux en flammes et ordonna sur-le-champ à ses hommes de sauter dans leurs embarcations. Non sans enthousiasme, les marins ramèrent tout d'abord vaillamment vers les navires incendiaires. Bientôt, cependant, ils eurent un mouvement de recul lorsque les flammes furent assez proches pour leur roussir les cheveux et qu'ils commencèrent à suffoquer. La taille de ces navires en feu qui arrivaient de tous les côtés les effraya et plusieurs doutèrent de leur capacité de sauver leur flotte. Néanmoins, bien obligés d'obéir aux ordres cinglants de leurs officiers et de surmonter leur appréhension, les marins et les fusiliers marins qui les avaient rejoints lancèrent leurs câbles et leurs grappins sur les brûlots, puis les remorquèrent jusqu'à la rive de l'île. Les vaisseaux incendiaires finirent alors de se consumer sans avoir pu atteindre un seul des navires de la flotte de Saunders. Bientôt, il fut rapporté au vice-amiral que tout était rentré dans l'ordre.

À l'abri derrière les tranchées, Knox avait lui aussi observé les navires en flammes. «C'était le plus beau feu d'artifice (si l'on peut se permettre d'utiliser ce terme) qu'il fût possible de concevoir, les circonstances ayant rendu leur apparition à la fois terrible et magnifique», écrivit-il dans le journal qu'il tenait lors de ses campagnes en Amérique.

Vaudreuil, par contre, n'était pas du tout d'humeur à apprécier le spectacle. La flotte anglaise était intacte et sa mission, un échec total.

Accompagné des autres capitaines, de Louche se présenta sur le perron de l'église pour faire son rapport comme si de rien n'était. Il se vanta de son exploit et refusa d'endosser la responsabilité de l'échec, accusant l'intendant et le commandant de l'artillerie de l'avoir contraint à partir avant qu'il ne fût tout à fait prêt. Il ne donna toutefois aucune explication sur ce qui s'était passé. Lorsqu'on voulut savoir ce qui était arrivé à La Militière, de Louche ne put répondre et Montcalm déclara: «Il a peut-être perdu la tête.»

Dans une note confidentielle qu'il fit parvenir par la suite à Lévis, Montcalm expliqua pourquoi il avait lancé cette remarque désobligeante. Selon lui, La Militière avait voulu faire un acte de bravoure afin de surpasser ses deux frères en service en Amérique, demeurant le plus longtemps possible à bord de son vaisseau après y avoir mis le feu. «*Somme toute*, écrivit Montcalm, *de vous à moi, à cause de ses frères, la tête avait tourné à La Militière**.» Fidèle à lui-même, Montcalm demanda à Lévis de brûler cette lettre.

Au grand étonnement de plusieurs soldats, ni Vaudreuil ni Montcalm n'admonestèrent de Louche. L'un et l'autre acceptèrent l'échec avec flegme.

Wolfe, par contre, avait perdu le sien. En fait, il avait beaucoup de mal à contenir sa fureur. Il était surtout en colère contre lui-même, car il savait que les Français possédaient des brûlots et les considéraient comme des armes offensives puissantes. Le général avait néanmoins négligé cet important détail pourtant mentionné dans les rapports de Mackellar. Il avait également omis de transmettre cette information à ses officiers qui auraient alors pu préparer leurs hommes à faire face à une telle attaque sans céder à la panique. Wolfe était en outre furieux contre les sentinelles et, en particulier, contre leur officier. Il les réprimanda sévèrement et ordonna l'arrestation de l'officier en question afin qu'il fût jugé en cour martiale. «J'espère qu'il sera pendu», déclara-t-il à un de ses aides de camp.

Parmi la douzaine de personnes restées sur la terrasse du château Saint-Louis se trouvait Mme Lefebvre, la mère du séminariste Jean-François-Xavier. Tout au long de cette nuit fertile en émotions, elle avait suivi le déroulement des événements en compagnie de son fils, de son ami Pierre Mennard et du père Baudouin. Ils n'avaient pas pu voir si les brûlots embrasés étaient suffisamment près de la flotte anglaise pour pouvoir atteindre leur cible; chacun l'avait simplement espéré. Plus tard, après que Vaudreuil se fut remis en route pour son château, les gardes leur firent part de l'échec de la mission.

*

J'ignore à peu près tout de Mme Lefebvre et de son fils. Pourtant je la vois nettement: alors âgée d'une cinquantaine d'années, petite et potelée, elle avait une large poitrine, le teint rougeaud et le sourire facile. Cette femme aimable était très attachée à l'Église et avait une dévotion toute spéciale pour la Vierge Marie. Elle s'occupait d'ailleurs de l'église Notre-Dame-des-Victoires, située dans la basse ville. Elle y faisait le ménage, déposait des fleurs sur l'autel et passait des heures à parler à la Vierge, à saint Joseph et à l'Enfant Jésus. Comme bien d'autres femmes ayant de la famille en amont du fleuve, elle avait envoyé ses enfants chez sa sœur, à Sorel, quelques milles à l'est de Montréal. Jean-François-Xavier avait été le seul à ne pas partir, ayant supplié sa mère de le laisser demeurer à Québec. Quant à M. Lefebvre, tailleur de pierres de métier, il était avec l'armée française dans la région du lac Champlain.

Tout ce que je sais de Jean-François-Xavier, c'est qu'il avait alors quatorze ans et qu'il étudiait au Séminaire où on lui avait octroyé une bourse. Je l'imagine grand, avec des cheveux d'un roux flamboyant qu'il détestait — sa mère s'en rendait bien compte. Il était beau et bien bâti. Les filles du voisinage le trouvaient séduisant mais maladroit; ce qui n'empêchait pas leurs mères de penser qu'il ferait un bon parti le moment venu, pour peu bien sûr qu'il décidât de renoncer à la prêtrise.

Il est dans mon intention de faire de Jean-François-Xavier le représentant de tous les adolescents qui, d'une façon ou d'une autre, jouèrent un rôle pendant le siège de Québec et la bataille qui s'ensuivit. J'en fais de même avec son ami Pierre Mennard, un jeune homme dans la vingtaine qui avait déjà été tonsuré (la première étape à franchir avant de devenir prêtre). Celui-ci était plus petit et plus grassouillet que Lefebvre; ses cheveux étaient noirs comme jais et il fumait déjà la pipe. Naturellement, Mme Lefebvre et le père Baudouin sont eux aussi, à mes yeux, tout à fait représentatifs de leur génération.

*

Lorsqu'elle quitta la terrasse pour rentrer chez elle, Mme Lefebvre était en proie à un terrible chagrin. Dieu n'avait pas permis que la flotte anglaise fût détruite.

«Où Dieu se cache-t-il?» demanda-t-elle à son fils. «Il se trouve là où il doit être», répondit-il simplement. Mais elle continua de murmurer à travers ses sanglots: «Il n'y aura pas de miracle cette fois.» Le jeune séminariste tenta de réconforter sa mère: «Peut-être avec le temps! Avec le temps, *maman**.» Il la raccompagna jusqu'à sa porte et tous deux pensèrent que le pire restait à venir.

Une heure plus tard, Jean-François-Xavier retrouva Pierre Mennard et le père Baudouin. Les deux jeunes gens firent alors part au prêtre de leur décision de se porter volontaires pour défendre leur pays. Celui-ci ne tenta pas de les en dissuader, se contentant de leur faire remarquer que, dans ce cas, il leur faudrait, pour pouvoir être ordonnés prêtres, obtenir une absolution de Rome, connue sous le nom de *gestione armorum*. Les deux amis ne comprirent pas exactement ce que cela signifiait. Ils étaient toutefois bien décidés à se rendre, dès le lendemain, aux magasins du Roi où ils seraient habillés, équipés et assermentés en tant que soldats du roi de France. Ils venaient de quitter le monde de l'adolescence.

Le 30 juin 1759

À Beaumont, sur la rive sud du Saint-Laurent, à sept heures

Aux premières heures du matin, une flottille de petites embarcations transportant trois mille soldats anglais quitta la paroisse de Saint-Laurent, sur l'île d'Orléans, pour accoster à Beaumont, petit village situé sur la rive sud du fleuve.

Cette opération avait été confiée au brigadier Robert Monckton. Commandant en second, il était le plus haut gradé des brigadiers que Wolfe avait sous ses ordres. Cet Anglais du Yorkshire était entré dans l'armée à l'âge de quinze ans. En 1752, il s'était rendu en Nouvelle-Écosse et, trois ans plus tard, il avait été chargé de la déportation des Acadiens. Monckton ne s'était pas contenté, cependant, de les déporter; il avait aussi détruit leurs maisons, leurs fermes et leurs récoltes. Cette mission l'avait obligé à rester pendant quatre ans en Acadie, après quoi il était parti avec Wolfe à Québec en 1759.

Le village de Beaumont était constitué de quatre seigneuries: Beaumont, la plus ancienne, appartenait à la famille Couillard; Vincennes était passée aux mains de Joseph Roy; Vitre avait pour propriétaire Marie-Louis Bissot; et Livaudière, la plus récente, appartenait à la famille Péan. Beaumont était la porte d'accès de la rive sud.

Ce paisible hameau comptait quatre cents habitants qui vivaient des produits de leurs fermes. L'église, consacrée à saint Étienne et construite en 1733, était un imposant édifice de pierre surmonté d'un haut clocher et dont l'intérieur était richement décoré. On y trouvait un maître-autel finement ouvragé et de magnifiques sculptures, notamment dans la minuscule chapelle dédiée à sainte Anne. L'église faisait la fierté de son curé, Gaspard Dunière, un Canadien dont la santé s'était tellement détériorée que l'évêque avait dû lui envoyer un assistant, Pierre-Bernard Dosque, qui avait été missionnaire en Acadie.

Wolfe avait ordonné à Monckton de se rendre sur la rive sud afin de s'emparer de la Pointe-Lévis, une bande de terre qui s'avançait dans le fleuve, un peu à l'est de Québec. Saunders craignait de voir les Français y construire une batterie qui aurait pu causer de graves dommages aux navires anglais ancrés dans le bassin de Québec.

La veille, dans l'après-midi, Monckton avait envoyé à Beaumont une troupe de fantassins et quelques Rangers, sous le commandement du lieutenant-colonel William Howe, afin d'assurer la sécurité de l'endroit. N'ayant rencontré aucune résistance, Howe et ses hommes avaient passé la nuit dans l'église.

(L'arrivée inopinée de Howe à Beaumont avait pris par surprise le représentant officiel de Vaudreuil, Gaspard-Joseph Chaussegros de Léry, qui dut quitter précipitamment la maison dans laquelle il était en train de rédiger un rapport pour Vaudreuil, y laissant ses documents et son épée. Par la suite, Wolfe lui fit rendre son arme, mais garda les papiers qui donnaient le compte rendu des activités de Léry sur la rive sud. On ignora ce qu'était devenu ce journal pendant près d'un siècle après la mort de Léry, jusqu'à ce qu'un collectionneur anglais en fît don, en 1900, aux Archives du Canada.)

Lorsque, à l'aube, Howe et ses hommes étaient sortis de l'église, une bande de Canadiens et d'Indiens les attendaient. Une brève escarmouche avait eu lieu au cours de laquelle les Canadiens avaient perdu huit hommes: trois avaient été tués et scalpés par les Rangers, deux avaient été blessés et trois autres, faits prisonniers. Du côté anglais, on ne comptait que deux blessés.

Après la bataille, les Anglais s'étaient réfugiés dans une ferme située au sommet de la pente abrupte qui menait au rivage. Les lieux avaient été abandonnés, mais ils y avaient trouvé des provisions et quelques meubles en bon état. Alors qu'ils exploraient le rez-de-chaussée et le grenier, rassemblant tout ce qui pouvait être emporté, plusieurs soldats avaient entendu des sons étouffés, mais, malgré de minutieuses recherches, ils n'avaient rien trouvé. Par mesure de précaution, cependant, Howe avait fait brûler la maison avant de partir. Seule son arrière-garde avait pu entendre les cris de terreur poussés par la femme et les enfants du fermier qui avaient trouvé refuge dans la cave peu profonde de la maison. En dépit de leurs efforts désespérés pour tenter de les sauver, les soldats avaient dû s'avouer vaincus et avaient assisté, impuissants, à la mort de cette femme et de ses enfants restés dans la maison en flammes. Ce furent les premières victimes civiles de la conquête de Québec et leur identité est demeurée inconnue.

Peu avant dix heures, les troupes anglaises se rassemblèrent sur la place de l'église. Sous les roulements de tambour de cérémonie, Monckton marcha solennellement jusqu'à la grand-porte de l'église et y cloua la proclamation aux Canadiens que Wolfe avait rédigée en français trois jours plus tôt. Dès que les Rangers eurent déclaré qu'ils n'avaient rien à signaler, Monckton et ses hommes se mirent à gravir la route sinueuse menant à la Pointe-Lévis. Deux cents soldats furent chargés de garder l'église mais, une heure et demie plus tard, ils reçurent l'ordre de se retirer.

Aussitôt que les Anglais eurent disparu, quelques villageois sortirent du bois se trouvant à l'autre bout du village. Çà et là, des femmes et des enfants accompagnaient les hommes. Arrivés devant l'église, ils trouvèrent le curé qui tenait à la main la proclamation de Wolfe. Le père Dunière leur en fit lecture:

«Par Son Excellence monsieur James Wolfe, colonel d'un régiment d'infanterie, major général et commandant en chef des forces britanniques de Sa Majesté dans le fleuve du Saint-Laurent, etc.» La proclamation s'adressait aux Canadiens. Wolfe déclarait être venu dans ce pays pour punir la France de son insolence et afin de venger l'injure faite aux colons anglais en Amérique et de conquérir la Nouvelle-France. Poursuivant sa lecture, le prêtre apprit aux colons que Wolfe ne leur ferait aucun mal tant et aussi longtemps que «la sagesse des habitants du Canada» prévaudrait et que ceux-ci ne se mêleraient pas au conflit engagé entre les deux couronnes. Si, par contre, ils aidaient les Français, de quelque façon que ce fût, ils devraient s'attendre aux pires conséquences: «leurs habitations réduites en cendres, leurs églises profanées par les soldats exaspérés et leurs moissons dévastées». Ainsi, «les malheureux habitants» périraient-ils de désœuvrement et de faim dès l'hiver venu.

En fait, cette proclamation avait été rédigée pour la forme puisque Wolfe avait déjà décidé de détruire Québec et ses environs pendant sa traversée de l'Atlantique, quelques mois auparavant. Il avait alors écrit à Amherst: «Si pour une raison ou pour une autre — accident dans le fleuve, résistance de l'ennemi, maladie ou massacre de nos troupes —, nous nous rendons compte que nous avons peu de chances de conquérir Québec... je propose de bombarder la ville, de détruire récoltes, maisons et animaux, tant en amont qu'en aval, d'expédier le plus de Canadiens possible en Europe et de ne laisser derrière moi que famine et désolation; *belle résolution & très chrétienne!**»

Lorsqu'il eut terminé sa lecture, le prêtre s'agenouilla et récita, en chœur avec ses ouailles, trois *Je vous salue Marie.* Puis les hommes sortirent leurs armes et se mirent à la poursuite des Anglais. Le curé chargea un fermier d'aller à Québec remettre la proclamation à Vaudreuil. Pendant ce temps, aidées par Dosque, l'assistant du père Dunière, les femmes transportèrent jusqu'au cimetière les corps des miliciens tués pendant la bataille et les enterrèrent. Ensuite, au lieu d'aller se cacher dans les bois comme Vaudreuil le leur avait ordonné, femmes et enfants réintégrèrent leurs fermes. De toute évidence, Wolfe ne leur faisait pas peur.

Au château Saint-Louis, tôt dans l'après-midi

Vaudreuil n'était pas du tout satisfait de la tournure des événements. De plus, il se sentait seul; sa femme, pour laquelle il avait une grande dévotion, se trouvait dans leur résidence de Montréal. Plus personne de fiable n'était là pour s'occuper de lui et sa demeure était sens dessus dessous, ses serviteurs s'affairant à expédier ses meubles (y compris son lit) et à emballer ses chandeliers de cristal, ses *objets d'art**, ses provisions, sa collection de vins fins importés et ses costumes préférés en vue de son séjour à la Canardière, deux milles à l'est de Québec.

Le marquis était en train de manger lorsqu'on vint lui annoncer que Monckton avait débarqué sur la rive sud et se dirigeait maintenant vers la Pointe-Lévis. Vaudreuil ne fut pas surpris d'apprendre que le brigadier anglais n'avait rencontré aucune résistance de la part des troupes coloniales ou régulières. En effet, aucun de ses conseillers n'avait envisagé un seul instant que les Anglais auraient l'audace de débarquer où que ce fût sur la rive sud: le terrain y était impraticable, les rivières nombreuses, les gorges profondes et la forêt dense. En outre, l'ingénieur français leur avait assuré, à lui et à Montcalm, que le fleuve était trop large à cet endroit pour que les boulets des canons anglais pussent parcourir la distance séparant la Pointe-Lévis de Québec. Par conséquent, aucune batterie n'avait été érigée sur le «coude» que formait le fleuve à cet endroit et l'on n'y avait posté aucune troupe. Ayant d'abord songé à le faire, Montcalm avait préféré concentrer toute sa force de frappe sur Beauport, et Vaudreuil ne s'était pas opposé à cette décision.

74

Le gouverneur général quitta la table sans toucher aux fromages que son esclave venait de lui apporter. Avant même d'avoir consulté Montcalm qui se trouvait à Beauport, il envoya au seigneur de la Pointe-Lévis, Étienne Charest, une petite troupe de Canadiens et d'Indiens pour l'aider à chasser les Anglais. Puis il ordonna que fût mise en place une batterie flottante dans le bassin de Québec afin de barrer le passage aux barges transportant bagages, armes et provisions sur la rive sud.

Vaudreuil était atterré à la pensée que les Anglais occupaient la rive sud. Il était persuadé que Montcalm l'en tiendrait responsable et enverrait un rapport en conséquence à Versailles. Ce rapport ne manquerait sans doute pas de mentionner que le gouverneur général avait été incapable de faire évacuer les huit mille personnes vivant sur la rive sud, entre l'île du Portage et Beaumont.

Lorsqu'il avait appris que les Anglais s'étaient engagés dans le Saint-Laurent, Vaudreuil avait chargé trois officiers canadiens des *troupes franches de la marine**, dont Léry, d'évacuer la rive sud. Ceux-ci avaient été plutôt mal accueillis par la population locale. Comme la plupart des habitants de la rive nord, ceux de la rive sud, et en particulier les femmes, avaient refusé d'aller se réfugier dans les concessions forestières situées en amont du Saint-Laurent, ainsi que Vaudreuil le leur avait ordonné. Lorsqu'ils avaient aperçu les vaisseaux anglais, ils s'étaient contentés de prendre leurs enfants et quelques objets personnels, et d'aller se cacher dans les bois environnants. Aussitôt les Anglais passés, toutefois, ils avaient réintégré leurs villages et leurs fermes. Il n'était nullement dans leur intention de manquer de respect au gouverneur général, avaient-ils déclaré à Léry, mais ils avaient déjà affronté les Anglais et été en mesure de leur tenir tête. Et ils le feraient encore cette fois-ci.

Vaudreuil n'avait guère obtenu plus de succès auprès des miliciens de la rive sud. En dépit de ses menaces, la plupart étaient restés chez eux. Certains seigneurs étaient même allés jusqu'à encourager les récalcitrants, comme cette canaille de Gabriel-Jean Amiot, seigneur de Vincelotte (une seigneurie voisine de Saint-Ignace), qui avait déclaré aux miliciens de son district qu'ils seraient plus utiles dans leur village à protéger leurs foyers que dans l'armée. Certains avaient toutefois répondu à l'appel de Vaudreuil et s'étaient mis en route pour Québec aux côtés de Léry, mais il avait été hors de question pour eux de presser le pas et ils n'avaient pas cessé de renâcler tout le long du chemin.

Les Canadiens de 1759 étaient des gens entêtés, et les miliciens de la rive sud en donnaient encore une fois la preuve. Ils avaient suivi Léry, mais ils le firent payer à tout le monde, et particulièrement à Vaudreuil et à Bigot qu'ils ne cessèrent d'ennuyer. Ainsi, les miliciens refusèrent de manger les cochons et les moutons que l'intendant avait fait abattre pour eux et ils se plaignirent de ce que la ration de deux livres de pain allouée journellement à chacun d'eux était insuffisante, obligeant Bigot à leur en donner davantage. Puis ils refusèrent de faire un pas de plus avec les chaussures qu'ils avaient. Pour les calmer, l'intendant leur en fit parvenir cent paires neuves. Les munitions firent également l'objet d'un déluge de requêtes adressées à Vaudreuil. Un jour c'était le capitaine de la milice de l'Islet qui exigeait davantage de poudre; le lendemain c'était le capitaine Gabory, de Saint-Vallier, qui demandait une plus grande quantité de balles; puis le capitaine Jerber, de Saint-Roch, qui ne cessait de réclamer à cor et à cri de nouveaux fusils dont, tout comme les autres capitaines de milice, il semblait avoir un besoin insatiable.

À bout de patience, Vaudreuil finit par fermer les yeux quand un soldat prétendait devoir aller chez lui pour y prendre quelque nourriture et n'en revenait jamais, et il promit aux autres qu'ils seraient entièrement équipés dès leur arrivée à Beauport. Lorsque Léry lui rapporta que les miliciens ne rataient pas une occasion de tirer sur les Anglais, le vieil homme renonça à leur faire entendre raison.

Le débarquement des Anglais sur la rive sud vint toutefois interrompre la marche des miliciens, et la plupart des recrues rentrèrent dans leurs foyers. La colère de Vaudreuil ne fut pas aussi terrible que l'on aurait pu s'y attendre. Au moins les miliciens se rendraient utiles: ils pourraient chasser les Anglais de la Pointe-Lévis et empêcher de nouveaux débarquements. Ainsi, le roi se rendrait compte que les critiques formulées sur ses qualités de chef étaient quelque peu exagérées. Le gouverneur général n'ignorait toutefois pas que l'on pourrait lui reprocher d'autres fautes.

Ainsi, il n'était pas parvenu à évacuer entièrement la population civile de Québec. Quelques colons avaient bien quitté la capitale, mais la plupart y étaient restés et encombraient la haute ville. En outre, l'on ne disposait pas de nourriture en quantité suffisante pour alimenter la population correctement. Vaudreuil savait aussi qu'on l'accuserait de n'avoir rien fait pour combattre la corruption qui régnait autour de lui. Rien ne prouve qu'il fût impliqué dans les affaires louches de

Bigot, mais le fait est qu'il les tolérait, craignant d'affaiblir ses appuis à Versailles en divulguant les activités de l'intendant.

*

J'ignore jusqu'à quel point les mesures défensives prises par Vaudreuil lui attirèrent les critiques de Versailles. Je sais par contre qu'il avait reçu l'ordre de concentrer la défense de la Nouvelle-France à l'intérieur du plus petit périmètre possible, alors qu'il devait assurer la protection d'une frontière s'étendant sur quelque mille deux cents milles. Durant tout l'hiver, le gouverneur général avait eu à ce sujet des discussions orageuses avec Montcalm. Ce dernier voulait abandonner l'Ouest, alors que Vaudreuil maintenait que l'empire français ne devait pas se limiter à la vallée du Saint-Laurent et aux villes de province qu'étaient Montréal, Trois-Rivières et Québec. Pour Vaudreuil — et pour un grand nombre de ses compatriotes —, l'Ouest était la clé de la présence française (et, par conséquent, canadienne) en Amérique. Avant l'arrivée des Anglais, les deux marquis avaient fait des compromis. Vaudreuil avait laissé un petit détachement dans l'Ohio; il en avait envoyé un à Niagara, situé à l'entrée du lac Ontario, et un autre à l'autre extrémité du même lac, là où le Saint-Laurent entreprend son long périple vers l'Atlantique. François-Charles de Bourlamaque, le troisième officier français par ordre d'importance, s'était rendu à Carillon (Ticonderoga) au début du mois de mai afin de protéger la route du lac Champlain. En cas d'attaque, il avait ordre de détruire ce fort et celui de Saint-Frédéric, situé quelques milles plus loin, et de se retrancher à l'Île-aux-Noix, à l'entrée de la rivière Richelieu.

Même si je n'en ai aucune preuve formelle, je crois que Vaudreuil se sentait coupable pour une autre raison encore: il avait déçu son peuple. En effet, le vieil homme se sentait responsable de l'échec des brûlots, car c'était lui qui avait confié cette mission à de Louche, cet incompétent. Plus que quiconque, Vaudreuil savait que les habitants du Canada étaient prêts à tout pour défendre leur pays et qu'ils n'en attendaient pas moins de leurs dirigeants. Si lui et Montcalm ne répondaient pas aux exigences de la population, des troubles pourraient s'ensuivre, car les Canadiens n'étaient pas un peuple facile à gouverner.

Vaudreuil avait souvent eu à composer avec leur indiscipline. L'image que l'on a de ces premiers Canadiens — image entretenue par des générations d'historiens ne se fondant que sur leurs préjugés et également, il faut bien le dire, par certains défenseurs du clergé — est celle d'un peuple docile, régenté par les prêtres et esclaves de leurs terres. Je suis convaincu, cependant, que l'évêque Dubreuil de Pontbriand, Montcalm et tous ceux qui, à l'époque, détenaient une certaine autorité n'auraient pas approuvé une telle description.

Mon peuple vit le jour lorsque Samuel de Champlain débarqua à Québec en 1608.

Au cours du siècle et demi qui suivit, huit mille cinq cent vingt-sept immigrants français s'installèrent dans la vallée du Saint-Laurent et, en 1759, soixante-dix mille habitants d'origine française peuplaient ce pays.

Sur les rives du Saint-Laurent, où la plupart des Canadiens vivaient, Québec fut fondé en 1608, Trois-Rivières en 1634 et Montréal en 1642. Quinze pour cent de la population vivaient dans ces trois villes (environ huit mille à Québec, huit cents à Trois-Rivières et cinq mille à Montréal) et y menaient une vie semblable à celle des habitants d'une ville de province française. Les classes sociales étaient très marquées: au sommet se trouvaient les représentants officiels de la France, suivis des officiers et des principaux marchands canadiens. La plupart des gens étaient commerçants, cultivateurs ou serviteurs, commis ou fonctionnaires, prêtres ou religieuses.

Les habitants des villes n'avaient pas la vie aussi facile que ceux de la campagne, principalement parce que l'intervention massive de la France dans les affaires de la colonie avait ruiné l'économie canadienne au moment de la Conquête. Dans quelque secteur économique que ce fût, des édits venant de France attaquaient et sapaient les initiatives coloniales. Les autorités françaises empêchaient de cette façon le développement des entreprises industrielles et commerciales autochtones. Ainsi, quand elles ne travaillaient pas pour la mère patrie, les pêcheries cessaient leurs activités. La traite des fourrures, qui avait donné du travail à des milliers de colons, avait été centralisée et ne bénéficiait plus qu'à quelques heureux détenteurs de monopole. Or, les quelque quarante Canadiens qui s'étaient enrichis en faisant main basse sur les ressources de la colonie n'avaient pas le sens des affaires de leurs voisins du Sud. Habillés à la dernière mode de Paris (ce qui empêcha la création d'une industrie textile canadienne), ils souhaitaient vivre comme des nobles Français au milieu des contrées sauvages de l'Amérique. Il n'était donc pas surprenant que l'ensemble de la population vécût dans la pauvreté.

Les quatre-vingt-cinq pour cent de colons qui vivaient à la campagne étaient répartis sur cent quarante paroisses, villages, seigneuries et missions où ils labouraient la terre sur une superficie totale de deux cent mille acres. Les fermes des habitants, longues et étroites, étaient toujours bordées par une rivière ou un chemin public facilitant le transport et les communications, et elles étaient proches les unes des autres.

Au début de la colonisation, la vie était difficile. Il fallut défricher la terre, labourer le sol et construire granges et habitations. Le savoir-faire des colons était limité; on trouvait très peu d'ouvriers spécialisés et les outils étaient rudimentaires. Et partout l'on rencontrait des Indiens qui se battaient pour conserver leurs territoires. Avec le temps, cependant, les colons canadiens purent mener une vie relativement agréable et devenir indépendants sur le plan économique, notamment au cours des cinquante premières années du XVIIIe siècle.

La vie rurale était principalement axée sur l'Église catholique romaine ainsi que sur la famille, grâce à laquelle l'ordre et la continuité étaient assurés. Le travail était pénible, en particulier pour les femmes qui en héritaient lorsque leurs maris et leurs fils partaient à la guerre ou allaient trapper dans l'Ouest, comme c'était le cas la plupart du temps. Heureusement, nombreux étaient les jours de fête où les colons pouvaient s'amuser et donner libre cours à leur joie de vivre.

Les habitants prenaient leur religion très au sérieux — du moins en public — et ils obéissaient aux préceptes de leur évêque et de leurs prêtres tant que ceux-ci ne menaçaient pas leur stabilité et leur pouvoir économiques. Leur vie n'était toutefois pas réglementée par les prêtres comme ce fut le cas au XIXe siècle.

C'est ainsi que, dans les campagnes de la vallée du Saint-Laurent, les mœurs européennes se transformèrent peu à peu en mœurs canadiennes. Ce processus donna naissance à une nouvelle identité, à de nouvelles traditions et à un nouveau pays: le Canada.

Environ trois mille autres colons vivaient parmi les Indiens, sur les territoires situés à l'ouest de Montréal, sur les rives des Grands Lacs ou le long des rivières Ohio, Illinois et Mississippi, ainsi que dans les vastes plaines de l'Ouest. Après de longs et périlleux voyages au terme desquels ils étaient souvent épuisés et malades, les Canadiens construisaient des postes de traite, des missions et des forts.

Ces descendants de Français étaient si intrépides et aptes à bâtir des empires, qu'à l'époque de la conquête ils occupaient un territoire s'étendant des rives de la baie d'Hudson jusqu'au golfe du Mexique, et de l'océan Atlantique presque jusqu'au pied des Rocheuses.

La topographie du continent contribua grandement à cette rapide expansion: les Canadiens disposaient d'un étonnant réseau fluvial. Ils purent donc explorer tout le pays en remontant et en descendant le fleuve et ses affluents, le Saint-Laurent constituant le cordon ombilical qui les reliait à la civilisation.

À ce réseau fluvial, la nature avait ajouté les Grands Lacs: Ontario, Érié, Huron, Michigan et Supérieur. Avec le Saint-Laurent, ils formaient une voie navigable qui pénétrait jusqu'à cinq mille milles au cœur de l'Amérique du Nord. Leurs nombreux affluents et confluents, de même que les autres voies parallèles, permettaient de s'enfoncer dans les terres, l'Ohio, l'Illinois et le Mississippi étant trois des principaux fleuves que l'on pouvait emprunter.

Afin de conserver ces territoires conquis au nom de la France et pour eux-mêmes, les Canadiens passaient une bonne partie de leur temps à lutter contre les Indiens (quoique moins fréquemment après 1701), les colons américains (surtout dans la première moitié du XVIIIe siècle), les Anglais (de 1754 à 1760) et les tyrans français (pratiquement sans répit).

Dans presque tous les domaines de la vie coloniale, les intérêts des Français s'opposaient à ceux des Canadiens. *Coureurs de bois**, commerçants et marchands disputaient aux Français le lucratif commerce de la fourrure; les habitants des villes et de la campagne contestaient chaque nouvel édit en le contournant; les paroissiens remettaient souvent en question l'autorité de l'évêque et du clergé; les miliciens faisaient tout ce qu'ils pouvaient pour obliger les Français à se battre *à la façon du pays**, c'est-à-dire en menant une espèce de guérilla. Si les Français les avaient écoutés, l'expédition anglaise de 1759 aurait pu avoir une issue bien différente.

Évidemment, avec le temps, les Français se rendirent compte que nous, Canadiens, n'étions pas comme eux. Ils nous jugeaient arrogants et fanfarons, déplorant notre tendance à exagérer, notre esprit d'indépendance, notre indiscipline, notre mauvaise volonté à obéir aux ordres et notre manque de respect envers l'autorité. D'un autre côté, les Français voyaient bien que nous étions des chasseurs infatigables, des coureurs alertes, des explorateurs consciencieux, et que nous excellions au combat à *l'indienne**. Ils ne pouvaient pas non plus nier notre appétit de vivre et notre goût de l'aventure qui semblaient restreindre nos compétences en agriculture, comme si notre esprit ne pouvait demeurer rivé à une parcelle de terre. Nous jouions serré et pour gagner, nous étions en général charmants, de belle apparence et d'agréable compagnie. Lorsque les Français nous comparaient aux paysans de leur propre pays, ils nous trouvaient plus intelligents et mieux éduqués.

Je crois qu'au moment de la Conquête les Français avaient commencé à nous considérer comme des êtres appartenant à une nation différente de la leur. D'une certaine façon, nous les voyions comme nos ennemis naturels. «Pour les Canadiens, avait un jour déclaré un haut responsable exaspéré, le deuxième péché véniel consiste à être Français.» Il n'est donc pas surprenant qu'au milieu du XVIIIe siècle certains observateurs demeurés en France — et, on s'en doute, d'autres résidant au Canada — prédirent qu'un jour viendrait où de nouveaux États naîtraient sur les vastes territoires que possédait la France dans le Nouveau Monde. Par conséquent, ajoutaient ces critiques, pourquoi le gouvernement français devrait-il dépenser énergie, temps et argent dans l'espoir de retarder l'inévitable?

De leur côté, les Canadiens finirent par en avoir assez de l'arrogance de leurs maîtres français et de la rudesse avec laquelle ils étaient traités, ne se voyant confier que des tâches sans importance et des rôles subalternes. Ils se plaignaient de ce que les Français vivant ici ne contribuaient que très peu, et de façon temporaire, au développement du pays, cependant qu'eux, ne pouvant aller nulle part ailleurs, devaient consentir tous les sacrifices à la seule fin d'être exploités par les Français.

Lorsque les Anglais arrivèrent au Canada, au printemps 1759, plusieurs facteurs vinrent encore aggraver la situation et firent perdre à jamais leurs illusions à la majorité des Canadiens: des années de maigres récoltes, des rations alimentaires limitées, le style de vie flamboyant de l'oligarchie, la lutte pour le contrôle des territoires de l'ouest du pays et les plans de bataille dressés sans égard aux conséquences qu'ils auraient sur la vie des habitants du pays. Nombreux furent les Canadiens qui se sentirent trahis. Et lorsque vint l'ultime trahison, ils perdirent toute confiance en leurs maîtres français. Cela ne signifie pas qu'ils ne firent rien pour défendre leurs foyers, leurs villages et leur pays, notre pays. Au contraire. Et ils le payèrent chèrement, comme vous le constaterez en prenant connaissance des tribulations de Vaudreuil.

*

Au début de l'après-midi du 30 juin 1759, Vaudreuil dut se rendre à l'évidence: les Anglais étaient pratiquement dans le port de Québec. Il y avait beaucoup à faire, mais le gouverneur général n'avait aucun pouvoir; on avait donné à Montcalm l'entière responsabilité des opérations.

À Saint-Joseph-de-Pointe-Lévis, tard dans l'après-midi

Étienne Charest était le seigneur de Lauzon, dont faisait partie le village de Saint-Joseph-de-Pointe-Lévis, sur la rive sud. Il n'avait que dix-sept ans lorsque lui et son jeune frère, Joseph Dufy, avaient hérité des possessions de leur père, l'un des hommes les plus riches du Canada. Avec le temps, leur sens aigu des affaires leur permit d'accroître considérablement les biens dont ils avaient hérité, Joseph Dufy tirant profit des richesses de la mer et Étienne de celles de la terre. Tous deux tenaient un magasin qui avait toujours appartenu à leur famille, sur la rue Saut-au-Matelot, dans la basse ville — l'un des commerces les mieux approvisionnés de la colonie — tout en gérant des pêcheries de morue et de phoque au Labrador. Étienne possédait également trente mille acres de terres, sur lesquelles vivaient mille cinq cents propriétaires terriens regroupés dans les paroisses de Saint-Joseph-de-Pointe-Lévis, de Saint-Nicolas et de Saint-Henri. Les deux frères faisaient tout ensemble; ils avaient même épousé deux sœurs, le même jour, dans la même église. Étienne eut treize enfants et les archives nous apprennent que tous ses fils s'établirent à Saint-Domingue, ou Hispaniola.

Plus tôt ce jour-là, Vaudreuil avait envoyé Charest à la Pointe-Lévis, avec quarante des habitants de sa seigneurie et trois cents Indiens, pour attaquer les Anglais. Ils avaient suivi leurs ennemis une bonne partie de l'après-midi, se dissimulant derrière les arbres ou s'accroupissant dans les buissons, et avaient donné du fil à retordre aux soldats anglais qui avaient du mal, à cause de leurs uniformes ridicules, à esquiver les balles et les flèches. Par ailleurs, leurs bagages encombrants les empêchaient d'avancer rapidement.

(Ces bagages, ou impedimenta, que devaient porter chaque soldat pesaient environ soixante-cinq livres. Ils contenaient les rations de fer d'une semaine, un plat à cuisson, trois chemises, deux paires de chaussettes blanches et une paire de noires, trois paires de bas en lin enduits d'huile — l'huile servait à prévenir les plaies —, une paire de houseaux montant jusqu'aux genoux et se boutonnant sur le côté, deux paires de guêtres de lin noir et une paire en laine, un caleçon, un calot rouge, une cocarde, une grande cape, un havresac, une musette, une paire de boucles de soulier, une paire de jarretières, deux paires de chaussures, vingt-quatre cartouches contenues dans un étui censément imperméable, deux pierres à feu, six baguettes de fusil, trois bassinets et un «moule à balles muni d'un chargeoir en fer afin de faire ses propres balles à partir d'une livre de plomb», une ou deux couvertures ainsi qu'un mousquet de quinze livres appelé Brown Bess.)

Contrairement aux Rangers américains, les soldats anglais n'avaient pas l'habitude de se battre dans les bois. Aussi furent-ils des proies faciles pour Charest et ses hommes qui, tout au long de la journée, tuèrent, blessèrent et scalpèrent plus de trente Anglais.

Dès que Monckton arriva à la Pointe-Lévis, il se rendit à l'église, mais, pour une raison que nous ignorons, il en ressortit aussitôt et la laissa sans protection. Sautant sur l'occasion, Charest s'y précipita et s'y barricada avec un petit groupe de Canadiens, ordonnant à ses autres hommes de se déployer derrière les escarpements rocheux sur lesquels étaient bâtis l'église et le presbytère.

Lorsque Monckton apprit que les Canadiens occupaient l'église, il enjoignit une troupe de fantassins d'aller les en déloger. Durant les trois heures qui suivirent, il y eut plusieurs escarmouches, les deux camps occupant l'édifice à tour de rôle. Les Anglais ne négligèrent pas les usages de la guerre: chaque fois qu'ils s'emparaient de l'église, ils hissaient leur drapeau au sommet du clocher. Les Canadiens l'enlevaient dès qu'ils reprenaient possession de la bâtisse. Entre deux engagements, un Abénaquis, auquel je donnerai le nom de Mascou, emmena un prisonnier à Charest, un simple soldat qu'il avait littéralement pris les culottes baissées. Charest les envoya tous les deux à Vaudreuil.

Vers dix-huit heures, Monckton jugea que la plaisanterie avait assez duré, trouvant absurde d'être ainsi tenu en échec par un groupe d'hommes visiblement cinq fois moins nombreux que les siens. Prenant la majorité de ses soldats avec lui, il donna l'assaut à l'église sur trois côtés. Les Highlanders du Fraser attaquèrent par la forêt, les fantassins encerclèrent la montagne, chassant les Canadiens et les Indiens qui s'y trouvaient jusqu'à la lisière de la Pointe-Lévis, tandis que Monckton et ses grenadiers de Louisbourg arrivèrent hardiment par l'avant. Les Canadiens, enfermés à l'intérieur de l'église, résistèrent un moment, puis finirent par s'enfuir par l'arrière, couverts par les Indiens, au moment même où Monckton pénétrait dans l'édifice après en avoir fait voler en éclats la porte d'entrée.

Lorsque, par la suite, les Anglais établirent leur campement, les Canadiens et les Indiens leur tirèrent dessus, mais sans guère leur causer de dommages. Une fois la nuit tombée, les deux camps ennemis s'accordèrent une trêve précaire.

Au château Saint-Louis, tôt dans la soirée

Les événements de la journée n'avaient laissé aucun répit à Vaudreuil. Tout l'après-midi, le gouverneur général avait reçu des rapports contradictoires sur l'importance des forces anglaises se trouvant à la Pointe-Lévis et sur l'occupation de l'église. Comme il ne pouvait espérer voir Charest tenir le coup indéfiniment, Vaudreuil devait décider quelles mesures adopter.

Alors que le vieil homme se demandait ce qu'il pouvait faire sans dépasser les limites de ses prérogatives, Montcalm, arrivé à cheval de Beauport, entra en trombe dans la pièce où il se trouvait, lui demandant d'envoyer à la Pointe-Lévis une troupe de soldats réguliers avec des provisions et des armes en quantité suffisante. Vaudreuil, ravi d'être consulté, ne présenta qu'une seule objection à ce projet: il jugeait préférable d'envoyer, au lieu des soldats réguliers, quelques détachements de miliciens placés sous les ordres d'officiers canadiens, accompagnés du plus grand nombre d'Indiens qu'ils pourraient réunir. Comme d'habitude, les deux marquis se disputèrent, Montcalm affirmant qu'il fallait confier cette mission à des professionnels parce que les Anglais étaient des professionnels, Vaudreuil ayant recours à toute son éloquence pour démontrer que les Canadiens et les Indiens avaient davantage l'habitude de se battre dans les bois. La discussion faisait rage lorsque Mascou et son prisonnier arrivèrent au château Saint-Louis.

Bien qu'ébranlé, le jeune soldat emmené par Mascou n'avait pas peur. Après l'avoir capturé, on ne l'avait pas scalpé, ni même rudoyé. Sur la plage, alors qu'il s'apprêtait à monter dans le canot qui allait le conduire à Québec, des femmes et des enfants lui avaient bien donné quelques coups de poing, mais Mascou leur avait ordonné de le laisser tranquille. Ensuite, pendant la brève traversée jusqu'à la basse ville, on lui avait mis un bandeau sur les yeux avant de le hisser le long de la côte de la Montagne jusqu'au château. Conduit dans une petite salle d'attente où on lui avait retiré son bandeau, le prisonnier avait alors été étonné de se trouver dans un endroit aussi beau. Partout autour de lui, il pouvait voir des brocarts et des meubles qui brillaient comme de l'or, des tableaux ornant les murs, des vases de fleurs posés sur des tables et des gentlemen élégamment vêtus de superbes uniformes. Il était debout à côté de Mascou et de quelques autres Indiens, lorsque Montcalm, Vaudreuil et leurs aides entrèrent dans la pièce.

Sans même regarder le prisonnier, Vaudreuil renvoya les Indiens et s'assit sur une haute chaise, derrière une table que son esclave avait placée au milieu de la pièce. Après l'avoir menacé de le livrer aux Indiens dans le cas où il ne dirait pas la vérité, le gouverneur général commença à l'interroger par l'intermédiaire d'un interprète.

Lorsqu'on lui demanda à combien les Anglais estimaient le nombre de soldats français postés à Québec et autour de la ville, le prisonnier répondit que Wolfe croyait que toutes les troupes régulières de Montcalm avaient été envoyées au fort Carillon pour y attendre l'armée anglaise. D'après les renseignements dont Wolfe disposait, Montcalm n'avait à Beauport que sept mille miliciens, y compris les habitants de la ville, mais aucun Indien. Selon le jeune soldat, l'armée anglaise était composée de dix mille hommes, pour la plupart des Irlandais catholiques comme lui. Il déclara que le débarquement à la Pointe-Lévis n'était qu'une mesure de diversion destinée à obliger les Français à diviser leurs forces en y envoyant une importante troupe. Finalement, quand Vaudreuil l'interrogea sur les plans de Wolfe, le soldat irlandais déclara que celui-ci avait ordonné à ses troupes de se préparer à attaquer les Français, attaque qui aurait lieu à Beauport le soir même, peu après vingt-deux heures.

Vaudreuil et Montcalm étaient stupéfaits; ils ne s'étaient pas attendus à une telle nouvelle. Sans perdre un instant, Moncalm sauta sur son cheval et le cravacha jusqu'à Beauport afin de donner l'alerte à ses troupes. Persuadé que Wolfe concentrerait son assaut au milieu des lignes françaises, plus près de la rivière Saint-Charles que des chutes Montmorency, il ordonna à Lévis de reculer un peu, de manière à se rapprocher des troupes régulières placées au centre des lignes. Puis il plaça quelques miliciens canadiens sur le bord du Saint-Laurent,

demanda aux autres de garder la droite des lignes et envoya des soldats de la cavalerie à la Canardière en tant que messagers. Il ne lui restait plus qu'à attendre.

Après avoir remis le prisonnier à ses gardes, Vaudreuil enjoignit
Mascou d'aller retrouver Charest pour lui dire d'abandonner la
Pointe-Lévis et de rentrer à Beauport sur-le-champ, avec ses hommes
et le plus grand nombre d'Indiens qu'il pourrait persuader de
l'accompagner. Puis, confiant sa ville à Ramezay, commandant canadien de Québec, il lui déclara: «Nous sommes entre vos mains.» Le
vieil homme marcha ensuite à pas lents d'un bout à l'autre du château, tristement, se demandant quand il pourrait y revenir. Son secrétaire, ses serviteurs, son esclave et son escorte l'attendaient devant la
porte principale. Avant de partir, avec quantité de vivres, de vin et de
manteaux de toutes les couleurs, Vaudreuil demanda à un officier
d'aller quérir le père Récher, le curé de la paroisse, pour qu'il entende
la confession du jeune soldat. Puis, sans jeter un regard en arrière, le
gouverneur général du Canada se mit en route pour la Canardière.
Pour la première fois de sa carrière, il allait séjourner dans un camp
armé.

Peu de temps après le départ de Vaudreuil, l'intendant Bigot quitta
lui aussi son palais, sis hors des murs de la ville, pour s'installer dans
une petite ferme près de Beauport. Son escorte et ses serviteurs, ses
chevaux et sa *calèche** devaient se tenir constamment prêts à quitter les
lieux pour trouver refuge ailleurs.

Après leur départ, on ferma les portes de Québec.

À l'île d'Orléans, cette même nuit

Les trois Indiens qui ramaient vers Beauport avaient décidé de faire
un détour par la pointe nord-est de l'île d'Orléans. À pas de velours,
ils pénétrèrent dans le campement anglais. Voyant deux grenadiers en
train de converser paisiblement, debout à l'entrée de leur tente, les
Indiens les capturèrent et les traînèrent dans les bois. Là, ils les tuèrent
et les scalpèrent pour venger leur frère que les Anglais avaient abattu
l'après-midi même à la Pointe-Lévis, plaçant leurs corps mutilés bien
en vue afin qu'on les découvrît dès le lendemain matin.

De l'autre côté du chenal nord menant à Beauport, Montcalm,
accompagné de Bougainville et d'une escorte, fit l'inspection des

lignes entières et s'entretint un bref instant avec Lévis. Après avoir procédé à quelques ajustements et déplacé quelques canons, le marquis réintégra son manoir situé au centre du village de Beauport pour y attendre l'ennemi.

Cinq heures plus tard, les Anglais ne s'étaient toujours pas manifestés. Les hommes étaient fatigués et perplexes. Montcalm, se sentant ridicule et humilié, ordonna aux soldats de retourner à leurs campements tout en demeurant sur le qui-vive. Il prit une tasse de thé, s'assit et continua à attendre.

Soudain, à quatre heures du matin, l'alerte fut donnée.

«*Alerte au camp des Canadiens, à la droite!** » annonça-t-on à Montcalm.

Il se précipita vers la droite des lignes, où il aperçut quelques Canadiens tirant dans la nuit noire en direction du Saint-Laurent. Très vite, l'on s'aperçut qu'il s'était agi d'une fausse alerte. Après avoir tancé vertement ses soldats, Montcalm les renvoya à leurs tentes et retourna au manoir de Salaberry pour y attendre la fin de la nuit. Chemin faisant, il dut envoyer un messager à Québec. Les mousquets des Canadiens avaient fait un tel vacarme que Ramezay, convaincu que l'on attaquait l'armée à Beauport, avait donné l'alerte générale. Après un certain temps, les esprits se calmèrent et la nuit redevint silencieuse.

Lorsque six heures sonnèrent, il était évident que Wolfe dormait à poings fermés et que, à en juger par les feux qui brûlaient à la Pointe-Lévis, Monckton y avait encore passé la nuit. Le jeune soldat avait donc menti. Montcalm se rendit à cheval à la Canardière afin de prendre avec Vaudreuil de nouvelles dispositions pour envoyer des troupes à la Pointe. Il constata toutefois qu'en cette heure matinale le vieil homme n'était pas le moindrement disposé à prendre des décisions. Le gouverneur général était plutôt décidé à retourner à Québec plus tard dans la journée pour interroger de nouveau le prisonnier. Entretemps, il souhaitait dormir et conseilla à Montcalm d'en faire autant.

Le prisonnier ne changea pas un mot de sa déclaration; il se justifia en disant que l'attaque avait dû être reportée pour des raisons qu'il ignorait. Il était certain qu'elle devait avoir lieu dans la nuit du 1er juillet. Vaudreuil et Moncalm le crurent encore une fois. Les troupes cantonnées à Beauport passèrent donc la nuit suivante à attendre de nouveau les Anglais qui, évidemment, ne furent pas au rendez-vous. Nulle part il n'est mentionné si Vaudreuil ordonna l'exécution du prisonnier ou s'il le livra aux Indiens.

À sept heures du matin en cette sixième journée de siège, Wolfe et son armée étaient toujours sur l'île d'Orléans; Saunders et sa flotte, sur le fleuve Saint-Laurent; Monckton et sa brigade, à la Pointe-Lévis; et Montcalm et ses troupes, endormies à Beauport. Le père Baudouin, lui, se trouvait sur l'un des quais du port de Québec, surveillant attentivement ce qui se passait sur la rive sud. Lorsqu'on l'avait mis au courant de la déclaration du soldat irlandais, il avait été pour le moins surpris que Vaudreuil et Montcalm eussent gobé une telle histoire. Regardant d'un air furieux les feux qui brillaient dans l'obscurité à la Pointe-Lévis, le père Baudouin eut la certitude que les Anglais avaient l'intention d'y demeurer. «Cela ne présage rien de bon!» pensa-t-il. Malgré le froid qui le faisait frissonner, il continua à veiller.

*

Le père Charles-Louis-Marie Baudouin avait quarante-deux ans; il était canadien et vivait au Séminaire de Québec depuis 1752. Je le vois comme un homme plein de ressources et indépendant de caractère. C'était un érudit qui avait beaucoup voyagé et qui comptait parmi ses connaissances plusieurs prêtres de l'État catholique du Maryland. Même s'il se méfiait des motifs poussant les hommes à agir, Baudouin était aimable et généreux, passant la majeure partie de son temps à aider les autres et à se rendre utile, en dépit de sa santé fragile qui l'avait obligé à abandonner son ministère. Au Séminaire, il était le conseiller spirituel de ses étudiants et leur enseignait l'histoire de leur pays et de leur peuple. Tous ses élèves l'aimaient, en particulier Mennard et Lefebvre qui étaient ses protégés. Le père Baudouin ne mâchait pas ses mots et ne ratait jamais une occasion de faire connaître son opinion, ce qui ne plaisait guère aux autorités civiles, militaires et religieuses. Néanmoins, Bougainville et lui s'entendaient très bien. Avec le temps, tous les habitants de la ville s'étaient habitués à sa longue charpente osseuse, à ses yeux enfoncés, à son crâne chauve, à son sourire avenant et à sa respiration bruyante.

Après six journées de siège, le prêtre commençait à se demander ce qui se passait. Et il n'était pas le seul à ressentir cette inquiétude qui allait s'intensifier au fil des jours à venir.

Le 2 juillet 1759

À l'île d'Orléans, à sept heures

Wolfe avait trouvé les deux dernières journées fort éprouvantes. Le temps avait été maussade et sa vessie l'avait fait souffrir, deux éléments qui, combinés, le rendaient encore plus impatient, entêté et irritable. À la Pointe-Lévis, Monckton et ses troupes avaient été les premières victimes de sa mauvaise humeur. Wolfe leur avait reproché d'avoir mal choisi l'emplacement de leur camp et les avait traités d'ignorants. Le général avait tout de même trouvé le temps de sympathiser avec les soldats restés sur l'île qui n'avaient pas été approvisionnés depuis plusieurs jours, et il leur avait remonté le moral en leur assurant que «tout allait bientôt s'arranger».

Il faisait si froid que Wolfe avait dû s'emmitoufler dans une ample et chaude cape et s'enrouler plusieurs écharpes autour du cou. En ce matin du septième jour de siège, il n'entrevoyait guère d'améliorations. En fait, tout semblait indiquer que cette journée serait aussi triste que les précédentes. Le temps était à la pluie et sa vessie lui faisait encore mal, mais moins que la veille. Aussitôt que la chaloupe fut prête, le général se fit conduire à la Pointe-Lévis.

Pendant que Wolfe approchait du campement de Monckton, le major George Scott, commandant des Rangers, se préparait à partir en mission. Scott était un engagé, marié à une femme du Massachusetts. Il était dans l'armée depuis toujours et s'était fait remarquer à Louisbourg, où il avait démontré d'étonnantes aptitudes dans l'art de mettre une région à feu et à sang. En compagnie de ses hommes, le major avait accompli sa tâche de façon implacable et consciencieuse, ne laissant rien ni personne derrière lui. Scott était tout aussi doué pour recueillir des renseignements. Il était en effet capable de partir en reconnaissance sur de longues distances sans se faire repérer, d'infiltrer les lignes et les positions ennemies comme si elles étaient de vulgaires passoires et de faire raconter sa vie entière à n'importe quel prisonnier.

À cette époque, Scott s'était trouvé un alter ego en la personne du capitaine Joseph Goreham. Cet Américain âgé d'une trentaine d'années était un homme intrépide et féroce qui avait fait son apprentissage de la terreur en protégeant les colonies anglaises établies en Nouvelle-Écosse contre les raids des Acadiens et des Indiens. Il avait accompagné Scott à Québec et tous deux s'apprêtaient maintenant à se mettre en route vers la rivière Chaudière d'où ils comptaient ramener un prisonnier susceptible de donner à Wolfe d'importants renseignements sur les navires mis en lieu sûr en amont de Québec.

Lorsque Wolfe arriva au campement de la Pointe-Lévis, Scott, Goreham et les Rangers se mirent au garde-à-vous. Le général ne perdit pas de temps; il salua les soldats et les complimenta sur les magnifiques redoutes fraîchement construites. Bien qu'ils n'eussent toujours pas reçu leurs bagages, les officiers avaient l'air moins sombre que lors de sa visite de la veille. Wolfe supposa que les provisions arrivées de Boston étaient à l'origine de leur bonne humeur. Avant de s'éloigner en compagnie de Mackellar et d'une troupe de fantassins, il enjoignit Scott de s'abstenir de scalper le premier venu, à moins qu'il ne s'agît d'un Indien ou d'un Canadien déguisé en Indien.

Malgré son piètre état de santé, Wolfe marcha d'un pas rapide jusqu'à la Pointe-aux-Pères, une autre bande de terre qui s'enfonçait dans le Saint-Laurent à l'ouest de la Pointe-Lévis, d'où il aurait une bonne vue sur Québec, située juste de l'autre côté du fleuve, à quatre mille pieds à peine.

Mackellar lui montra du doigt le château Saint-Louis, la cathédrale, le Séminaire, le Collège des Jésuites, l'hôpital de l'Hôtel-Dieu, l'archevêché, le couvent des Ursulines et les autres édifices importants de la haute ville. À l'aide de sa lunette, Wolfe pouvait apercevoir des soldats, des marins et quelques civils se promenant dans les rues étroites de la basse ville ou se tenant près des batteries.

À l'ouest de la ville, Wolfe aperçut une longue rangée de falaises surplombant le Saint-Laurent. Puis il remarqua, légèrement à l'est, un vaste plateau au sommet d'un cap qui s'élevait au-dessus du fleuve. Mackellar lui apprit qu'il s'agissait des plaines d'Abraham, également appelées les «Hauteurs». Elles avaient été baptisées ainsi en l'honneur d'un dénommé Abraham Martin. Arrivé au Canada en 1614, il y était demeuré pendant l'occupation de Québec par les frères Kirke, quinze ans plus tard. Ce Martin n'avait jamais été propriétaire des Hauteurs, selon Mackellar, mais il les traversait tous les jours pour abreuver ses animaux à la rivière Saint-Charles. Maintenant, les Plaines appartenaient aux ursulines, ces religieuses dont Wolfe venait tout juste d'admirer le couvent.

Le général promena son regard du palais de l'intendant, situé à l'extérieur de la ville, jusqu'à l'Hôpital-Général, au bord de la rivière Saint-Charles. De l'endroit où il se trouvait, Wolfe pouvait voir le chenal séparant l'île d'Orléans et les falaises de Beauport. Il se rendit compte que sa flotte ne pourrait jamais s'approcher suffisamment de la rive pour bombarder les Français. En outre, leurs campements rendaient difficile, voire impossible, une attaque provenant de l'autre côté des chutes Montmorency qui se trouvaient à l'est de leur longue ligne de défense.

Tandis que Wolfe scrutait la rive nord, de l'est à l'ouest de la ville, un nouveau plan commença à germer dans son esprit. N'y avait-il pas moyen de débarquer en amont de Québec plutôt qu'en aval? Le général avait déjà envisagé cette possibilité dans une lettre écrite à son oncle pendant sa traversée de l'Atlantique. En examinant les cartes dessinées par Mackellar, Wolfe avait repéré, à trois milles à l'ouest de Québec, un endroit appelé Saint-Michel. À environ un mille et demi de là, en allant vers l'est, se trouvait l'Anse-au-Foulon, une crique d'où partait un chemin, de toute évidence difficile à gravir, mais menant au sommet de la falaise. Le Foulon se trouvait dans la baie de l'Anse-des-Mères.

Sans tenir compte de la douleur qui tiraillait sa vessie, Wolfe fit les cent pas tout en se demandant s'il lui serait possible de débarquer à Saint-Michel. Pour le savoir, il lui faudrait consulter Saunders, envoyer des hommes en reconnaissance et trouver un moyen de détourner l'attention des Français à Beauport afin de les prendre par surprise.

En attendant d'avoir rassemblé les informations nécessaires, le général pourrait se divertir en faisant bombarder Québec. Avant de quitter la Pointe-aux-Pères, Wolfe choisit les endroits où seraient érigées les batteries qui pilonneraient la ville.

À Beauport, à l'est de la ligne française, à quatorze heures

François-Gaston de Lévis était consterné à la perspective de devoir encore une fois déchiffrer une lettre que Montcalm avait rédigée de son écriture minuscule et presque illisible. Beau et grand, cet officier âgé de quarante ans était le commandant en second des troupes régulières. À son grand soulagement Lévis s'aperçut que c'était M. Marcel, et non Montcalm, qui avait écrit le message.

*

Lévis était issu de l'une des plus nobles et des plus anciennes familles de France; l'un de ses ancêtres avait même participé à la troisième croisade (1190). Malheureusement pour lui, sa famille était aussi l'une des moins fortunées de toute la noblesse. Il avait cependant reçu en compensation intelligence, tact et courage. Encore adolescent, Lévis s'était engagé dans l'armée et n'avait cessé depuis de monter en grade, d'une part grâce à ses liens de famille et d'autre part grâce à ses propres efforts. Faute de moyens financiers, il n'avait jamais pu, cependant, prendre la tête d'un régiment. Par conséquent, lorsque Louis XV lui avait proposé, en 1756, le poste de commandant en second auprès de Montcalm au Canada, Lévis avait accepté. Il était le troisième membre de la famille à servir en Nouvelle-France: Henri de Lévis, duc de Ventadour, et François-Christophe de Lévis, duc de Dauville, l'y avaient précédé, l'un en 1625 et l'autre en 1644, tous deux à titre de vice-rois. En acceptant l'offre du roi, Lévis n'ignorait pas que la colonie, assiégée par l'éternelle ennemie de la France, lui offrirait de nombreuses chances d'avancement. Par ailleurs, ses appointements, ajoutés aux autres indemnités auxquelles il avait droit, étaient amplement suffisants pour couvrir ses dépenses et lui permettre de s'offrir le luxe d'emmener cinq serviteurs avec lui.

Même si Lévis et Montcalm venaient tous les deux du midi de la France, la plupart des gens qui les voyaient ensemble étaient étonnés de constater à quel point ils étaient différents. Lévis dominait tout le monde, et pas seulement sur le plan physique. Il avait un tempérament de chef et il était toujours d'humeur égale, diplomate et sûr de lui. Cet homme changeait rarement d'avis et, une fois sa décision prise, il ne revenait pas dessus. Se tenant toujours en dehors des intrigues qui s'étaient ourdies au sein de la colonie française au Canada, il n'avait cependant jamais raté une occasion de rappeler son existence et ses réalisations à ses supérieurs restés en France. Versailles l'avait toujours récompensé de ses efforts en lui accordant régulièrement de nouvelles rentes et promotions.

Montcalm, pour sa part, avait du mal à se faire accepter comme chef et, la plupart du temps, on ne le prenait pas au sérieux. À cause de son pessimisme, il manquait d'assurance, remettait sans cesse en question ses décisions et avait constamment besoin de l'approbation de son entourage. Contrairement à Lévis, qui ne parlait jamais pour ne rien dire, Montcalm était un véritable moulin à paroles et manquait souvent de tact et de diplomatie.

Lévis et Montcalm avaient tout de même un point commun: tous deux brûlaient de connaître la gloire qui apporterait au premier la fortune et au second les relations utiles. Il est fort probable que ni l'un ni l'autre ne se souciait vraiment du sort du Canada. Pour eux, il s'agissait d'un champ de bataille comme un autre qui leur permettrait de monter en grade, de récolter des médailles et de se couvrir de *gloire**.

Lévis avait plu à Vaudreuil dès leur première rencontre et les deux hommes s'étaient vite liés d'amitié. Même si le gouverneur général l'utilisait sans vergogne dans ses querelles avec Montcalm, il ne ratait jamais une occasion de rendre publiquement hommage à Lévis, de le consulter, de suivre ses conseils tout en ignorant ceux de Montcalm et de répéter à Versailles qu'il ferait un bien meilleur commandant que ce dernier. Lévis, toutefois, ne prit jamais part à ces tentatives d'humilier Montcalm. Celui-ci était son supérieur et, s'il s'avisait de l'oublier, le chevalier risquait de voir sa carrière en souffrir. En outre, il éprouvait respect et affection pour Montcalm qui, en retour, vouait à son ami une grande reconnaissance, disant qu'il lui permettait de dévoiler «toutes mes faiblesses et les replis de mon cœur». Jamais Lévis ne trahit les confidences que lui fit Montcalm.

Au cours des trois années qu'il passa au Canada, Lévis participa à trois importantes campagnes au cours desquelles il combattit vaillamment et avec bravoure, mais sans grande distinction. Entre-temps, il vivait à Montréal, participant activement à la somptueuse vie mondaine de la ville, sans que cela fît naître en lui le moindre scrupule; il fallait bien que les fonctions de commandement eussent quelques petits avantages.

Lévis était moins hypocrite que Montcalm à cet égard. Ce dernier désapprouvait pieusement les bals et les grandes réceptions donnés à une époque où la nourriture se faisait rare pour les habitants du Canada, mais il n'avait pas le courage de refuser les invitations et faisait tout pour que ces réunions sociales fussent un succès.

À titre d'exemple, voici ce que Montcalm écrivit à Lévis le 17 janvier 1759, alors qu'il avait été invité à un pique-nique devant avoir lieu le lendemain et auquel les organisatrices, Mmes Gauthier et de La Naudière, avaient convié cinquante-deux personnes: «On a compté sur moi; je ne puis jamais être un homme ordinaire. Aussi je fournis l'illumination, violons, orgeat, bière, partie du vin et de quoi faire vingt-six plats sur les soixante-six plats qu'il y aura à deux tables servies également en ambigu.» Même s'il disait ne guère s'amuser dans ce genre de fêtes, il s'y rendait tout de même de manière à «n'ennuyer personne, en particulier les charmantes dames». Or, à cette époque, le marquis savait que les Anglais arrivaient et que la population et les soldats n'avaient même pas de quoi se préparer un seul plat, et encore moins soixante-six.

Quand il allait à un bal ou à une soirée, Lévis était habituellement accompagné de sa maîtresse, Marie-Marguerite Pennisseault, la très belle épouse de Louis Pennisseault, un marchand qui faisait des affaires avec Bigot. Ils étaient escortés par le plus beau des jeunes officiers de Lévis, car celui-ci, comme Montcalm, admirait les jeunes hommes de belle apparence. Un jour qu'il raconta à Lévis un événement mondain auquel il avait assisté, Montcalm lui confia: «Je vous jure que vous lui donneriez la préférence [le jeune soldat qui avait accompagné Montcalm] sur La Naudière [l'un des préférés de Lévis].» Le marquis, cherchant comme toujours à se préserver, termina sa lettre comme suit: «Mais *motus**! Brûlez ma lettre.»

*

En lisant la lettre que Montcalm lui avait adressée le 2 juillet, Lévis s'aperçut que le général commençait à s'inquiéter sérieusement. «Je suis effrayé de notre position, avait-il dicté, sur laquelle je vous conjure de réfléchir, sans opiniâtreté pour une première opinion.»

La position à laquelle Montcalm faisait référence était la ligne de défense établie à Beauport. Il s'agissait d'une ligne sinueuse de quinze à dix-huit milles principalement défendue par des miliciens canadiens. Convaincu que les Anglais attaqueraient le centre de cette ligne (où se trouvaient ses troupes régulières), Montcalm voulait la renforcer encore, quitte à réduire le nombre des soldats postés sur le flanc gauche et commandés par Lévis, même si cette manœuvre aurait eu pour effet de rendre l'arrière-garde de ce dernier vulnérable à une attaque.

C'était Lévis qui avait eu l'idée de cette ligne sinueuse, ayant réussi à convaincre Vaudreuil que les chutes Montmorency constituaient un obstacle naturel que les Français devaient utiliser à leur avantage. Il n'était donc pas disposé à y apporter des modifications, excepté quelques ajustements mineurs en cas d'urgence. Lévis était persuadé que

Montcalm se rangerait à son avis. Après tout, ce dernier n'avait-il pas noté: «Je vous écris avec ouverture; je défère volontiers à votre avis. Mais tâchons de n'en avoir qu'un, mon cher chevalier; l'amitié et l'intérêt nous y doivent porter»?

À la Pointe-Lévis, le camp de Monckton, tôt dans la soirée

Par bonheur, la journée était terminée. Les Canadiens et les Indiens semblaient avoir disparu, Wolfe avait retrouvé la sécurité de son navire, et officiers et soldats paraissaient ravis de voir enfin les cantinières préparer leur repas du soir. Monckton pouvait donc siroter son thé en toute quiétude.

À peine avait-il eu le temps de tremper les lèvres dans le breuvage chaud que le major Scott revint de son expédition à la rivière Chaudière. Il déclara n'avoir rencontré personne qui eût été en mesure de renseigner Wolfe. Les Rangers devraient continuer leur chasse un autre jour.

Scott avait perdu un homme. Un jeune Ranger avait en effet disparu et, malgré des recherches intensives, on ne l'avait pas retrouvé. Ni Scott ni Goreham ne savaient trop qui il était ni d'où il venait. Monckton les envoya tous les deux à Saint-Laurent pour y faire leur rapport à Wolfe.

(Personne ne connaît l'identité de ce jeune Ranger ni ne sait ce qu'il était advenu de lui, mais permettez-moi de vous raconter ce qui, selon moi, aurait pu se produire.)

Une jeune femme observait les soldats anglais longeant la rivière Chaudière. Elle était cachée, immobile, dans la forêt qui bordait l'autre rive, et avait beaucoup de mal à maîtriser son chien. Soudain une flèche surgie de nulle part frappa le dernier soldat de la colonne, qui tomba dans la rivière et fut emporté par le courant. Ne s'étant aperçu de rien, ses compagnons poursuivaient leur marche. Plus tard ils revinrent sur leurs pas, mais ne trouvant pas l'homme qu'ils cherchaient, ils reprirent leur route.

Dès que les soldats eurent disparu, la jeune fille quitta sa cachette et, son chien sur les talons, elle se dirigea en courant vers son village situé en aval de la rivière. Bientôt le chien s'arrêta et se mit à aboyer furieusement en regardant fixement l'eau. La curiosité l'emportant sur la peur, la fille fouilla les broussailles qui bordaient la berge et découvrit le corps du soldat, l'épaule transpercée par la flèche. Tout en murmurant une prière à la Vierge, elle s'approcha de l'homme dont le corps était prisonnier des buissons. Elle tenta de l'en déloger avec son pied, mais il ne bougeait pas. Ne sachant trop que faire, elle l'examina plus attentivement; elle avait trop souvent vu la mort de près pour en éprouver de la crainte. Mais lorsqu'elle entendit le soldat pousser un gémissement et qu'elle le vit tourner la tête vers elle, elle faillit s'évanouir. Elle se signa rapidement et cela sembla lui redonner courage. Après s'être assurée que le jeune homme ne serait pas emporté par le courant, elle ordonna à son chien de faire le guet et courut jusqu'à chez elle pour quérir son grand-père.

Une heure plus tard, elle surgit de la forêt à dos de cheval, suivie par un vieillard monté sur un canasson presque aussi vieux que lui. Le chien agita la queue et courut à leur rencontre. La jeune fille descendit d'un bond de sa monture et se précipita vers la berge. Le soldat gisait encore à moitié dans l'eau.

Le vieil homme s'approcha plus lentement. «*Mais Élisabeth, c'est un Anglais**», fit-il avec dédain. Elle savait parfaitement que c'était un Anglais, mais cela ne l'empêchait pas d'avoir besoin d'aide.

«*Mais ce sont nos ennemis!**» lui reprocha-t-il aussitôt. Les autorités françaises n'apprécieraient certes pas une telle initiative. Ils risquaient tous les deux de se faire arrêter et même d'être pendus. À plus de soixante-dix ans, il ne craignait pas la mort, mais sa petite-fille n'en avait que dix-sept. «*C'est mieux de le laisser mourir**.» Ils pourraient toujours faire une prière pour lui.

«*Non!**» s'écria Élisabeth. Il n'était pas question de le laisser mourir. Le vieil homme ne lui avait-il pas appris à être bonne, en particulier avec les étrangers? L'Église n'enseignait-elle pas que le fait de prendre soin des malades et des mourants représentait un acte de charité qui serait récompensé dans l'au-delà? Élisabeth était intarissable, débitant les arguments d'ordre social et religieux les uns à la suite des autres, puis elle coupa court à toute réplique en déclarant: «*Maman serait d'accord!**»

Le vieil homme le savait. La mère de la jeune fille, qui n'en faisait toujours qu'à sa tête, aurait agi exactement de la même façon. Et il connaissait suffisamment bien Élisabeth pour savoir que, s'il ne se pliait pas à sa volonté, elle trouverait un autre moyen d'obtenir ce qu'elle voulait. Aussi il céda et s'approcha du soldat. Le jeune homme avait du mal à respirer. Son cœur battait irrégulièrement. Heureusement l'eau froide avait empêché une hémorragie fatale, mais il valait mieux ne pas perdre de temps.

«*Il faut faire vite**», déclara-t-il. Rassemblant toutes leurs forces, Élisabeth et son grand-père parvinrent à sortir le Ranger de l'eau et à le hisser sur le cheval du vieil homme. La jeune fille enfourcha le sien à la manière des Indiens et tous les trois, suivis du chien, s'enfoncèrent dans la forêt. Ils empruntèrent un sentier menant à une cabane perdue dans le bois. Elle n'avait plus servi depuis le printemps, période de l'année où ils devaient entailler les érables, faire bouillir la sève pour en obtenir un sirop sucré avant d'en faire des pains de sucre brun, comme les Indiens leur avaient appris à le faire.

Pour Élisabeth et pour sa mère, la *cabane à sucre** était un lieu sacré. Toutes deux s'y étaient réfugiées souvent pour parler et échanger des confidences. C'était là que, pour la première fois, un garçon avait embrassé Élisabeth, éveillant en elle un désir si fort que le rouge montait à ses joues chaque fois qu'elle s'en souvenait. C'était dans ce lieu sûr et secret que la jeune fille voulait rendre le soldat à la vie. Pour quelle raison? Elle l'ignorait. Son grand-père avait un don de magicien pour préparer des infusions et des potions de toutes sortes à base d'herbes, de feuilles et de tout ce qu'il pouvait trouver — les Indiens le lui avaient enseigné à son arrivée au pays. Et Élisabeth savait que le vieil homme était incapable de lui refuser quoi que ce soit.

Arrivés à la cabane, la jeune fille et son grand-père portèrent le soldat avec précaution et l'étendirent sur de vieux sacs empilés dans un coin. De peur d'être découverts, ils renoncèrent à faire du feu, Élisabeth préférant recouvrir le Ranger avec d'autres sacs afin de le garder bien au chaud. Puis le vieil homme s'en alla chercher de l'eau, des couvertures et des remèdes.

Pendant ce temps, Élisabeth dévêtit le soldat. Elle n'eut aucune difficulté à enlever son sac à bandoulière et les jambières vertes attachées à ses chevilles et au-dessus des genoux; puis elle lui retira ses mocassins et déboutonna sa veste verte, la coupant soigneusement autour de la flèche encore plantée dans son épaule. La veste et le maillot de corps furent difficiles à retirer. La jeune fille hésita lorsque vint le moment de lui enlever sa culotte, mais il fallait bien le faire puisque celle-ci était toute mouillée. Le soldat était nu maintenant et Élisabeth n'en fut pas troublée. En fait, elle venait tout juste de se rendre compte de la beauté de ce corps musclé. La jeune fille pensa toutefois qu'il valait mieux le couvrir avant que son admiration ne la conduisît au péché mortel.

En attendant le retour de son grand-père, elle fouilla les poches et le sac du soldat. Leur contenu ne présentait guère d'intérêt pour elle: quelques canifs, une bourse contenant de la monnaie, un peu de tabac, une pipe, un sac en caoutchouc dont elle ignorait l'utilité, un peu de nourriture et quelques munitions. Il n'y avait que deux papiers, une lettre et un document. L'une et l'autre portaient l'inscription «James Montague» et provenaient d'un endroit appelé «Virginie». Sur le document, une date était inscrite: 17 septembre 1740. Sa date de naissance, pensa-t-elle. «*Comme tu es jeune, monsieur Montague**», dit-elle tout haut. Il aurait dix-neuf ans en septembre. La jeune fille trouva également un médaillon contenant le portrait d'une femme plus âgée que lui, assez belle et l'air aimable. Jetant un coup d'œil au soldat inconscient, Élisabeth remarqua à quel point il lui ressemblait. «*Sa maman**», dit-elle en plaçant le bijou dans la main du jeune homme.

Une demi-heure plus tard, le vieil homme revint avec des couvertures, des serviettes propres et une série de pots et de casseroles contenant de l'eau, des herbes et des briques chaudes. Élisabeth admirait son grand-père; sans nul doute il connaissait tous les secrets de la survie. Plaçant les briques sur le poêle, il demanda à sa petite-fille de faire chauffer un peu d'eau et quelques-unes des pierres qu'il lui tendit. Il n'était toutefois pas question qu'elle le regardât faire.

Pendant qu'Élisabeth s'affairait autour du poêle, le vieil homme prit un peu de boue dans l'un de ses sachets et le grand couteau mis à chauffer sur une brique. Se tenant à droite du soldat américain, il lui ouvrit la bouche, plaça un morceau de bois entre ses dents et le bâillonna pour l'empêcher de crier. Puis il pratiqua une grande incision autour de la flèche de manière à pouvoir plus facilement extraire la pointe de la chair. Il savait que la douleur serait difficilement supportable, mais il ne pouvait faire autrement. S'arc-boutant contre la table, il tira de toutes ses forces. Le soldat projeta la tête violemment en arrière et ouvrit des yeux horrifiés, mais au moins la flèche était retirée. Tâtant la blessure du mieux qu'il put, le grand-père d'Élisabeth essaya de voir jusqu'où la flèche était entrée. Elle avait pénétré profondément. Il arrêta l'hémorragie à l'aide de sachets de boue et de feuilles, puis demanda à la jeune fille de lui apporter l'eau chaude et les pierres. Il lava la plaie minutieusement et cautérisa les chairs. La douleur était telle que le soldat perdit connaissance. Élisabeth ne broncha pas. Elle tint la main du Ranger et lui essuya le front. Le vieil homme termina sa besogne en plaçant des feuilles dans la plaie et en la recouvrant d'un bandage.

«*Il va vivre**», lança-t-il à sa petite-fille. Elle le savait. Presque tous ceux que son grand-père soignait survivaient. Avant de repartir à la ferme, dont ils ne pouvaient pas rester éloignés tous les deux trop longtemps, il donna ses instructions à Élisabeth. Dans environ une heure, et toutes les heures par la suite, elle devrait faire boire un peu de tisane au soldat. Le vieil homme reviendrait à l'aube pour changer le pansement. Cependant, le Ranger risquait d'avoir des hallucinations et de délirer; Élisabeth ne devrait pas s'en inquiéter, il lui faudrait le garder au chaud et le calmer.

Une fois seule, Élisabeth fit le ménage et se prépara aux longues heures de veille qui l'attendaient. Couché à ses pieds, son chien montait la garde. Quelques années auparavant, pendant que son père agonisait, estropié par un arbre qui lui était tombé dessus, Élisabeth était venue se réfugier dans la cabane où elle était ainsi demeurée, assise, enveloppée dans des couvertures, priant et attendant la fin qui, heureusement, était survenue avant le lever du jour. La jeune fille espéra que, cette fois-ci, le *dénouement** serait différent.

Plusieurs heures s'écoulèrent ainsi. À un moment donné, le soldat reprit connaissance et murmura quelque chose qu'Élisabeth ne put comprendre. Toutes les heures, elle lui soulevait la tête et le faisait boire, comme son grand-père le lui avait demandé. Ce simple effort semblait laisser le jeune homme complètement épuisé. Une fois, il gémit et poussa un cri. Puis tout son corps se mit à frissonner. Élisabeth posa sur lui d'autres couvertures, mais il continua à trembler. Ne trouvant rien de mieux à faire, elle s'étendit à ses côtés et le tint dans ses bras, répétant sans cesse leurs deux noms. Au bout d'un moment, le soldat se calma et, avant de s'endormir, il murmura le nom de la jeune fille: «É-li-sa-beth.»

(Une telle histoire aurait très bien pu se produire. Il n'était pas rare en effet qu'après une escarmouche les soldats anglais blessés fussent laissés sur place. Outre les sœurs de l'Hôpital-Général, il dut y avoir des colons qui les soignèrent. D'autres soldats désertèrent après avoir rencontré une fille du pays. Ils furent bientôt nombreux à entretenir ainsi des liaisons que l'Église sanctionna par la suite.)

À Beauport, quartier général de Montcalm, plus tard dans la nuit

Plus tôt ce soir-là, Montcalm avait encore une fois tenté de persuader Vaudreuil d'autoriser une attaque à la Pointe-Lévis. Pour des raisons que Montcalm n'aurait pu expliquer, aucune décision n'avait été prise et, en tant que commandant en chef, il n'avait pas insisté. Il s'était contenté de regagner son manoir, frustré et irrité, en se demandant qui commandait. Le général n'avait nullement confiance en Vaudreuil, et celui-ci le lui rendait bien. Et même si Montcalm avait le pouvoir d'imposer sa volonté au gouverneur général, il ne lui vint jamais à l'idée de le faire.

En arrivant chez lui, le général trouva la réponse de Lévis qui insistait pour que leur ligne défensive ne subît aucune modification. Comme il importait que tous deux eussent l'air d'agir de concert et dans le même but, Montcalm se devait de respecter l'opinion de Lévis.

Plus tard, longtemps après son retour, M. Marcel trouva Montcalm endormi, la tête posée sur sa table de travail.

Le 5 juillet 1759

Au carré Saint-Louis, à Québec, tôt le matin

Depuis la veille, les miliciens faisaient la grève. Certains d'entre eux avaient refusé d'obtempérer à l'ordre de surveiller les Anglais installés sur la rive sud, déclarant à leurs capitaines que, à moins d'être traités sur un pied d'égalité avec les soldats réguliers et d'avoir droit aux mêmes fusils, munitions, équipements et rations que ces derniers, ils rentreraient dans leurs foyers et laisseraient les Français combattre les Anglais tout seuls.

Les officiers avaient pris l'affaire suffisamment au sérieux pour aller trouver Vaudreuil et le persuader de faire quelque chose. Le gouverneur général avait accepté de satisfaire certaines des revendications des miliciens, mais, par mesure de précaution, il avait demandé à Montcalm de passer les troupes en revue et de leur faire entendre raison. Une parade avait donc été prévue pour ce dixième jour de siège.

Depuis l'aube, les miliciens alignés attendaient sous la pluie l'arrivée de Montcalm. Trempés de la tête aux pieds, ils ne se gênaient pas pour exprimer leur mécontentement. Parmi eux se trouvait Lefebvre. (Mennard avait accompagné l'évêque à Charlesbourg.) Lorsque les deux jeunes garçons s'étaient engagés dans la Royal-Syntaxe, des visions exaltantes d'actes de bravoure dansaient dans leur tête. Le contraste avec la réalité n'en avait été que plus saisissant. Leurs journées étaient entièrement consacrées aux manœuvres, aux exercices et aux parades; de plus, ils étaient obligés d'écouter d'interminables discours sur la fidélité que le peuple devait au roi et trimaient comme des forcenés à creuser des tranchées, à barricader les portes et les fenêtres des maisons et à ériger des fortifications. Les officiers supérieurs français n'arrêtaient pas de leur donner des ordres contradictoires, aucun d'entre eux ne semblant maîtriser la situation ni savoir exactement ce qu'il fallait faire. Par ailleurs, les miliciens étaient constamment affamés, tellement leur ration quotidienne était maigre, arrivant tout juste à assurer leur survie. Mme Lefebvre apportait bien à son fils la nourriture qu'elle avait parfois de trop, mais les autres soldats, la plupart du temps, s'en emparaient.

(Le régiment de Royal-Syntaxe était constitué d'élèves du Séminaire et du Collège des Jésuites. L'existence d'une telle unité n'a pas manqué de faire sourire plus d'un historien, ceux-ci s'étant empressés de ridiculiser ces étudiants. Leur réaction eût sans doute été différente s'ils avaient pu comprendre que ces garçons, en grande majorité des adolescents, avaient choisi de porter le fusil au risque de se voir par la suite dans l'impossibilité de suivre leur vocation. D'ailleurs, très peu reprirent leurs études après la guerre. Aussi me semble-t-il plus approprié de considérer ces jeunes gens comme des êtres animés par un profond désir de défendre leur patrie, ayant volontairement choisi d'affronter des dangers — d'ordre temporel aussi bien que spirituel — dont il leur était difficile, étant donné leur jeune âge, d'évaluer la portée.)

Lorsqu'ils discutaient de la façon dont la guerre était menée, les étudiants et les fermiers engagés dans la milice ne manquaient pas de critiquer l'apparente inaction des Français. Les uns et les autres s'étaient enrôlés dans l'espoir de contribuer à mettre un terme aux ambitions des Anglais et de voir ce triste épisode prendre fin rapidement, de manière à pouvoir retourner qui à ses études, qui à ses champs. Or, les choses s'éternisaient. Le pays était pratiquement abandonné aux Anglais. Tous les jours, la mère de Lefebvre faisait le guet sur les quais, observant les Anglais s'incruster sur la rive sud. Elle apercevait des soldats par milliers, des dizaines de rangées de tentes, des batteries dont les énormes canons noirs étaient pointés sur Québec et des centaines de navires et de barges qui, tous, attendaient le moment propice pour déclencher les hostilités — et cette perspective la terrifiait.

Elle terrifiait également bon nombre de ceux qui, aux côtés de Lefebvre, attendaient l'arrivée de Montcalm. L'inertie des autorités les exaspérait; ils se demandaient combien de temps encore il leur faudrait attendre avant de retrouver leurs femmes et leurs enfants. En fait, les sujets d'inquiétude ne manquaient pas: la menace pesant sur leurs foyers et leurs fermes, les récoltes déjà sérieusement compromises, l'hiver qui bien assez tôt viendrait tout paralyser et les soldats de Bigot qui étaient bien capables d'obliger leurs femmes à leur remettre la nourriture soigneusement dissimulée.

Ils étaient près d'un millier à attendre ainsi en rangs, mouillés jusqu'aux os. Les étudiants avaient revêtu leurs uniformes gris aux parements et aux revers rouges, et leurs tricornes noirs également bordés de rouge. Quelques miliciens avaient une tenue identique, mais la plupart étaient vêtus comme à leur habitude, c'est-à-dire d'une tuque de laine dissimulant leurs longs cheveux noués en queue de cheval, d'une chemise en tissu épais et verdâtre, d'un gilet fait de la même étoffe, d'une culotte épaisse de couleur marron s'attachant sous le genou, de jambières noires et de mocassins. Une cartouchière, un tomahawk et plusieurs couteaux pendaient à leur ceinturon, et tous avaient des mousquets en plus ou moins bon état. On reconnaissait leurs officiers supérieurs à leurs hauts-de-chausses gris, à leurs tuniques bleues, à leurs hausse-cols (une plaque de cuivre servant à protéger le cou) et à leurs épées.

Montcalm arriva, sur son cheval noir, à neuf heures et demie précises, accompagné de Bougainville, de ses deux aides de camp et d'une escorte de la cavalerie. Cette apparition fit grande impression sur le jeune Lefebvre, d'autant plus que, comme par enchantement, il s'arrêta de pleuvoir.

Montcalm traversa au galop les rangs des miliciens, les laissant à demi morts de frayeur. Après s'être brièvement entretenu avec leurs supérieurs, il se tourna vers les soldats, restés au garde-à-vous, et les sermonna sévèrement, menaçant de faire pendre tous ceux qui continueraient à tenir des propos séditieux ou à songer à déserter. Cherchant manifestement à leur faire peur, il leur dépeignit avec force détails le traitement que les Anglais feraient subir à leurs femmes et à leurs filles s'ils parvenaient à vaincre les Français. L'ennemi était protestant, leur rappela le marquis, et les feux de l'enfer attendaient assurément tous ceux qui aideraient d'une façon ou d'une autre leurs adversaires religieux. Afin d'apaiser les tensions, cependant, Montcalm promit aux miliciens des rations identiques à celles des troupes régulières. Il quitta les lieux sous les cris assourdissants de «*Vive le roi!**». Et la pluie se remit à tomber.

Tandis que, ragaillardis, les militaires retournaient à leurs occupations, Lefebvre rencontra le père Baudouin sur la terrasse qui longeait le château Saint-Louis. De l'autre côté du fleuve, les troupes anglaises continuaient à débarquer sur la rive sud.

Malgré la pluie diluvienne, les coups de tonnerre et les éclairs terrifiants, et les averses de grêle qui, depuis des jours, faisaient rage, les

Anglais n'avaient pas perdu de temps à la Pointe-Lévis. Ils avaient fini d'installer et de fortifier leur campement, transformé l'église en hôpital, construit des redoutes et des plates-formes pour les batteries, et, à la Pointe-aux-Pères, les travaux allaient bon train aussi. La nourriture était convenable, les officiers avaient reçu leurs bagages et les soldats menaient une vie relativement paisible en dépit des Canadiens et des Indiens qui parfois leur tiraient dessus.

Wolfe songeait sérieusement à attaquer les Français non pas à Beauport, comme il l'avait pensé en premier lieu, mais en amont de la ville. L'amiral Saunders était d'accord pour un éventuel débarquement à Saint-Michel, sur la rive nord, à condition que ses navires pussent franchir en toute sécurité la ligne de batteries du port de Québec. Avant de pousser plus loin les préparatifs, Wolfe devait toutefois s'assurer que ses troupes pourraient effectivement débarquer à cet endroit.

Comme il était impossible d'envoyer directement des éclaireurs sur la rive nord, Wolfe avait ordonné la veille à James Murray, le plus jeune de ses brigadiers, de se rendre au campement de Monckton, puis, de là, à la rivière Etchemin, en face de Saint-Michel.

*

Né en Écosse six ans avant Wolfe, James Murray était le cinquième fils et le quatorzième enfant du quatrième baron Elibank. Devenu cadet à l'âge de quatorze ans, il entra dans l'armée régulière quatre ans plus tard en tant que sous-lieutenant. En 1741, il se joignit au 15e Régiment d'infanterie et servit dans les Antilles, à Cuba et dans les Flandres, où il fut grièvement blessé au cours du siège d'Ostende en 1745. Murray et Wolfe firent connaissance un an plus tard, mais il semble que ni l'un ni l'autre ne gardât un bon souvenir de cette première rencontre. Lorsque tous deux se retrouvèrent à Louisbourg en 1758, ils avaient heureusement déjà réglé le différend qui les avait opposés. Sous les ordres de Wolfe, Murray combattit avec bravoure et distinction. Dans une missive officielle rédigée après la bataille, Wolfe fit mention du «courage sans bornes» de Murray. Il avait sans doute cette qualité à l'esprit lorsqu'il demanda à Pitt d'affecter Murray à la «grande entreprise». Cependant, Wolfe avait exagéré, car Murray n'était pas un être exceptionnel. C'était un officier impétueux, violent, arrogant et sévère. Il était faible et se conduisait parfois comme un idiot, se reprochant sans cesse de ne pas avoir de meilleures relations en haut lieu.

À la tête d'une colonne de soldats appartenant au 43ᵉ Régiment d'infanterie, Murray parcourut plusieurs milles sous la pluie, le long de la rive sud, avant d'atteindre la rivière Etchemin. Chemin faisant, il scruta minutieusement, à l'aide de sa lunette, l'autre côté du fleuve, soit la bande de terre s'étendant de la citadelle de Québec à Saint-Michel. Il nota avec soin les mouvements des troupes françaises, estimant à deux cents le nombre de soldats postés à Sillery et dans les environs de ce village, situé tout près de Saint-Michel. Satisfait de ses observations, le brigadier revint au campement de Monckton, où il décida de passer quelques jours. Il fit savoir à Wolfe qu'un débarquement à Saint-Michel était tout à fait envisageable et que, selon lui, des radeaux conviendraient parfaitement au transport des troupes sur la rive.

Sur le Saint-Laurent, à bord d'un bateau français, à midi

On avait de nouveau fait appel aux services du chancelier François-Marc-Antoine Le Mercier et il en était quelque peu contrarié. Il pleuvait et le temps n'était guère propice à des pourparlers au milieu du fleuve. Le Mercier n'ignorait pas cependant que les trêves réclamées par les adversaires pour diverses raisons fournissaient d'excellentes occasions aux deux camps de s'épier l'un l'autre. Ainsi, les Anglais envoyaient-ils, déguisés en marins, des ingénieurs capables d'évaluer l'importance des fortifications érigées à Québec et autour de la ville, tandis que les capitaines des navires français, eux aussi habillés en simples marins, partaient en reconnaissance pour évaluer l'importance de la flotte de Saunders, de même que son rayon d'action et ses mouvements.

Âgé de trente-sept ans, François-Marc-Antoine Le Mercier était un officier et un commerçant français arrivé au Canada en 1740 — il avait alors dix-huit ans. Avec les années, il était devenu ingénieur et officier d'artillerie, et avait amassé beaucoup d'argent. Montcalm le considérait comme un être «ignorant et faible», à qui il reprochait d'être davantage préoccupé par l'état de ses finances que par son métier; on évaluait d'ailleurs sa fortune à un million de *livres** françaises.

En fait, à cette époque, il était facile de faire fortune. Le Mercier avait édifié la sienne grâce à sa fonction d'officier d'artillerie. Ayant passé de nombreuses années au cœur du continent, il avait pu établir un véritable monopole sur la vente et l'achat des fourrures. Par ailleurs, en tant qu'officier responsable de la distribution de la nourriture, de l'équipement, des munitions et de la poudre destinés à l'armée au cours de diverses campagnes et en tant qu'associé de Bigot, Le Mercier avait eu plus d'une occasion de réaliser d'énormes profits, même s'il ne fut jamais accusé de malversation.

Toutefois, l'argent lui filait rapidement entre les doigts, Le Mercier étant un joueur invétéré qui laissait des sommes considérables sur les tables de jeu de Bigot. En novembre 1757, il épousa une riche héritière, Françoise Boucher de La Bruère. Il est intéressant de noter que Le Mercier était l'un des rares huguenots vivant alors en Nouvelle-France, un fait que la majorité de ses confrères officiers ignoraient. Il se convertit d'ailleurs au catholicisme et fut baptisé trois jours à peine avant son mariage. Selon toute vraisemblance, ses convictions religieuses n'avaient pas nui à sa carrière.

Montcalm n'aimait pas cet homme, d'une part parce qu'il lui enviait sa fortune, et d'autre part parce que Le Mercier avait réussi à prendre Chouaguen (Oswego) au cours de la première campagne que le marquis avait menée au Canada, en 1756. Empêtré dans ses éternels dilemmes, Montcalm n'avait pas su où placer son artillerie et c'est Le Mercier qui avait pris la décision à sa place, disposant ses neuf canons de manière à pouvoir tirer par-dessus les murs du fort, et obligeant ainsi les Anglais à se rendre. Malgré cet exploit, Le Mercier n'était pas un officier d'artillerie très compétent, mais il faisait son travail consciencieusement.

Lors de l'arrivée des Anglais, en juin 1759, Le Mercier avait été nommé commandant de l'artillerie. À ce titre, il était responsable d'environ trois cents canons et mortiers de taille et de calibre divers, répartis sur un territoire d'une longueur de vingt milles. Selon la coutume, le commandant de l'artillerie était également le chancelier de la colonie, à savoir le personnage chargé de parlementer avec l'ennemi. C'est la raison pour laquelle, en cette journée pluvieuse, Le Mercier se trouvait à bord de l'un des quatre petits bateaux postés au milieu du Saint-Laurent, attendant la libération d'un groupe de jeunes femmes que les Anglais avaient capturées le long du fleuve.

La première mission de Le Mercier avait eu lieu le 1er juillet, jour où une chaloupe anglaise avait pénétré sous drapeau parlementaire dans la rade de Québec. Les Anglais voulaient s'informer de l'état de santé de trois enseignes de vaisseau que les Canadiens avaient fait prisonniers le 8 juin alors qu'ils se promenaient à cheval sur l'Île-aux-Coudres. L'un d'eux était le neveu de l'amiral Durell. Depuis, les jeunes hommes étaient détenus à Québec dans des résidences confortables. Le Mercier avait affirmé à son homologue que les trois enseignes se portaient bien et seraient ramenés à leurs navires peu de temps avant le départ de l'amiral Saunders pour l'Angleterre.

Prévue pour onze heures, la rencontre eut lieu à midi. Une fois remplies les formalités d'usage, l'affable Charles Douglas, capitaine de l'*Alcide*, aida les dames à monter à bord des barques françaises et eut un bref entretien avec Le Mercier. Avant de retourner sur son navire, Douglas remit au chancelier deux bouteilles de fine liqueur, cadeau de Wolfe à l'intention de Bigot, ainsi que des lettres adressées à ce dernier, dont l'une avait été écrite par sa sœur. Après avoir confié les femmes au père Récher, lequel prendrait les dispositions nécessaires pour les faire conduire à Trois-Rivières, Le Mercier envoya un de ses hommes porter les bouteilles à la résidence de Bigot, à Beauport.

Lorsque le messager de Le Mercier arriva à la ferme servant à Bigot de quartier général, ce dernier était d'humeur acariâtre. En fait, il avait peur et s'expliquait mal les hésitations de Montcalm et l'indécision de Vaudreuil. Toutefois, l'intendant avait d'autres raisons d'être irrité: les réceptions ayant été annulées, il ne gagnait pas autant d'argent qu'il l'aurait voulu et il déplorait l'absence de sa maîtresse.

*

À la lumière du jour, François Bigot était loin d'être un bel homme. De petite taille, il souffrait d'embonpoint et ses cheveux orange et rebelles surmontaient un visage ingrat recouvert de boutons. Il souffrait d'ulcères du nez qui dégageaient une odeur nauséabonde, l'obligeant à dépenser une fortune en parfums et *en eaux de toilette** afin de dissimuler cette calamité. L'un de ses nombreux serviteurs se tenait constamment à ses côtés, prêt à lui tendre un mouchoir parfumé. Le soldat envoyé par Le Mercier eut un haut-le-cœur en pénétrant dans la petite pièce chargée d'une odeur douceâtre et persistante qui servait de bureau à Bigot.

À titre d'intendant, Bigot était un officier de carrière affecté à l'administration des ports et colonies du ministère de la Marine. Au Canada, il était responsable du commerce intérieur et extérieur, des finances, de l'industrie et de l'agriculture, de la fixation des prix et de la perception des impôts, de même que de la police et de l'administration de la justice. Bigot était entré dans ce ministère à l'âge de vingt ans; seize ans plus tard, il avait été envoyé à Louisbourg, puis à Québec en 1740. Intelligent et efficace, l'intendant était un travailleur infatigable et possédait un excellent sens de l'organisation. Il aimait le luxe et le raffinement, et c'était un joueur invétéré, un coureur de jupons et un escroc.

Sa maîtresse, Mme Péan, née Angélique-Geneviève Renaud D'Avène des Méloizes, que ses intimes appelaient Lélie, était une Canadienne d'une grande beauté, charmante, spirituelle et obligeante. Elle était devenue la maîtresse de Bigot peu de temps après l'arrivée de celui-ci en Nouvelle-France. Lélie avait alors vingt-cinq ans et son amant, quarante-cinq. Onze ans plus tard, Bigot voyait toujours en elle la beauté qui l'avait séduit dès leur première rencontre. Cependant, avec le temps, il avait découvert que la sensualité n'était pas son seul atout: c'était aussi une femme remarquable. Souvent comparée à Mme de Pompadour, Lélie possédait une volonté de fer, une détermination et un tact qui lui permettaient de défendre avec ferveur ses intérêts, tout comme ceux de son mari et de ses proches. Elle donnait de somptueuses réceptions dans son hôtel de la rue Saint-Louis, savait entretenir la conversation et distraire ses invités, et ne craignait pas de prendre des risques énormes aux tables de jeu. Tous les hommes lui faisaient la cour et personne n'aurait osé faire de remarque désobligeante à son sujet. Jamais Mme Péan ne fit de confidences à quiconque sur sa relation avec Bigot.

Officier et marchand, le mari de Lélie n'était pas du tout fait de la même étoffe; Michel-Jean-Hughes Péan était issu d'une vieille famille de militaires canadiens. Il avait rapidement fait carrière, même s'il était loin de posséder des talents extraordinaires. Son principal atout, comme Bigot s'en rendit compte, résidait dans sa capacité de se faire des amis en haut lieu et de les servir fidèlement par la suite. Péan devint l'associé de Bigot le jour où sa femme devint sa maîtresse, ce qui lui permit d'accumuler une énorme fortune. Loin de s'opposer à la liaison que Bigot et sa femme entretenaient, Péan la favorisa; en échange, l'intendant lui procura la richesse et un statut au sein de la société coloniale, et lui facilita les entrées en France.

*

Bigot fut enchanté par les deux bouteilles de liqueur expédiées par Wolfe et s'empressa de lui rendre la politesse, renvoyant Le Mercier sur le fleuve avec quelques paniers remplis de *fines herbes** et de mets délicats. Après tout, rien ne disait qu'une fois la guerre terminée les deux hommes ne se rencontreraient pas dans les rues de Paris!

À la Canardière, tôt dans la soirée

Vaudreuil n'avait toujours pas décacheté les enveloppes en provenance de l'Ouest déposées par un messager sur sa table, la nuit précédente. Craignant d'apprendre de mauvaises nouvelles, le vieil homme n'avait pas eu le courage de les lire et d'affronter la pénible réalité. Cependant, cette désagréable tâche ne pouvant plus être retardée, le gouverneur parcourut toutes les dépêches avant de prendre son repas du soir. Bourlamaque lui écrivait qu'une armée de onze mille hommes, sous les ordres de Jeffery Amherst, avait atteint la région du lac Champlain. Cet officier français commandait trois des huit régiments de l'armée régulière en garnison au Canada, quelques troupes coloniales, des miliciens et des Indiens, soit environ quatre mille hommes au total. C'était largement insuffisant, mais Vaudreuil était dans l'impossibilité de lui faire parvenir des renforts.

*

Bien qu'il eût à son actif la conquête de Louisbourg, Jeffery Amherst fut l'un des hommes les plus surestimés de toutes les annales de la guerre et de la diplomatie. Il possédait une capacité étonnante de duper les gens, en particulier les hauts responsables qui devaient assurer son avancement. En plus d'être raciste, autoritaire et vaniteux, il manquait de compétence et d'assurance, comme il le prouva au cours des campagnes menées contre les Français et les Canadiens.

En novembre 1758, Amherst devint commandant en chef des forces anglaises en Amérique du Nord. Alors âgé de quarante-deux ans, ce vétéran avait passé vingt ans dans l'armée. Pendant que Wolfe se dirigeait vers Québec, Pitt avait envoyé Amherst mettre un terme à la domination française au Canada «en passant par Crown Point [le fort Saint-Frédéric] ou la Galette [à l'extrémité des rapides du Saint-Laurent], ou par les deux, d'après ce qui vous semblera faisable» et pour prendre les mesures nécessaires, «si la chose est réalisable, pour attaquer Montréal ou Québec, ou les deux endroits successivement». Amherst avait également pour mission de reconstruire Chouaguen (Oswego) sur le bord du lac Ontario, que Montcalm avait fait détruire en 1756, et de s'emparer du fort Niagara.

Amherst n'était pas homme à agir rapidement. Pendant un certain temps, il essaya, sans trop de succès d'ailleurs, d'obtenir la collaboration des colonies américaines; au début de juin, il se rendit à Albany, dans l'État de New York, où il mit au point son plan d'attaque et réunit tout le matériel nécessaire à une telle entreprise. Son armée comptait seize mille soldats des troupes régulières et provinciales. Il en confia cinq mille au brigadier John Prideaux pour les expéditions sur Oswego et Niagara, et se dirigea avec les autres vers les régions sauvages du lac Champlain afin d'attaquer les postes français de Ticonderoga (Carillon) et de Crown Point (Saint-Frédéric). Le 21 juin, Amherst atteignit l'entrée du lac George (le lac Saint-Sacrement). Puis il attendit.

*

Pour envoyer des renforts à Bourlamaque, Vaudreuil eût été obligé d'abandonner le fort Niagara, le plus important fort de l'Ouest canadien. La perte de ce lieu stratégique, gardien de l'empire français dans la région des Grands Lacs, aurait eu des conséquences désastreuses. Les Indiens se seraient mis du côté des Anglais. Or, sans l'appui des Indiens, il était impossible de conserver ces territoires. Le lucratif commerce de la fourrure serait alors passé aux mains de l'ennemi, causant la ruine de plus d'un personnage dans l'entourage du gouverneur général.

Tant que Pierre Pouchot resterait à Niagara, les relations avec les Indiens ne poseraient aucun problème. Âgé de quarante-six ans, Pouchot était officier et ingénieur. D'origine française, cet homme était rusé et redoutable, et ses succès auprès des Indiens étaient légendaires. Selon Bougainville, «ils l'adoraient»; ils l'avaient appelé Sategariouen, ce qui signifiait Milieu des bonnes affaires.

Pouchot avait obtenu ce poste à Niagara grâce à l'influence de Lévis. Vaudreuil avait émis des réserves à cet égard, les Canadiens considérant ce poste comme leur chasse gardée. Ils avaient d'ailleurs obligé le gouverneur général à rappeler Pouchot en 1757. Lévis avait toutefois réussi à convaincre Vaudreuil que cet officier était le seul homme capable de préserver l'alliance entre les Indiens et les Français au cours de la crise à venir, et le vieil homme avait fini par acquiescer.

Pouchot était parti à Niagara à la fin de mars 1759, mais Vaudreuil n'avait toujours pas de nouvelles de lui.

*

Le moment est venu de vous parler des origines de cette guerre, qui a donné lieu à l'invasion du Canada sur trois fronts. J'ai tardé à le faire, me gardant de vous importuner avec un long cours d'histoire, mais cette mise au point s'impose à présent. Je me targue d'avoir su éviter, durant mes quinze années d'enseignement, d'endormir un seul de mes étudiants et j'espère bien pouvoir répéter cet exploit avec vous!

Le 13 mai 1607, soit quatre ans après la fondation de l'Acadie par les Français, une centaine de colons anglais s'établirent à Jamestown, le long de la rivière James, sur une terre appelée Virginie. Un an plus tard, le 3 juillet 1608, Samuel de Champlain construisait son habitation sur une pointe de terre s'avançant dans le fleuve Saint-Laurent. Les Indiens appelaient cet endroit Quebecq, c'est-à-dire l'Endroit où le fleuve se rétrécit.

Au dire de nombreux historiens, la lutte que se livrèrent les Français et les Anglais, le Canada et les États-Unis, pour la possession de l'Amérique du Nord, commença avec ces deux colonies. Pareille affirmation est très séduisante. La population des colonies britanniques s'accrut beaucoup plus rapidement que celle du Canada, de sorte qu'on comptait en Amérique du Nord, en 1759, un million cinq cent mille colons anglais pour à peine soixante-dix mille Canadiens. Il était par conséquent inévitable, toujours selon ces historiens, qu'un conflit éclatât, entraînant une annexion d'un territoire par l'autre, ou à tout le moins un réaménagement de leurs frontières.

Je refuse pour ma part de me laisser convaincre par un tel argument. Je suis persuadé que, n'eussent été les frictions entre la France et l'Angleterre en Europe, les événements de 1759 se seraient passés tout à fait différemment. Je ne crois pas que les colonies anglaises représentaient un danger pour le Canada. Et même si un conflit avait éclaté, il ne fait aucun doute dans mon esprit que les Canadiens, si on les avait laissés se débrouiller tout seuls, auraient repoussé les Américains: non seulement ils étaient de meilleurs combattants que leurs voisins du Sud, mais ils étaient aussi plus agressifs et plus habitués à se battre. Il faut dire que les Canadiens avaient connu la guerre de façon presque ininterrompue: les armes à la main, ils avaient pris possession des terres, aidé les missionnaires, commercé avec les Indiens et appris leurs manières, s'étaient rendus maîtres des voies de communication et avaient protégé leurs sources de ravitaillement de l'intérieur même du continent. Sur les quelque cent cinquante ans que dura l'empire français dans le Nouveau Monde, les Canadiens ne connurent au total que quarante-deux années de paix.

Leurs premiers ennemis furent les autochtones, et en particulier les cinq nations iroquoises vivant dans les environs de Montréal. Le traité de paix du 4 août 1701 mit fin à près de cent ans de luttes sanglantes entre l'homme blanc et l'aborigène. Le nombre de victimes avait été stupéfiant d'un côté comme de l'autre et, lorsque la guerre entra dans sa dernière phase au cours des années 1690, elle avait pratiquement ruiné l'économie canadienne. Au moins avait-on réussi à neutraliser les Iroquois!

Aux premiers temps de la Nouvelle-France, les colons anglais du Sud ne représentaient pas une menace pour les intérêts français et les habitants du Canada. Des barrières naturelles se dressaient entre les deux groupes de colonisateurs: les Green Mountains au Vermont; les White Mountains dans le New Hampshire et dans le Maine; les Adirondacks dans l'État de New York; et enfin les Appalaches dans les deux États de la Caroline, en Virginie, dans le Maryland et en Pennsylvanie. D'autres facteurs faisaient que les colons américains n'avaient nulle envie de risquer leur vie pour aller attaquer leurs voisins du Nord. Ainsi, malgré leurs différences de langue, de religion et de gouvernement, et malgré les obstacles naturels que représentaient les montagnes, les deux peuples se livraient à un commerce illégal mais fort lucratif, auquel personne n'avait songé à mettre fin. Par ailleurs, les colonies américaines manquaient de cohésion, la dissension régnait entre elles et ses habitants détestaient bien davantage leurs maîtres anglais que leurs voisins canadiens. Qui sait si, sans pressions extérieures, les deux camps n'auraient pas continué à coexister en paix? Les seules manifestations d'hostilité entre les colonies françaises et anglaises eurent lieu le long du littoral nord-est, pour la bonne raison que la Nouvelle-Angleterre éprouvait le besoin de s'étendre vers le nord afin de protéger son industrie de la pêche, que la forte présence française mettait en danger.

Au XVIIIe siècle, ce furent les intérêts impériaux qui décidèrent de l'avenir de l'Amérique du Nord. Entre 1702 et 1760, trois guerres importantes survenues en Europe scellèrent le sort des Américains et des Canadiens: la guerre de la Succession d'Espagne (1701-1714), la guerre de la Succession d'Autriche (1740-1748) et la guerre de Sept Ans (1756-1763), qui prirent ici les noms respectifs de guerre de la reine Anne, guerre du roi George et guerre des Français et des Indiens.

La guerre de la reine Anne fit perdre aux Français Terre-Neuve et toute l'Acadie, excepté l'île Saint-Jean (l'Île-du-Prince-Édouard) et l'île Royale (l'île du Cap-Breton), qui servit d'avant-poste oriental à l'empire français du Nouveau Monde et dont le cœur était Louisbourg. L'industrie de la pêche permit à cette ville de devenir un centre important et un port de mer lucratif; et on y construisit la plus imposante forteresse de toute l'Amérique du Nord. Avec le temps, Louisbourg, symbole de l'Acadie, en vint à menacer la prospérité et l'expansion de la Nouvelle-Angleterre.

À l'origine, l'Acadie comprenait toutes les Provinces maritimes, la péninsule de Gaspé et l'État du Maine. Elle avait été fondée en 1604, soit quatre ans avant Québec, et, pendant un siècle, la population acadienne y avait vécu de façon assez précaire, la petite colonie étant sans cesse ballottée au gré des revendications territoriales de la France et de l'Angleterre. Au moment où elle redevint possession britannique, en 1713, deux mille Acadiens y vivaient, presque tous francophones et catholiques, à l'exception de quelques protestants de langue anglaise. Soumis aux guerres et aux invasions, les Acadiens mirent toutes leurs énergies à s'implanter sur un territoire qu'ils considéraient comme leur patrie. Lorsque l'Acadie prit le nom de Nouvelle-Écosse en 1713, ils s'obstinèrent à habiter cette terre qui était la leur — et c'est tout à leur honneur. Mais voyons à présent quelles furent les conséquences de la guerre de la reine Anne sur le reste du continent nord-américain.

Le Canada connut un meilleur sort que l'Acadie, les deux expéditions destinées à le conquérir ayant lamentablement échoué. L'une d'elles, partie du lac Champlain, devait se diriger vers Montréal par voie de terre. D'autre part, une imposante flotte composée de quinze navires de guerre et de soixante-neuf transports et commandée par Sir Hovenden Walker devait remonter le Saint-Laurent et conquérir Québec. L'expédition terrestre fut abandonnée et la flotte fit naufrage au large de l'île d'Anticosti à cause d'un épais brouillard et de vents violents, entraînant la mort d'un grand nombre d'hommes.

Entre la guerre de la reine Anne et celle du roi George, les Français incitèrent les Indiens micmac — qui n'avaient guère besoin d'encouragement — à harceler les Anglais se trouvant en Acadie. Ils exhortèrent également les Abénakis à en faire autant en Nouvelle-Angleterre. Entre-temps, les Canadiens étendirent l'empire français par-delà le lac Supérieur. Ils se rendirent même jusqu'aux pieds des Rocheuses, grâce aux efforts de l'un des plus vaillants explorateurs de l'Amérique, Pierre Gaultier de Varennes et de la Vérendrye. Chemin faisant, les colons érigeaient des forts et des postes de traite et s'alliaient avec les Indiens qu'ils rencontraient. Pendant ce temps, les Français consolidaient leurs positions dans la vallée de l'Ohio, au grand désarroi des colons américains établis en Virginie.

Au cours de la guerre du roi George, les hostilités se déroulèrent principalement en Nouvelle-Écosse et dans les environs. William Shirley, gouverneur du Massachusetts, organisa une expédition composée en majorité de miliciens inexpérimentés, qui réussirent néanmoins, après quarante-huit jours de siège, à conquérir Louisbourg en juin 1745. La garnison et tous les habitants de l'île Royale furent déportés en France. Un mois plus tard, les habitants de la Nouvelle-Angleterre s'emparaient de l'île Saint-Jean, autorisant toutefois les six cents Acadiens qui y vivaient à demeurer sur leur terre en échange de leur neutralité.

Fort de ses victoires, Shirley décida de lancer une attaque massive contre le Canada. Sa tentative échoua cependant, les colonies britanniques n'ayant pu réunir les hommes et les fonds nécessaires à une telle entreprise. L'Angleterre ne put honorer sa promesse d'appuyer cette expédition, se trouvant elle-même mêlée de près à la guerre en Europe.

Lorsque la paix fut rétablie en 1748, Louisbourg fut restituée à la France mais, un an plus tard, les Anglais fondèrent Halifax et y construisirent leur propre forteresse. Au milieu des années 1750, la France catholique et l'Angleterre protestante ne cessaient de se quereller aux quatre coins du monde, rendant inévitable un nouveau conflit en Europe. Même si les deux pays n'étaient pas officiellement en guerre, ils ne manquaient pas une occasion de se harceler et les actes de piraterie entre navires des deux couronnes étaient très fréquents.

En Amérique, les colons anglais, en particulier ceux de Virginie, faisaient de gros efforts pour s'implanter dans l'Ouest, mais ils tombaient inévitablement sur un village, un poste de traite, un fort ou une mission habités par des Canadiens. Gênés dans leurs mouvements, tant sur la côte atlantique que dans l'Ouest, les colons américains ne savaient plus que faire. Par conséquent, lorsque, en 1754, une «salve tirée par un jeune Virginien [George Washington] de l'arrière-pays américain», comme l'écrivit Horace Walpole, «mit le feu au monde entier», la Grande-Bretagne passa à l'action et commença à marquer des points. Elle décida de déporter les Acadiens en 1755 et en éparpilla dix mille sur tout le territoire nord-américain. Les colonies britanniques se montrant incapables d'unir leurs forces, en dépit des efforts déployés par Benjamin Franklin au congrès tenu à Albany en 1754, l'Angleterre prit le parti d'attaquer directement les Canadiens et les Français, envoyant pour la première fois des troupes régulières en Amérique.

L'armée britannique, sous les ordres du major général Edward Braddock, arriva en Virginie en hiver 1755, d'où fut lancée une attaque sur quatre fronts contre les Français. Un premier régiment s'empara du fort Beauséjour, situé dans l'actuel Nouveau-Brunswick, et le rebaptisa fort Cumberland. Un autre régiment, composé de trois mille volontaires de l'État de New York qui avaient leurs propres mousquets et ne portaient pas d'uniformes et que commandait le remarquable William Johnson, se lança à l'attaque du fort Saint-Frédéric, situé à l'entrée du lac Champlain. Johnson y rencontra les troupes françaises régulières, les premières envoyées au Canada depuis le débarquement du régiment de Carignan-Salières en 1665. Bien que le commandant français, le baron Jean-Armand de Dieskau, eût déployé une stratégie pour le moins singulière, l'affrontement ne fit ni vainqueur ni vaincu. Braddock envoya par ailleurs Shirley déloger les Français en garnison à Niagara, mais l'expédition ne donna pas grand résultat.

Quant à Braddock lui-même, accompagné de sa maîtresse et de deux mille hommes, il parcourut deux cents milles de contrées sauvages pour rejoindre le fort Duquesne, situé au confluent des rivières Allegheny et Monongahela (de nos jours Pittsburgh et Pennsylvanie), où les Américains avaient entrepris d'ériger un fort en 1753. Braddock se mit en route en mai 1755; le 9 juillet, le destin l'attendait sur les bords de la rivière Monongahela. Après une bataille qui dura cinq heures et au cours de laquelle il fit preuve d'un courage peu commun, il fut défait par une régiment composé de huit cent quatre-vingt-douze hommes, pour la plupart des Canadiens et des Indiens commandés par un officier français, Jean-Daniel Dumas. Grièvement blessé durant la bataille, Braddock mourut quatre jours plus tard; sa maîtresse avait été tuée en combattant à ses côtés.

Lorsque, en mai 1756, le conflit déclencha la guerre de Sept Ans, l'Angleterre n'était pas en mesure de supplanter la France qui, en raison de sa force militaire supérieure, était la puissance européenne dominante. Quand il devint chef du Gouvernement en juillet 1757, William Pitt père, qui allait être l'architecte du Canada, reconnut officiellement ce fait en déclarant à la Chambre des communes: «Nous sommes inférieurs aux Français dans toutes les parties du monde.» Lord Chesterfield, cet aristocrate que la publication de sa correspondance avec son fils rendit célèbre, exprima le même sentiment par écrit:

«Les Français sont libres de faire ce qu'il leur plaît [...] Nous avons cessé d'être une nation. Jamais les perspectives d'avenir ne m'ont paru aussi noires.» Pour contrebalancer cette supériorité, Pitt entreprit de faire des réformes au sein de l'armée, de limiter ses engagements à l'Europe continentale et de rassembler la plus importante armée navale du monde.

Dans la lutte pour la suprématie qui s'ensuivit, les possessions françaises en Amérique du Nord, à savoir le Canada, devinrent un objectif prioritaire. Un an après avoir pris le pouvoir, Pitt fit un effort suprême pour s'emparer du fort Carillon (Ticonderoga), situé au cœur de la colonie, entre le lac Champlain et le lac Saint-Sacrement (le lac George), et de Louisbourg, la formidable forteresse française érigée sur les rives de l'Atlantique. Il envoya treize mille hommes à Carillon et vingt-sept mille à Louisbourg. Le 8 juillet 1758, le général français, le marquis de Montcalm, à la tête de trois mille cinq cents soldats, infligea la défaite au major général James Abercrombey. Quelques jours plus tard, le 26 juillet, Augustin de Boschenry de Drucourt, gouverneur français de Louisbourg, se rendait avec ses huit mille hommes au major général Jeffery Amherst.

En 1759, Pitt était bien décidé à porter le coup de grâce à la France. À cette fin, il plaça le quart de la Marine royale sous les ordres de Saunders et engagea dans la lutte trois armées entièrement équipées et bien ravitaillées. La première, commandée par Wolfe, avait pour mission de conquérir la ville de Québec en remontant le fleuve Saint-Laurent et de se rendre ensuite jusqu'à Montréal. La deuxième, sous les ordres de Prideaux, devait traverser l'intérieur des terres afin d'atteindre le fort Niagara, s'en emparer, puis descendre le lac Ontario pour rejoindre Montréal. La troisième, commandée par Amherst, devait elle aussi rallier Montréal, mais en passant par le centre du Canada et le lac Champlain.

Vous comprenez maintenant pourquoi les Canadiens avaient une très grande expérience de la guerre au moment de la Conquête. Et puisqu'ils avaient toujours réussi à tenir tête aux Américains, on peut présumer que, si les troupes régulières anglaises et françaises n'étaient pas intervenues en 1755 pour «rétablir l'équilibre du vieux continent sur le nouveau», la Conquête n'aurait jamais eu lieu. De sorte qu'on parlerait actuellement français à Toronto et dans l'Ouest canadien — et sans doute dans une bonne partie des États-Unis aussi. On ne peut refaire l'histoire, mais on peut tout de même se permettre de rêver!

Le 9 juillet 1759

À l'île d'Orléans, aux environs de minuit

Le projet de débarquement en amont de Québec ébauché par Wolfe une semaine auparavant avait eu le temps de mûrir. Saunders ayant approuvé l'opération et Murray la jugeant réalisable, Wolfe avait mis au point une tactique de diversion destinée à induire les Français en erreur quant à ses intentions véritables. Le temps était venu de passer à l'action.

Au dernier moment, cependant, Wolfe se ravisa: il n'était plus question de débarquer au-dessus de Québec pour l'instant. Le général décida plutôt de mettre un nouveau plan à exécution.

Au cours des quatre-vingt-un jours que dura le siège de Québec, ce genre de revirements fut très fréquent: Wolfe mettait un plan au point, puis le modifiait à la première occasion venue. La plupart du temps, ses motivations étaient pour le moins obscures.

Le 9 juillet, Wolfe changea d'idée pour trois raisons. Premièrement, Vaudreuil avait envoyé trois cents Canadiens à l'Anse-des-Mères (Murray les avait aperçus) avec un si grand nombre de tentes que le général anglais crut, comme le souhaitait le gouverneur général, que d'autres soldats les suivraient.

Deuxièmement, en raison de l'anxiété morbide dont il souffrait, Wolfe craignait, une fois la tête de pont établie à Saint-Michel, de ne pouvoir envoyer des renforts au «premier corps débarqué», si jamais celui-ci devait être attaqué «par toute l'armée ennemie». Du moins est-ce là l'explication qu'il donna à Pitt.

Troisièmement, enfin, Wolfe doutait que les marins fussent en mesure d'agir promptement et sans commettre d'erreurs. Leurs agissements l'irritaient de plus en plus, il les accusait de commettre toutes sortes d'écarts de conduite d'être des pleutres qui se débinaient devant les canonnières françaises — lesquelles n'étaient rien de plus, selon lui, que «de misérables bateaux transportant des canons à leur proue» — et de permettre à l'ennemi, jour après jour, «de nous insulter à coups de canons». Dans bien des domaines, les marins faisaient preuve d'«un manque d'empressement étonnant», et se montraient bien souvent incapables de viser correctement. Plus tôt ce jour-là, les vaisseaux anglais étant demeurés trop loin de la côte, les bombardements n'avaient causé que des dommages mineurs aux positions françaises situées entre les rivières Saint-Charles et Montmorency. Wolfe n'avait même pas éprouvé de satisfaction en voyant Montcalm mettre quelques troupes vulnérables hors de portée des canons anglais.

Le nouveau plan de Wolfe lui permettrait de transporter le gros de son armée (les grenadiers, six compagnies d'infanterie légère et deux de Rangers, ainsi que trois bataillons de la deuxième brigade) sur la rive nord du Saint-Laurent, où elle prendrait position sur la côte de Beaupré, à l'est de la rivière Montmorency. Lorsque, d'ici un ou deux jours, Murray et sa brigade les auraient rejoints, Wolfe monterait son campement environ trois quarts de mille à l'est de la rivière, presque directement en face des Français cantonnés à Beauport. Il désirait établir son quartier général dans une ferme d'apparence ordinaire, haute de deux étages, sise dans le village de l'Ange-Gardien. La bâtisse ne possédait qu'une seule grande pièce, mais elle conviendrait parfaitement à ses besoins.

À minuit, il donna le signal convenu, sauta dans son embarcation et prit la tête du premier débarquement anglais.

*

Peut-être la décision de Wolfe vous paraîtra-t-elle, à première vue, aussi folle et incohérente qu'elle m'est apparue à moi. Mais poussons un peu notre réflexion. Je concède qu'en agissant de la sorte il divisait son armée en deux: une moitié sur la côte de Beaupré, l'autre répartie entre l'île d'Orléans et la Pointe-Lévis. À première vue, il prenait un risque énorme, mais était-ce bien le cas?

Pour répondre à cette question, il faut garder à l'esprit qu'en cas d'attaque sur la Pointe-Lévis Wolfe pouvait envoyer en deux temps trois mouvements des renforts à Monckton. Il savait que les Français ne tenteraient plus de détruire la flotte anglaise, leurs brûlots ayant été anéantis à la fin de juin. En outre, sa flotte et son armée étaient disposées de telle sorte qu'une ligne de communication était continuellement maintenue entre la rivière Chaudière, sur la rive sud, et la rivière Montmorency, sur la rive nord.

Le 9 juillet, Wolfe modifia sa stratégie pour gagner du temps et consolider son plan d'attaque contre Québec. Comme il n'avait pas un brin d'imagination, il ne lui est sûrement jamais venu à l'esprit que l'étroit chenal reliant l'île d'Orléans et la côte de Beaupré aurait pu devenir son Rubicon.

*

Environ deux heures après que Wolfe eut donné le feu vert à ses troupes pour débarquer sur la côte de Beaupré, le brigadier George Townshend — aîné des fils du troisième vicomte de Townshend, filleul de George Ier, ancien aide de camp du troisième fils de George II, député de Norfolk à la Chambre des communes et heureux époux de Lady Charlotte Compton, fille unique et héritière du duc de Northhampton — était très contrarié.

En débarquant sur la côte de Beaupré, Townshend s'était rendu compte que Wolfe n'avait prévu ni guide pour leur montrer la route à suivre ni sentinelles pour protéger leurs flancs. Il faisait noir et les bagages des soldats étaient éparpillés sur le sol. Townshend donna l'ordre que tout fût rassemblé et laissé sous la surveillance d'un officier et de vingt hommes choisis parmi chacun des régiments de sa brigade. Il partit ensuite vers l'est, espérant rejoindre les hauteurs qu'il comptait occuper près des chutes.

Alors qu'il gravissait péniblement la pente abrupte, Townshend eut amplement le temps de méditer sur son sort. Perdu au milieu d'une contrée sauvage, il était obligé de servir «sous les ordres d'un général qui ne consulte pas [ses officiers avant d'agir], un être des plus secrets» dont il doutait même de la compétence. Le brigadier n'appréciait pas non plus d'être commandé par un homme dont la condition sociale était inférieure à la sienne et qui était, par surcroît, plus jeune que lui. Cependant Townshend savait bien qu'il ne pouvait blâmer personne d'autre que lui-même, puisqu'il avait usé de son influence auprès de Pitt pour obliger Wolfe à le faire participer à cette mission.

Durant la traversée sur le navire amiral de Saunders, Townshend n'avait guère agi de manière à rendre ses relations avec Wolfe plus harmonieuses. Le brigadier avait en effet pris un malin plaisir à dessiner de nombreuses caricatures du général et à les faire circuler dans le carré des officiers. Tombant un jour sur un dessin qui le montrait en train de faire une tournée de reconnaissance dans une maison close, Wolfe, profondément humilié, avait fait un esclandre devant tout le monde, fâché d'être ainsi représenté comme un personnage laid, grossier et ridicule. Il avait enfoui la caricature dans sa poche avant de la déchirer en mille morceaux. Des éclairs de rage dans les yeux et un sourire menaçant aux lèvres, il avait déclaré: «Si je vis assez longtemps, je ferai faire une enquête à ce sujet; mais nous devons d'abord vaincre l'ennemi.» Tout au long de cette scène, Townshend était demeuré impassible.

Lorsqu'il atteignit une petite ferme qui se trouvait près des chutes, le brigadier envoya ses hommes chercher les canons. Il fallut trois heures pour hisser à grand peine six canons de six livres au sommet de la pente escarpée; compte tenu des difficultés que présentait le terrain, c'était un véritable exploit. À la pointe du jour, Townshend finissait tout juste de donner ses ordres pour la disposition des canons quand Wolfe arriva avec son escorte. Le général parla très sèchement à Townshend, lui reprochant même d'être lent et, sans attendre d'explications, il alla se coucher. Décontenancé, Townshend se réfugia dans son quartier général et déversa sa colère dans son journal.

*

«Il avait le don de vous exaspérer!» me lance une voix distinguée sortie du néant. Je me trouve dans la cuisine, en train de préparer le repas pour la douzaine d'amis qui doivent me rendre visite ce soir. (La cuisine est l'une de mes activités favorites.) Je balaie du regard la grande pièce éclairée et là, près de la porte donnant sur la terrasse ensoleillée, j'aperçois un homme élégant, vêtu d'une tunique rouge impeccablement taillée et d'un pantalon du bleu le plus profond que j'ai jamais vu. Le col de sa chemise est bordé de fine dentelle, tout comme les poignets qui dépassent des manches de sa redingote. Sa perruque poudrée est bien centrée au-dessus d'un visage séduisant mais espiègle.

Je lui demande, comme si je l'ignorais:

«Qui êtes-vous?

— Townshend. Dois-je vous décliner mes titres?

— Non, merci. Je les ai déjà pris en note», dis-je en essayant de me concentrer sur la sauce au chocolat. Entre deux coups de fouet, je l'interroge encore: «Qu'êtes-vous venu faire ici?

— Je suis jaloux de mon confrère, *monsieur le comte de Bougain-ville**, qui vous rend visite quand bon lui semble. En outre, vous êtes pour ainsi dire dans l'obligation d'écouter ce que l'autre camp a à dire.

— Et vous serez le porte-parole des Anglais?

— L'idée plaît-elle à votre âme de Canadien?»

Je ne sais que lui répondre, mais je ne puis refuser pareille offre. «Oui, ça me convient. Peut-être cela me permettra-t-il d'avoir une meilleure compréhension des événements.

— J'en doute, mais après tout nous verrons bien. Comme vous l'avez peut-être remarqué, j'ai choisi de m'adresser à vous dans un langage que vous connaissez mieux que le patois du XVIIIe siècle que j'utilise souvent», déclare-t-il en se dirigeant vers la cuisinière, et plus précisément vers la casserole contenant le chocolat chaud dans lequel il trempe le doigt.

Townshend fait un bond en arrière en lançant un juron.

«Au cours de mon séjour sur la terre, je n'ai pas passé beaucoup de temps dans les cuisines. Et, en tant que gentilhomme du royaume, je n'ai jamais engagé la conversation avec des personnes de condition et de rang inférieurs au mien, encore moins avec des paysans.

— Dans ce cas, pourquoi ne vous en tenez-vous pas à cette excel-lente résolution?»

Townshend choisit de ne pas répondre directement à ma question et déclare sur un ton sarcastique:

«Je trouvais que votre futur conquérant n'était pas un homme des plus commodes, même lorsqu'il s'efforçait d'être conciliant.

— Que voulez-vous dire par là?

— Oh! il se voulait plus aristocratique qu'un aristocrate, plus loyal que le roi et plus arrogant que n'importe qui. Tout en lui me déplaisait.

— Et vous pouviez difficilement le dissimuler?

— Dissimuler quoi? Je suis ce que je suis. Je ne renie pas mes actes, qui ont toujours été conformes au code d'honneur d'un gentle-man. Je vous souhaite une excellente journée.»

Au moment de partir il ajoute: «Le général Wolfe se prêtait admira-blement bien à la caricature; je n'ai fait que dépeindre son caractère. Je vous laisse poursuivre votre récit.

— Vous êtes un snob!» ai-je le temps de lui lancer avant qu'il ne disparaisse de ma vue. Mais il ne daigne pas me répondre et m'aban-donne à mes plats et à mes chaudrons.

*

Dans la quiétude du jour naissant, retentirent des cris perçants qui interrompirent Townshend dans la rédaction de son journal. Il sortit en trombe de la ferme et vit une bande de Rangers poursuivis par des Indiens qui fonçaient dans sa direction. Saisi d'horreur, il demeura cloué sur place, ne pouvant détacher ses yeux de la scène qui se déroulait devant lui.

Les Indiens braquèrent leurs armes et firent feu avec une étonnante rapidité. Se ruant sur les nombreux Rangers tués et blessés, ils leur défonçaient le crâne à coups de crosse de fusil. Lorsque les soldats encore vivants leur tiraient dessus, les Indiens se jetaient par terre et lançaient leurs tomahawks dans toutes les directions, atteignant ainsi plus d'une cible.

Les Indiens se mirent alors à scalper leurs victimes. Jamais Townshend n'avait vu spectacle plus effroyable. Les Indiens empoignaient par les cheveux tous ceux qui, morts ou vifs — Townshend n'en avait aucune idée —, gisaient sur le sol. Puis, ils leur enfonçaient un couteau jusqu'au crâne et pratiquaient une incision grossière tout le tour de la tête. Exerçant une forte traction, les Indiens arrachaient alors le cuir chevelu de leurs victimes. Cela ne prenait que quelques secondes. Lorsqu'il vit une bande d'Indiens et de Rangers s'approcher de son quartier général, Townshend fut d'abord étonné, consterné et finalement soulagé de constater que des scalps sanglants pendaient également aux ceinturons des Rangers.

Sans attendre ses ordres, les grenadiers, vêtus de leurs tuniques rouges, se ruèrent hors d'une grange voisine et se mirent à tirer sur la horde qui avançait. Un officier ranger surgit soudain près de Townshend, pourchassé par un Indien. Sortant enfin de sa torpeur, le brigadier se mit à leur poursuite mais, avant même qu'il n'ait eu le temps de les rattraper, l'Indien se retourna, le cœur ensanglanté du Ranger entre les mains. Townshend fit feu; cependant, lorsque la fumée de son mousquet se dissipa, il vit que le personnage, rendu fou, continuait à avancer vers lui en titubant. Le brigadier dégaina son sabre et le plongea dans la poitrine de l'Indien. Il constata alors avec grand dégoût que l'homme qu'il venait de tuer n'était pas un Indien, mais un coureur des bois canadien déguisé en guerrier. Rendu furieux par tant de barbarisme, il se précipita vers la ferme, rassembla les tuniques rouges et le reste des Rangers et repoussa les assaillants vers la forêt, qui tuèrent cinq de leurs prisonniers dans leur fuite.

Au cours de ce carnage, trente-six Rangers avaient été scalpés, deux avaient eu le cœur arraché, et près de soixante soldats avaient été tués ou blessés. De leur côté, les adversaires avaient perdu vingt-deux hommes, dont sept Canadiens.

*

Au sommet de la montagne, la rivière Montmorency n'est qu'un filet d'eau. Mais celui-ci prend du volume et de la rapidité au fil de sa course vers le Saint-Laurent. À travers une série de cascades naturelles, la rivière se transforme en rapides et vient finir sa course en beauté en s'élançant au-dessus d'une falaise haute de deux cent cinquante-deux pieds. Dans sa chute, elle crée un brouillard permanent cependant qu'un arc-en-ciel se dessine au-dessus des rochers qui la bordent des deux côtés, formant un vaste bassin guéable à marée basse. Quelques verges plus loin, la Montmorency s'engouffre dans le Saint-Laurent.

Le 9 juillet 1759, les deux plus grandes puissances mondiales s'affrontèrent de chaque côté de cette impressionnante construction naturelle.

*

En face de la cathédrale, à huit heures

Les femmes bavardaient en attendant que le curé vînt leur distribuer leur ration quotidienne de pain. Contrairement à Mme Lefebvre, elles n'avaient pu envoyer leurs enfants à l'ouest de Québec, où ils auraient été en sécurité. Des bambins, faméliques, maladifs et apathiques, jouaient sans entrain aux pieds de leurs mères.

Le miracle qui tardait à se produire était leur principal sujet de conversation. Les femmes ne comprenaient pas pourquoi Dieu les privait ainsi de Ses faveurs, les châtiant avec tant de sévérité — leurs péchés n'étaient pas si graves, après tout — et restait sourd à leurs nombreuses prières.

Elles critiquaient volontiers les autorités françaises — à voix basse, bien entendu —, déplorant leur peu d'empressement à précipiter l'armée anglaise dans les eaux du fleuve. Les batteries anglaises que l'on apercevait de l'autre côté de la rive, à la Pointe-aux-Pères, se déployaient à vue d'œil, leurs canons pointés sur Québec et on venait d'apprendre que les

Anglais avaient débarqué sur la côte de Beaupré. Quand et comment ce cauchemar prendrait-il fin? Personne n'était en mesure de répondre de façon satisfaisante à cette question. Les femmes s'efforçaient donc de se réconforter les unes les autres et de se tenir au courant des derniers événements. Elles songeaient à leurs proches qui attendaient l'ennemi, trempés et transis au fond de leurs tranchées à Beauport, le long des palissades de la ville ou dans les forts érigés dans l'ouest du pays.

Peu après huit heures, le père Récher et Mme Lefebvre arrivèrent avec des paniers de pains, qu'ils distribuèrent selon les instructions de Bigot. Les mères enfouirent la nourriture au fond des grandes poches de leurs capes. Les enfants en réclamaient davantage, mais Mme Lefebvre ne pouvait leur donner que ce qu'elle avait.

Histoire de faire la conversation et d'apaiser quelque peu leur angoisse, les femmes demandèrent à Mme Lefebvre pourquoi elle n'était pas partie avec ses enfants à Sorel. Après un instant d'hésitation, celle-ci répondit simplement qu'on avait besoin d'elle à Québec. En fait, pour rien au monde elle n'aurait voulu abandonner sa demeure. Ses enfants y étaient nés, certains même y étaient morts dans ses bras. Toute sa vie, tous ses souvenirs étaient contenus dans ses murs, et Mme Lefebvre aurait fait n'importe quoi pour protéger sa maison, même si elle n'avait plus le droit d'y entrer.

Au moment où les femmes s'apprêtaient à se disperser, elles aperçurent François Daine, le chef de police, qui entrait chez le notaire Jean-Claude Panet. D'autres personnages officiels les rejoignirent bientôt. Même Mme Lefebvre ignorait quel était l'objet de leur réunion.

À la Canardière, un peu avant midi

Réunis en conseil de guerre, les officiers supérieurs de l'armée étaient confinés dans l'une des plus petites pièces de la demeure que possédait le gouverneur général à la Canardière. Seuls Montcalm, Vaudreuil et Bigot avaient un siège; les autres jouaient du coude pour se faire une petite place. Tous étaient là pour décider des mesures à prendre contre les Anglais.

Une question hantait l'esprit de Bigot: Comment Wolfe avait-il réussi à transporter la moitié de son armée sur la côte de Beaupré à l'insu de tous et sans que personne ait eu vent de ce qui se tramait?

Il n'était pas facile de répondre à une telle question. Tout comme les Anglais, les Français avaient des espions partout, sans compter que les deux camps accueillaient sans arrêt leur lot de déserteurs. La veille du débarquement de Wolfe à Beaupré, un soldat anglais avait raconté à un officier français que des préparatifs avaient lieu en vue d'un déplacement des troupes. Il était impossible toutefois de vérifier pareil renseignement, et les Français avaient désormais tendance à se méfier des informateurs trop loquaces. À en croire ces derniers en effet, les Français avaient réussi à reprendre Louisbourg, Saunders comptait quitter le pays à la fin du mois de juillet, le roi de Prusse avait perdu vingt mille hommes au cours d'une seule bataille en Europe, la reine de Hongrie avait annexé la Silésie à un royaume déjà très vaste, les Français s'étaient emparé du Hanovre, la plupart des soldats de Wolfe songeaient à déserter, l'armée de ce dernier comptait douze mille soldats, mille deux cents fusiliers marins et encore mille cinq cents hommes, et ainsi de suite. La majorité des renseignements obtenus par les deux camps étaient inventés de toute pièce, chacun déclarant à l'ennemi ce que celui-ci souhaitait entendre.

Puisque personne n'était en mesure de répondre clairement à sa première question, Bigot en posa une autre: Comptait-on attaquer les Anglais ou les attendre?

Au début de la réunion, Vaudreuil ne savait pas trop quel parti prendre. Cependant, à mesure que la réunion s'éternisait et que tous se mettaient à parler en même temps, l'idée d'une attaque immédiate s'imposait à lui. Bigot, quant à lui, était convaincu qu'il fallait accomplir un geste décisif. Selon lui, les Anglais étaient nettement désavantagés du fait que les Français contrôlaient les bois, les montagnes et les gués environnant la rivière Montmorency. Les circonstances leur étaient favorables: les Anglais étaient vulnérables alors que les Français étaient en position de force, du moins à Beauport, jouissant de l'appui de toute la population, déterminée et prête à passer à l'action. Bigot n'en démordait pas: il fallait saisir l'occasion qui se présentait. Négliger de le faire aurait pour effet de susciter le désespoir général et peut-être même une révolte. En outre, l'intendant se rendait bien compte que la nourriture, les munitions et autres provisions dont il disposait ne permettraient pas de soutenir un long siège. La ville pourrait être forcée de capituler par manque de vivres. Bigot rappela à Montcalm que les Français n'avaient pas assez de poudre pour leurs trois cents canons. Ils avaient toutefois suffisamment de mortier, des milliers de boulets et quatre mille bombes, précisa Le Mercier.

Montcalm n'approuvait pas l'idée d'attaquer les Anglais et, le plus respectueusement possible, il conseilla la prudence. Il était sûrement en mesure de défaire Wolfe sur la côte de Beaupré, mais qu'en serait-il à l'île d'Orléans, à la Pointe-Lévis ou sur le fleuve? Dans le doute, le marquis préférait voir les Anglais demeurer là où ils étaient susceptibles de causer le moins de dommages. «Laissons-les s'amuser à Beauport», suggéra-t-il. Entre-temps, confia-t-il à Bigot avec un sourire, il ordonnerait aux batteries de la ville de bombarder les Anglais avec modération, économisant ainsi la précieuse poudre, et il prendrait les dispositions nécessaires pour protéger ce côté de la rivière Montmorency.

L'avis de Montcalm fut accepté.

La rivière Montmorency était guéable à trois endroits. Le premier gué, appelé Passage d'hiver, se trouvait à environ trois milles des chutes, alors que les deux autres étaient encore plus loin en amont. Montcalm ordonna la construction de bastions destinés à assurer la protection de ces passages, et il en confia la garde à Louis Legardeur de Repentigny, un officier canadien des troupes coloniales qui commandait un bataillon de sept cents Canadiens. En cas d'attaque, cinq cents Indiens placés sous les ordres du sieur de Courtemanche pourraient s'y rendre rapidement, de même que quatre cents soldats. Dans le but de faciliter les communications, Lévis avait également fait ouvrir un chemin au milieu de la forêt.

Au centre de la ligne, c'est-à-dire du campement de Lévis jusqu'à la rivière de Beauport, Montcalm réorganisa les troupes régulières, auxquelles il incorpora les milliers de miliciens canadiens, de sorte qu'elles pussent se porter au secours du flanc gauche ou du flanc droit en cas de besoin. Ayant décidé de prendre personnellement le commandement du centre, il quitta le manoir de Salaberry et fit monter sa tente près de l'église de Beauport.

Montcalm se préoccupait peu du flanc droit, à savoir la ligne qui allait de la rivière Saint-Charles à Beauport, où étaient cantonnées les troupes coloniales et la milice de Québec et de Trois-Rivières, placées sous les ordres de Bougainville et de Vaudreuil.

Le marquis divisa enfin son armée en troupes de mille quatre cents hommes chacune, devant se relayer toutes les vingt-quatre heures. Ayant accompli son travail, il attendit que les Anglais prissent l'initiative des combats.

Près de la rivière Chaudière,
un peu plus tard dans l'après-midi

Le jeune garçon pêchant paisiblement au bord de la rivière n'entendit pas les hommes qui, à pas de velours, arrivaient derrière lui. C'étaient les Rangers du major Scott. Ils lui sautèrent dessus, lui lièrent les mains derrière le dos et l'emmenèrent dans le bois, où ils le laissèrent sous surveillance avant de poursuivre leur mission.

Les Rangers aperçurent alors, sur la berge, un homme et ses deux enfants qui jouaient près de lui. Ils les capturèrent tous les trois. Effarouchés, les bambins se mirent à pleurer et à crier. Soudain, malgré le chahut des enfants, les soldats entendirent un grand bruit provenant de la forêt. L'officier des Rangers se mit à secouer violemment les pauvres gamins pour les faire taire, mais ceux-ci hurlèrent de plus belle. Tentant de s'interposer, le père eut droit à une sévère raclée. En désespoir de cause, l'officier emmena les enfants dans la forêt, les abattit et abandonna leurs corps sur le sol.

Les soldats emmenèrent ensuite le père, le jeune pêcheur ainsi qu'un vieillard qui se promenait par là jusqu'à des navires de transport dans lesquels ils allaient demeurer prisonniers jusqu'à la fin de la guerre.

(Ces arrestations et ces meurtres sont consignés dans des documents officiels. Il n'y est toutefois pas précisé qu'Élisabeth de Melançon en fut témoin.)

Peu avant l'arrivée des Rangers, Élisabeth avait aperçu l'homme et ses deux enfants de l'autre côté de la rive. Les ayant reconnus, elle avait échangé des politesses avec le père avant de poursuivre sa route. Alors que la jeune fille marchait prudemment sur les galets, ses pensées s'étaient envolées vers James Montague qui, pour son plus grand bonheur, était rentré dans sa vie.

Au cours de la semaine pendant laquelle James avait retrouvé ses forces dans la cabane à sucre, les deux jeunes gens avaient eu de longues conversations, parlant de leurs familles respectives, de leurs rêves et de leurs espoirs. James lui avait parlé de ses origines, de sa riche famille de Virginie et de ses séjours en Angleterre, puis en France où il avait appris le français. Une crise familiale, sur laquelle il refusa d'épiloguer, l'avait obligé à se joindre aux Rangers.

Élisabeth avait à son tour raconté l'arrivée de ses ancêtres dans la vallée de la Chaudière cent ans plus tôt. Ils y avaient élu domicile et s'étaient établis pour de bon sur cette terre. D'abord réticente à aborder le sujet, elle avait néanmoins fini par lui parler de la mort de son père, et de sa mère qui était partie en France pour des raisons familiales, au printemps 1758. La jeune fille demeurait sans nouvelles d'elle, et son absence lui pesait énormément.

Alors qu'elle marchait le long de la rivière en pensant à son ami, Élisabeth entendit les cris des enfants. Elle revint sur ses pas en courant mais, apercevant les soldats, elle se dissimula dans les bois. Elle aperçut l'officier emporter les enfants, le vit assommer leur père, puis entendit les coups de feu. Quand l'officier revint, il était seul. Dès que les Rangers eurent disparu, Élisabeth traversa la rivière et découvrit les corps des bambins, chacune de leurs petites têtes trouée par une balle. Refoulant ses larmes, elle alla trouver son grand-père et le pria d'envoyer chercher les cadavres, pour les ramener au village afin qu'ils pussent avoir une sépulture décente. Elle chargea ensuite une femme d'aller prévenir la mère des enfants. Une fois seule, la jeune fille éclata en sanglots et courut jusqu'à la cabane à sucre.

Lorsque James l'aperçut, de déchirants sanglots secouaient encore tout son corps. S'abandonnant à son immense colère, Élisabeth frappa son ami de toutes ses forces et le martela sans répit de ses poings serrés. «Ils les ont tués! Ils les ont tués! hurla-t-elle. C'est *toi* qui les as tués!» Puis elle s'effondra sur le sol, épuisée.

Avec une grande douceur, le jeune homme la porta à l'intérieur de la cabane et l'étendit sur le lit de fortune. Lui caressant la joue, il attendit patiemment son récit. Il y eut un long moment de silence, puis Élisabeth se mit à parler, lançant autour d'elle des regards désespérés, pleurant et s'agrippant à son ami.

James ne savait que dire ni que faire. Il était rempli de dégoût pour les siens, mais en même temps il tentait de se convaincre que ce genre de cruautés étaient inévitables en temps de guerre. Cependant, au lieu de lui présenter des excuses pour ce crime barbare commis par les siens, James se contenta de serrer la jeune fille dans ses bras. Il prit bientôt conscience du vif plaisir qu'il éprouvait à la bercer ainsi, pendant qu'elle lui mouillait la joue de ses larmes et que tout son corps tremblait contre le sien. Il sentit un urgent besoin de se purifier de cet acte cruel; éprouvant le même besoin, Élisabeth lui rendit ses caresses, ses baisers et son amour.

Plus tard, quand elle fut endormie à ses côtés, James se libéra doucement de son étreinte, soucieux de ne pas la réveiller, puis il s'habilla, prit ses affaires et quitta la cabane. Dans la lettre qu'Élisabeth trouverait à son réveil, son amant lui déclarait son amour et lui promettait d'être bientôt de retour.

Seizième jour

Le 11 juillet 1759

Au château Saint-Louis, à neuf heures

Prêtres, marchands, seigneurs, femmes, fonctionnaires, commis et religieuses, tout le monde était désespéré. Cela faisait presque dix jours maintenant que les habitants de Québec scrutaient les quatre mille pieds d'eau qui les séparaient des Anglais, postés sur la rive sud, surveillant avec angoisse le déploiement de leurs batteries. Ils savaient que tôt ou tard les Anglais finiraient par les bombarder. Certains notables étaient si exaspérés qu'ils avaient eu l'audace de critiquer la façon dont la guerre était menée, allant même jusqu'à envoyer une pétition à Vaudreuil. Le gouverneur général était venu expressément de la Canardière pour les rencontrer.

Dans leur pétition, s'inquiétant pour la sécurité de leur ville, les marchands et *les notables** avaient demandé à Vaudreuil d'envoyer des troupes à la Pointe-Lévis pour attaquer les Anglais. Les remerciant de ce conseil, le vieil homme se déclara dans l'impossibilité de le suivre, leur laissant entendre à mots couverts que les autorités militaires françaises y étaient opposées.

La situation militaire avait radicalement changé depuis que Montcalm et Vaudreuil s'étaient disputés, à la fin du mois de juin, le premier insistant pour que les troupes régulières fussent envoyées à la Pointe-Lévis. Maintenant que les ennemis, nombreux et bien équipés, se trouvaient juste en face de Beauport, Montcalm devait leur faire front et garder toutes ses troupes à cet endroit. Il était trop tard.

Les pétitionnaires n'avaient pas baissé les bras pour autant. Après avoir quitté Vaudreuil, ils s'étaient réunis chez Panet et avaient décidé de rassembler une troupe de mille deux cents à mille cinq cents volontaires, composée d'Indiens, de deux cents étudiants de la Royal-Syntaxe et d'eux-mêmes. Ils équiperaient les volontaires à leurs frais et leur fourniraient des bateaux. Ils avaient même réussi à convaincre Jean-Daniel Dumas, le héros de Monongahela, de prendre le commandement de la troupe. François-Prosper Douglas, un soldat aguerri, serait son commandant en second.

Ayant accepté cette mission, Dumas avait dû convaincre Vaudreuil de revenir sur sa décision. Cela n'avait pas été difficile; il lui avait suffi de dire que l'expédition serait menée par des Canadiens et des Indiens. Montcalm ayant lui aussi changé d'avis, pour des raisons qu'il n'avait voulu divulguer, il avait donné sa bénédiction à Dumas, permettant même à cent volontaires de ses troupes coloniales et à soixante-dix de ses troupes régulières de partir avec lui.

Dumas avait passé une journée entière à rassembler ses soldats et leur nombre était loin d'atteindre les mille cinq cents qu'on lui avait promis. Du reste, il n'était pas au bout de ses peines puisque trois cents d'entre eux à peine avaient déjà porté les armes et que deux cents étaient de tout jeunes garçons. Le commandant avait dû consacrer une bonne partie de la journée à leur enseigner des exercices de manœuvre, à leur apprendre à marcher silencieusement et à ne pas se laisser gagner par la panique au moindre bruit. Dumas et Douglas avaient montré aux plus jeunes d'entre eux comment se servir de leurs mousquets, une tâche difficile puisque le moindre bruit pouvait alerter les Anglais. Maintenant, en cette matinée du 11 juillet, le temps était venu de partir. Alors que les habitants de la ville les saluaient de la main, les soldats de Dumas marchèrent fièrement de la porte du Palais jusqu'à la route de Sillery où des bateaux les attendaient pour les amener sur la rive sud. Cependant, le temps fut si mauvais cette nuit-là que la traversée dut être reportée.

Le lendemain, 12 juillet, en attendant que le ciel s'éclaircît, Dumas continua à essayer de transformer les volontaires en soldats. Le père Récher vint leur donner la bénédiction; Mascou prit Mennard, tout juste revenu de Charlesbourg, et Lefebvre sous son aile. Pour leur part, les notables sirotaient du vin en attendant que s'accomplît leur destinée.

*

Le fait de parler de Mascou m'incite à vous en dire davantage sur les Indiens. Les considérant comme des barbares d'une incroyable cruauté, les Français avaient tendance à les traiter comme des enfants rebelles. Les Canadiens, par contre, trouvaient qu'ils étaient d'acceptables compagnons. Et puisque les uns comme les autres devaient affronter les dangers d'un environnement difficile et imprévisible, se respectant mutuellement en tant que peuple distinct avec ses propres règles d'éthique et de chevalerie, ils offraient une commune résistance à l'autorité. Ils avaient besoin les uns des autres, les colons procurant aux Indiens diverses choses nécessaires à leur vie quotidienne et les Indiens apprenant aux colons comment trapper et survivre dans la forêt.

Cela n'empêchait pas les Canadiens de déplorer le comportement belliqueux des Indiens auxquels l'on ne pouvait jamais faire totalement confiance, en particulier en temps de guerre. Ils désapprouvaient également le cannibalisme de certaines tribus et leur besoin obsessionnel de venger la mort de leurs guerriers. Cependant, même si les Indiens leur faisaient peur et les tyrannisaient parfois, les colons qui, la plupart du temps, leur rendaient la monnaie de la pièce d'une façon ou d'une autre, leur étaient par ailleurs reconnaissants de leur avoir appris presque tout ce qu'ils savaient sur la façon de traquer le gibier, de trapper et de survivre dans les régions les plus sauvages.

On ne sait pas, par contre, ce que les Indiens pensaient des Blancs.

Le 12 juillet 1759

À la Pointe-aux-Pères, à vingt-deux heures

L e moment de passer à l'attaque était presque arrivé. Les batteries étaient prêtes, les hommes à leur poste, et Wolfe était spécialement venu de Beaupré pour être à leurs côtés. De l'autre côté du fleuve, les Anglais pouvaient voir distinctement les habitants de Québec qui marchaient dans les rues de la haute ville et les soldats qui armaient les batteries se trouvant près du port.

Une fusée lancée du navire de Saunders stria le ciel. Elle sembla rester en suspension durant une seconde ou deux, puis dessina un arc de cercle rougeoyant dans l'obscurité de la nuit. Un instant plus tard, un officier ordonna la mise à feu des canons pointés sur Québec.

Remplaçant le père Récher qui n'était pas encore revenu de Sillery, le père Baudouin célébra une courte messe dans l'église de la paroisse Sainte-Famille. Alors qu'il sortait de l'église, un homme aperçut la fusée et se mit à hurler pour avertir les fidèles demeurés à l'intérieur de l'édifice. Tous se précipitèrent sur la terrasse du château pour voir ce qui se passait. Ils virent les flammes éclairant les canons et entendirent un fracas effroyable, amplifié par le fleuve.

Le père Baudouin tenta de convaincre ses paroissiens de rentrer chez eux, mais personne ne bougea. Lorsque les premiers projectiles tombèrent dans le Saint-Laurent, applaudissements et acclamations fusèrent. Quelques minutes plus tard, cependant, une bombe atteignit la haute ville et toucha l'église des jésuites. Les fidèles demeurèrent silencieux. La pluie se mit à tomber. Une longue nuit venait de commencer.

Les ursulines priaient dans leur couvent. La pluie tombait maintenant à torrent et crépitait sur les vitres des fenêtres. Quelques religieuses entendirent un sifflement suivi d'un grand coup de tonnerre, puis un autre, et un autre encore. Une nonne se précipita dehors et revint aussitôt pour apprendre à ses compagnes que leur couvent était gravement endommagé, peut-être même inhabitable.

Les sœurs n'allèrent pas se réfugier dans la cave, comme l'évêque le leur avait ordonné, parce qu'il n'y avait pas là suffisamment de pièces pour toutes les accueillir. Elles se mirent à prier, attendant que le Seigneur, dans sa grande miséricorde, intervînt pour apaiser leur terreur.

Partout dans la haute ville, des femmes couraient pour aller chercher les enfants et les vieillards qui se trouvaient dans les jardins publics. Arrivées là, elles tombaient à genoux et priaient Dieu et la Vierge Marie. Comme personne d'autre n'était arrivé pour s'occuper de la population, le père Baudouin avait pris les choses en main, demandant aux gens de s'éloigner des places publiques et des remparts situés plus loin. Il priait et courait avec eux, aidant un vieil homme ou une femme infirme, réconfortant et encourageant les enfants. Le prêtre remerciait Dieu que les bombes ne fussent pas incendiaires, mais le bruit qu'elles faisaient en déchirant le ciel lui donnait envie de rentrer sous terre.

Un projectile tomba sur l'Hôtel-Dieu. Aussitôt, le père Baudouin descendit en courant à perdre haleine la côte de la Montagne. Il trouva les sœurs hospitalières en train de prier avec leur aumônier et leur conseilla d'aller continuer leurs dévotions dans la cave pour y attendre la fin de la nuit. Sur le chemin du retour, le prêtre croisa Mme Lefebvre escortant un groupe de femmes et d'enfants. Quelques secondes plus tard, une bombe toucha Notre-Dame-des-Victoires; Mme Lefebvre fit le signe de la croix.

Rapidement — du moins le prêtre en eut-il l'impression —, les quarante rues de Québec devinrent désertes. Refaisant le chemin inverse jusqu'à la cathédrale, le père Baudouin vit que la maison du père Récher avait été presque entièrement détruite. Tandis qu'il inspectait les ruines, l'économe du Séminaire vint à sa rencontre et lui apprit que la cathédrale avait été touchée mais que les dégâts n'étaient pas très importants. «Et le Séminaire?» demanda le prêtre. Du vaste édifice plein de coins et de recoins, il ne restait que la cuisine.

Trente maisons et presque tous les bâtiments publics avaient été sérieusement endommagés, et les maisons de la basse ville commençaient à s'écrouler sous l'intense bombardement. D'ici vingt-quatre heures tout au plus, le pillage deviendrait inévitable.

Baudouin se sentait complètement épuisé et avait du mal à respirer, mais il se força tout de même à descendre dans la basse ville en direction du port pour s'occuper des soldats et des marins qui étaient dans le port. Il les trouva relativement calmes; aucune bombe ne les avait touchés. Il ne vint pas à l'idée du curé de demander aux officiers pourquoi ils n'avaient pas répondu aux tirs des Anglais, ne fût-ce que pour semer la pagaille dans leur camp.

Les bombes continuaient à tomber, mais les oreilles du prêtre s'y étaient habituées et le bruit était devenu plus supportable. Péniblement il remonta la côte, remerciant Dieu que personne n'ait été tué ou blessé. Il était minuit et demi. La dix-huitième journée de siège venait de commencer. Baudouin eut une pensée émue pour ses deux jeunes protégés, Mennard et Lefebvre, restés sur la rive sud.

Le 13 juillet 1759

Quelque part sur la rive sud, peu après minuit

Partie de Sillery, l'armée de Dumas avait débarqué près de Saint-Nicolas, sur la rive sud, à peu près au même moment où les Anglais avaient commencé à bombarder Québec. Dumas et Douglas avaient passé beaucoup de temps à mettre de l'ordre dans leurs troupes et c'est seulement vers minuit qu'elles s'étaient mises en route.

Des Canadiens et des Indiens chargés de reconnaître le terrain formaient l'avant-garde tandis que, en rangs sur deux colonnes, le reste des soldats suivaient. Douglas ouvrait la marche; puis venaient, dans l'ordre, les réguliers, les miliciens, les étudiants et, enfin, les volontaires. Dumas allait et venait le long de la file, s'assurant que chacun avançait sans difficulté.

À environ trois milles des batteries anglaises, les éclaireurs atteignirent une ferme appartenant à la famille Bourassa, où ils attendirent Dumas. Lorsque celui-ci les eut rejoint, il leur ordonna d'aller espionner les positions ennemies, leur adjoignant Mascou, Mennard et Lefebvre.

Il faisait nuit noire et la pluie tombait à verse, ce qui ne facilitait pas la tâche de l'Abénakis et de ses deux compagnons qui durent se frayer tant bien que mal un chemin dans l'épaisse forêt. Bientôt, ils purent distinguer dans l'obscurité la menaçante silhouette des canons anglais qui faisait un vacarme assourdissant. Chaque fois qu'un soldat tirait un coup de canon, une langue de feu éclairait un bref instant sa tunique rouge. Mennard pensa que l'enfer devait ressembler à cela; de son côté, Lefebvre priait en silence pour qu'aucune des bombes ne blessât sa mère ou n'endommageât sa maison.

Deux heures plus tard, aussitôt que les éclaireurs furent revenus, Dumas ordonna à ses troupes d'avancer. Juste à cet instant, des sentinelles aperçurent au loin des lanternes briller dans la nuit. Dumas envoya aussitôt ses éclaireurs pour voir de quoi il s'agissait. Les lanternes appartenaient en fait à des fermiers de la région qui, ayant entendu dire qu'une attaque se préparait, souhaitaient y participer. Fermiers et soldats se rendirent donc ensemble à l'endroit où ces derniers avaient laissé le reste de l'armée, mais celle-ci ne les avait pas attendus. En effet, Dumas, craignant de voir ses soldats se blesser ou se laisser gagner par la panique, avait poursuivi sa marche, précédé par les guides.

Heureusement, les fermiers connaissaient la région comme le fond de leur poche et ils eurent tôt fait de rejoindre les troupes parmi lesquelles régnait maintenant un certain désordre. Les troupes régulières et coloniales étaient au repos malgré les ordres les enjoignant de continuer à marcher; les miliciens tournaient en rond, certains en fumant leur pipe. Les étudiants s'étaient réfugiés près d'une clôture, quelques centaines de pieds plus loin; quant aux volontaires, ils étaient agités et ne cessaient de poser des questions. Pour ces soldats de fortune, la nuit sembla plus noire et la pluie plus violente encore qu'elles ne l'étaient.

Après un bref entretien avec les habitants de la rive sud, Dumas ordonna encore une fois à ses troupes de se mettre en marche. Mais à peine eut-il fini de donner ses ordres qu'un coup de feu retentit dans le groupe des étudiants. Dumas n'eut même pas le temps de courir jusqu'à eux pour les calmer: un autre coup de feu partit, suivi d'un autre, et bientôt toute une salve se fit entendre. La panique s'était emparée des étudiants et des bourgeois qui, croyant être attaqués par des Anglais, s'étaient mis à se tirer les uns sur les autres avant de s'enfuir à toutes jambes vers le fleuve où se trouvaient leurs embarcations. Chemin faisant, ils continuèrent à faire feu sur ceux qui étaient restés en haut de la colline, tuant deux soldats réguliers et en blessant trois autres.

Lorsque Dumas atteignit la rive, les deux tiers de ses troupes ramaient déjà sur le fleuve. Aidé par des Indiens et quelques soldats, il parvint à les ramener au rivage où il les réprimanda vertement, les traitant de tous les noms et menaçant de les faire pendre ou de les laisser entre les mains des Indiens s'ils refusaient de reformer leurs rangs et d'obéir à ses ordres. En dépit de leur inquiétude et de leur appréhension, les fuyards acceptèrent de poursuivre l'expédition. Mais, soudain, alors qu'ils s'apprêtaient à gravir de nouveau la colline, Dumas fit volte-face et ordonna à ses hommes de remonter dans leurs canots et de regagner l'autre rive.

Il était cinq heures du matin lorsque l'armée commandée par Dumas revint à Sillery. Les Anglais ne s'étaient même pas rendu compte qu'ils avaient eu de la visite, mais la nouvelle de cet échec fit rapidement le tour de Québec. Lorsque soldats et volontaires franchirent la porte du Palais, les habitants de la ville les dévisagèrent avec tristesse et colère.

*

Deux cent trente ans plus tard, il est difficile de comprendre pourquoi Dumas renonça soudain à mener à bien cette expédition. Il se justifia auprès de Vaudreuil en déclarant que les Anglais avaient entendu le vacarme causé par ses soldats et qu'ils étaient sur le point d'attaquer. De toute évidence, Dumas n'avait aucune confiance en ses troupes. D'autre part, j'ai découvert que les fermiers qui s'étaient portés volontaires avaient disparu en emportant les morts avec eux. En outre, il faisait presque jour au moment où les soldats s'étaient enfin regroupés. À mon avis, Dumas avait sans doute jugé qu'il valait mieux laisser les Anglais en faire à leur tête et laisser la Providence prendre en main le sort de Québec.

*

À Québec, la pluie tombait toujours, tout comme les bombes de l'ennemi. Les rues de la haute ville étaient encombrées de voitures de toutes sortes dans lesquelles les habitants entassaient leurs biens les plus précieux. Sur les remparts, près de la citadelle, les femmes et les enfants se relayaient pour prier. Les maisons se vidaient les unes après les autres, et leurs portes claquaient au vent. Tant de gens fuyaient que Ramezay avait fait ouvrir les deux autres portes (Saint-Louis et Saint-Jean). Les habitants de la capitale partaient dans toutes les directions, notamment vers les bois et la campagne situés en amont de Québec, ou vers l'Hôpital-Général qui se trouvait près de la rivière Saint-Charles, trois milles à l'extérieur des murs de la ville, donc hors de portée des canons anglais.

Jean-François-Xavier retrouva sa mère dans l'église Notre-Dame-des-Victoires. Avec sa détermination habituelle, elle balayait les débris venant des trous béants dont le toit et les murs étaient constellés. Le jeune garçon lui raconta ce qui s'était passé sur la rive sud et lui avoua combien il avait honte. Sans mot dire, Mme Lefebvre essuya les larmes qui coulaient sur les joues de son fils. Ils finirent de nettoyer l'église ensemble, pendant que les bombes poursuivaient leur danse macabre au-dessus de leurs têtes.

L'Hôpital-Général était un bel et imposant édifice, composé de deux longues ailes et surmonté d'un énorme dôme. Chaque jour, depuis le débarquement des Anglais à Beaupré, une demi-douzaine de soldats blessés y étaient conduits. Il ne restait plus un seul lit et l'on dut étendre dans l'un des grands couloirs les trois hommes blessés sur la rive sud.

Canadienne issue d'une vieille famille de soldats et d'administrateurs, la mère Saint-Claude-de-la-Croix, née Marie-Charlotte de Ramezay, était la supérieure de l'hôpital. Son père avait été gouverneur de Trois-Rivières et de Montréal, et son frère était le lieutenant du roi à Québec. Grande et énergique, c'était une femme dévouée et déterminée qui, pour l'heure, devait faire appel à tous ses talents pour s'occuper des centaines de désespérés affluant vers son hôpital.

La plupart des civils étaient des proches parents des sœurs de l'hôpital et la mère supérieure les logea dans les hangars. Les animaux furent évacués des étables que l'on transforma en dortoirs pour les mères et leurs jeunes enfants. Les religieuses se regroupèrent à plusieurs par chambre, prêtant les leurs aux vieux couples. D'autres arrivants furent installés dans les mansardes et la mère Saint-Claude transforma même la blanchisserie en grande chambre, ce qui ne facilita pas la tâche des sœurs chargées de la lessive.

Tôt ce matin-là, la mère supérieure avait reccueilli trente ursulines qui avaient dû abandonner leur couvent. Elle leur avait prêté les chambres de ses sœurs, offrant même son propre salon à leur abbesse. Puis les hospitalières de l'Hôtel-Dieu se présentèrent à leur tour et la mère Saint-Claude les installa confortablement dans le parloir.

Lorsque l'économe lui demanda comment elle entendait nourrir les six cents personnes se trouvant déjà dans l'hôpital, la mère supérieure lui répondit qu'elle demanderait des vivres à Vaudreuil, à Montcalm et à Bigot. D'ailleurs, les ursulines et les sœurs de l'Hôtel-Dieu n'avaient-elles pas amené avec elles toutes leurs provisions? «Chacun se contentera de peu et nous en aurons assez», déclara-t-elle. Puis, après une courte pause, elle ajouta: «Les Anglais ne peuvent demeurer ici indéfiniment.»

La sacristine ayant pour tâche de caser tout ce beau monde dans la chapelle vint interrompre la mère Saint-Claude dans son travail pour lui demander conseil. La mère supérieure décida d'installer les ursulines à gauche du cloître, les hospitalières à droite, le public sur les bancs se trouvant à l'extérieur de la grille, cependant que ses propres sœurs occuperaient les places libres.

«Il y aura beaucoup de monde et ce sera terriblement bruyant», fit la sacristine.

La mère supérieure répliqua, aussi doucement qu'elle le put: «Je suis persuadée, ma sœur, que Dieu sera heureux de voir tant de monde. Quant au bruit, il devra le supporter comme nous toutes.»

*

Permettez-moi de vous parler un peu des religieuses.

En 1759, Québec comptait trois communautés religieuses de femmes. En 1639, Marie de l'Incarnation avait fondé le premier couvent d'ursulines au Canada. Il s'agissait de sœurs cloîtrées dont la principale mission, outre celle de prier et de jeûner, consistait à éduquer les jeunes filles. À Québec, elles vivaient dans un immense et magnifique couvent entouré de vastes jardins.

Toujours en 1639, la mère Marie-Guenet de Saint-Ignace et trois augustines hospitalières de l'Hôtel-Dieu étaient arrivées de Dieppe dans le but de fonder un hôpital. Elles s'étaient d'abord installées à Sillery mais, en 1644, avaient déménagé dans la basse ville et y avaient fondé l'Hôtel-Dieu.

Les Hospitalières de l'Hôpital-Général constituaient la branche cadette des Hospitalières de l'Hôtel-Dieu; elles s'étaient séparées de l'ancienne communauté à la fin du XVIIe siècle. Ces religieuses s'occupaient des infirmes et dirigeaient l'Hôpital-Général, fondé par le deuxième évêque de Québec, Jean-Baptiste La Croix de Chevrières de Saint-Vallier.

Tous les comptes rendus de l'époque s'accordent à dire que les sœurs se dévouaient à leur tâche et que peu nombreux furent les scandales qui auraient pu, d'une façon ou d'une autre, entacher leur réputation. La Couronne et les plus pieux des citoyens pourvoyaient largement à leurs besoins.

*

Les religieuses prenaient leur repas du midi lorsque la pluie cessa de tomber et que les canons anglais se turent. En l'espace de quatorze heures, au-delà de trois cents bombes étaient tombées sur Québec. Personne n'avait cependant été tué ni blessé, et pas un seul incendie n'avait éclaté. Par contre, les dommages causés aux habitations et aux édifices étaient considérables.

Tôt ce matin-là, Montcalm avait envoyé Bougainville à Québec avec trois cents hommes dans le but de faciliter l'évacuation de la moitié de la population, d'inspecter la garnison et de transporter le contenu des magasins du Roi de la basse ville à un entrepôt situé à l'extérieur des murs. Le marquis envoya un mot d'encouragement à Dumas. Le fâcheux incident de la rive sud lui avait confirmé le bien-fondé de sa stratégie initiale. Il confia à M. Marcel qu'il était fermement décidé à rester dans ses tranchées et à attendre l'attaque de Wolfe.

Il prit un repas frugal, accompagné d'un verre de vin, puis il écrivit à Lévis:

«Monsieur le chevalier,

«Je suis la cible d'un grand nombre de plans concernant la conduite de cette guerre. Ce matin, quelqu'un voulait qu'une batterie soit érigée neuf milles au sud d'ici; quelques minutes plus tard, elle devait l'être neuf milles au nord. Par la suite, on me demanda d'envoyer six cents hommes pour défendre la Beauce. Un autre me conseilla de renforcer la garnison de Québec avec Dieu seul sait qui et quoi. Je viens d'apprendre que l'éminent frère de notre estimé gouverneur a établi un campement quelque part sans savoir pourquoi ni comment. Chaque nuit le commandant de l'artillerie fait exécuter les travaux qui auraient dû être faits voilà deux ans. Nous payons de notre sommeil pour son indolence. Je vous le dis, *mon cher chevalier**, ils sont tous devenus fous. J'espère que ça n'est pas contagieux, mais j'ai des doutes.

«Bonne journée, monsieur le chevalier.»

Les deux camps s'enlisent

Du 16 juillet au 31 août 1759

L'objectif de la «Grande Entreprise»: Québec, vu de la rive sud. Durant le siège, la majorité des constructions de la ville furent détruites. (ANQ-Québec GH470-136)

Louis-Antoine de Bougainville, l'aide de camp dévoué de Montcalm. Sur ce portrait, il semble plus vieux qu'il ne l'était en 1759. (ANQ-Québec E67-10934)

Le marquis de Montcalm, commandant en chef des troupes françaises régulières au Canada. C'était un homme indécis, morose et pessimiste, que Bougainville considérait toutefois comme un héros. (ANQ-Québec GH571-5)

James Wolfe, le général qui avait reçu pour mission de conquérir Québec. Dévoué à ses hommes, arrogant envers ses officiers et fidèle à son roi, il fit preuve de cruauté envers les Canadiens. Cet homme d'une grande laideur était par ailleurs un excellent danseur. (ANQ-Québec E67 43-10929)

Le marquis de Vaudreuil, gouverneur général du Canada — et le premier Canadien à occuper ce poste. Il ne s'entendait guère avec Montcalm et tous deux ne cessèrent de se quereller, tout au long du siège de Québec, sur la stratégie à adopter. (ANQ-Québec N775-12)

Notre-Dame-des-Victoires, petite église située dans la basse ville. On l'avait nommée ainsi en l'honneur de la Vierge Marie qui, à deux reprises, avait protégé Québec contre les Anglais. En 1759, le miracle ne se répéta pas. (ANQ-Québec 597-600)

Les chutes Montmorency, vues de la côte de Beaupré. Les bateaux anglais y livrèrent bataille aux Français le 31 juillet 1759 — bataille au cours de laquelle Wolfe démontra que ses talents de stratège étaient fort limités. (ANQ-Québec GH470-134)

Monseigneur de Pontbriand, évêque de Québec. Tout au long de sa vie, il n'eut qu'une seule préoccupation: la survie de l'Église catholique romaine au Canada. (ANQ-Québec N474-20)

Jeffery Amherst, commandant en chef des troupes anglaises en Amérique du Nord et officier supérieur de Wolfe. (ANQ-Québec GH1072-2)

Charles Saunders, l'amiral qui fit remonter le Saint-Laurent au tiers de la flotte anglaise chargée de conquérir Québec. Il avait un penchant pour la piraterie et devait son avancement à son habileté à manier les leviers du pouvoir. (ANQ-Québec N474-45)

C'est dans ce charmant manoir situé à Beauport, près des chutes Montmorency, que Montcalm passa l'été à attendre que Wolfe prît l'initiative des combats. (ANQ-Québec GH272-58)

Robert Monckton, le plus haut gradé des brigadiers de Wolfe et le deuxième dans la hiérarchie militaire anglaise. Blessé durant la bataille du 13 septembre 1759, il fut supplanté par Townshend et ne joua aucun rôle dans la capitulation de Québec. (ANQ-Québec N479-49)

Le chevalier de Lévis, l'officier français le plus haut gradé après Montcalm. S'il avait participé à la bataille des plaines d'Abraham, l'histoire
aurait probablement connu un cours différent. (ANQ-Québec
GH1172-35)

James Murray, brigadier et quatrième dans la hiérarchie militaire anglaise. Après la chute de Québec, il devint le premier gouverneur général anglais. (ANQ-Québec GH770-35)

François Bigot, l'intendant et le plus important fonctionnaire français après Vaudreuil. C'était un être répugnant, tant sur le plan physique que moral. (ANQ-Québec N574-23)

Michel-Jean-Hughes Péan, marchand canadien et associé de Bigot. Tout comme ce dernier, il tira profit de la misère des Canadiens durant le long siège de Québec. (ANQ-Québec N177-107)

Angélique-Geneviève Renaud d'Avène des Méloizes Péan, connue sous le nom de «Lélie». C'était une femme charmante et intelligente que l'on considérait comme la Pompadour du Canada. À l'âge de vingt-cinq ans, elle devint la maîtresse de Bigot, avec la bénédiction de son mari. (ANQ-Québec GH770-163)

Une vue des plaines d'Abraham qui montre toute la stratégie militaire déployée le 13 septembre 1759: les bateaux anglais sur le Saint-Laurent; les soldats anglais débarquant à l'Anse-au-Foulon, puis escaladant la falaise pour atteindre les plaines; les troupes anglaises en rangs serrés sur le champ de bataille; enfin, les troupes françaises, des Canadiens et des Indiens. (ANQ-Québec GH970-159)

George Townshend, l'un des brigadiers de Wolfe et le troisième dans la hiérarchie militaire anglaise. Il caricatura le général sans la moindre pitié. (ANQ-Québec PN-T/2)

La mort de Wolfe, de Benjamin West. Vingt minutes à peine s'étaient écoulées depuis le début de la bataille du 13 septembre 1759 lorsqu'une balle tirée par un franc-tireur canadien atteignit Wolfe en pleine poitrine. Le général rendit l'âme peu de temps après. Juste avant de mourir, il ordonna que l'on empêchât les Français de traverser la rivière Saint-Charles, mais cet ordre ne fut pas exécuté. (Musée des beaux-arts du Canada, Ottawa, n° 8007)

Montcalm blessé. Le marquis fut blessé au cours de la retraite française, et non sur le champ de bataille comme le montre cette image. Mortellement atteint, il demeura sur son cheval et décéda à Québec le lendemain. (ANQ-Québec GH1070-144)

Du vingt et unième
au vingt-cinquième jour

Du 16 au 20 juillet 1759

Les renseignements dont nous disposons sont si pauvres qu'on ne sait trop dans quel ordre relater les événements qui se sont produits au cours de ces cinq jours. S'il y eut bien quelques moments mémorables, aucun fait ne fut remarquable. Les actes de courage alternaient avec les gestes de lâcheté, mais l'hésitation occupait toujours la place d'honneur. Seule la cruauté triomphait, continuant chaque jour à comporter son lot de souffrances.

Voici quelques-uns des événements marquants de cette période.

*

Après quelques heures de répit le 14 juillet, les bombardements sur Québec avaient repris de plus belle.

Le 15, Wolfe reçut Le Mercier sous drapeau parlementaire, et lui fit part de son inquiétude au sujet de trois grenadiers anglais que des Indiens avaient capturés avec la ferme intention de les faire brûler vifs. Le chancelier le rassura: Vaudreuil avait versé une rançon pour leur épargner ce supplice. Une fois que les deux adversaires eurent présenté leurs doléances respectives, Le Mercier jura à Wolfe que les Français ne permettraient jamais à son armée de mettre un pied dans Québec, même s'ils savaient que la ville serait détruite. Le général anglais répondit lui aussi par un serment: «Je serai maître de Québec même si je dois demeurer ici jusqu'à la fin de novembre.»

Au bout de trois jours de bombardement, Bigot, Vaudreuil et le chef de police commencèrent à prendre des dispositions pour que cessât le pillage intensif dont les maisons et les commerces endommagés par les bombes anglaises faisaient l'objet. Ils proférèrent des menaces: ceux qui seraient pris en flagrant délit devraient subir les conséquences de leurs actes.

Le 15, le presbytère et l'église étant devenus inhabitables, le père Récher alla s'installer dans la paroisse Saint-Jean, située à l'extérieur des murs de la ville. Il aménagea une chapelle et un dispensaire dans la maison de Pierre Flamand et, aidé de quelques miliciens, fit, près des murailles, le tracé d'un cimetière temporaire.

Le 16, Wolfe permit aux régiments et aux corps d'armée d'aller quérir une femme par compagnie sur l'île d'Orléans.

À midi ce jour-là, l'alarme fut donnée. Dans la basse ville, une bombe incendiaire avait mis le feu à la maison d'un certain M. Chevalier. Les flammes s'étaient rapidement propagées, attaquant les sept ou huit maisons voisines. On recruta immédiatement tous les hommes disponibles dans la brigade des seaux, et Montcalm envoya un détachement de Beauport pour les aider à combattre le sinistre. Il ordonna également aux batteries de tirer sur les Anglais postés à la Pointe-aux-Pères, mesure qui sembla donner des résultats puisque, vers seize heures, les canons anglais cessèrent de bombarder la ville. La pluie tombait toujours et, aux environs de dix-neuf heures, l'incendie était maîtrisé.

Durant ces cinq journées, les deux commandants trouvèrent le climat épuisant, imprévisible et suffocant. Tantôt la pluie les trempait jusqu'aux os, tantôt les brûlants rayons du soleil les faisaient suer à grosses gouttes. À peine le sol avait-il le temps de sécher qu'un orage éclatait soudain, inondant les tentes et les tranchées. Jour et nuit, les coups de tonnerre répondaient aux coups de canons qui provenaient des batteries et des navires, empêchant presque tout le monde de se reposer.

Montcalm se sentait impuissant à protéger une frontière qui, de la côte de Beaupré jusqu'au fort Machault, sur les bords de la rivière Ohio, s'étendait sur plus de mille deux cents milles. N'ayant même pas assez d'hommes et de munitions pour assurer la défense d'un seul de ces endroits, comment aurait-il pu les défendre tous à la fois? Le marquis voyait bien que sa stratégie exaspérait les Canadiens et les Indiens, qui auraient préféré attaquer les Anglais et en finir au plus vite. Il refusait cependant de se laisser influencer. Laissons Wolfe attaquer le premier, se contentait-il de répondre à ceux qui l'interrogeaient à ce sujet.

Wolfe, quant à lui, devait se réconcilier avec la marine et mettre au point un nouveau plan pour conquérir Québec. Le 16 juillet, après avoir admis dans son journal qu'il lui faudrait désormais «accepter certaines choses avec plus de facilité», il eut une longue discussion avec Saunders pendant le repas du soir. Tous deux arrivèrent à un compromis et parlèrent de l'opération que Wolfe appelait le «projet de descente».

Le général confia à Saunders qu'il comptait attaquer les Français cantonnés à Beauport sur deux fronts. Monckton donnerait la charge sur le flanc droit, c'est-à-dire entre la rivière Saint-Charles et Beauport, obligeant ainsi «les Français à déplacer un grand nombre de soldats vers cet endroit». Le deuxième assaut aurait pour cible la redoute de Johnstone, une fortification érigée par les Français sur la rive de Beauport, près du niveau des hautes eaux et apparemment loin de leurs tranchées. «Le régiment des Highlanders se lancera fermement à l'assaut et s'en emparera... La chose ne devrait pas être trop difficile, [la redoute] étant hors de portée des mousquets français.» Wolfe était persuadé que ce plan lui permettrait d'atteindre son objectif: obliger les Français à quitter leurs retranchements.

Afin de mener à bien cette entreprise, le général demanda à Monckton de lui faire parvenir cinq pièces d'artillerie. «Nous créerons un feu si nourri qu'aucun soldat français n'osera sortir la tête de sa tranchée; nous jouirons ainsi d'une plus grande sécurité et moins de nos hommes seront sacrifiés.» Wolfe fit également fabriquer des chaloupes, des radeaux, des ponts mobiles et des batteries flottantes. Puis, il pressa Saunders d'envoyer des vaisseaux en amont de Québec au cours de la nuit suivante. Dans un premier temps, l'amiral accepta de risquer le coup. Cependant, plus tard, il fit parvenir à Wolfe un billet lui disant que le vent était tombé et qu'il devait attendre au lendemain avant de faire une nouvelle tentative.

Wolfe prévoyait attaquer les Français quatre jours plus tard. Il ne songeait plus à débarquer à Saint-Michel, au-dessus de Québec, comme il en avait eu l'intention au début de juillet.

*

«Les relations entre Wolfe et Saunders se sont donc améliorées», déclare Townshend tandis que nous sirotons du thé sur la terrasse.

Depuis qu'il m'a rendu visite dans ma cuisine, Townshend m'est apparu à trois ou quatre reprises mais, chaque fois, il a refusé d'engager la conversation. Aussi est-ce avec un grand étonnement que, par cette belle journée, je l'entends m'adresser la parole.

«Ses relations avec moi se sont détériorées», m'annonce-t-il avec une certaine ostentation.

Afin de ne pas l'effaroucher, j'attends patiemment qu'il poursuive. Lorsque sa tasse de thé est vide, il vient s'asseoir à côté de moi et, pour la première fois, évoque ses souvenirs.

«Un jour il arriva en grande pompe à mon quartier général et me lança sur un ton particulièrement solennel: "Mon cher ami, vous avez construit une forteresse dont nous n'avons aucun besoin." Et alors, sans me demander mon avis ni mon consentement, il ordonna à mes hommes de démanteler mes ouvrages défensifs.» Il s'interrompt soudain et me demande: «Pourriez-vous avoir l'amabilité de demander à l'un de vos serviteurs de nous apporter encore un peu de thé?

— Je n'ai pas de serviteur, lui dis-je sur un ton quelque peu défensif. Mais je peux vous en servir moi-même.»

À mon retour, Townshend poursuit son récit pendant que je remplis sa tasse de thé.

«Une autre fois, votre futur conquérant me fit parvenir un billet m'ordonnant d'envoyer deux de mes canons à sa ferme. Me dérober mes canons pour décorer ses quartiers, vous vous rendez compte!

— C'était votre officier supérieur, après tout. S'il avait besoin de vos canons, c'était sûrement son droit de les prendre.

— Si vous continuez à parler comme un paysan, je ne vous adresse plus la parole.»

Un peu mal à l'aise, nous restons un moment silencieux, puis Townshend sourit et déclare. «Que ce fût en parlant, en marchant, en mangeant ou en faisant n'importe quoi d'autre, notre commandant aimait en imposer. Vous savez, j'espère, que j'étais le commandant en second à notre campement de Beaupré. Or, le général s'absentait souvent pour se rendre à l'île d'Orléans, à notre camp de la Pointe-Lévis ou encore, où bon lui semblait. Un jour, je décidai de faire preuve d'humilité. Comme il se préparait à partir en excursion, je me rendis jusqu'au fleuve pour lui dire que je serais fort aise d'exécuter ses ordres. Figurez-vous qu'il me regarda du haut de son long nez et, remuant à peine les lèvres, me déclara, si fort qu'on eût pu l'entendre à des milles à la ronde, que l'adjudant-général...

— Isaac Barré», me hasardé-je, avant d'ajouter, comme pour me faire pardonner d'avoir interrompu mon éminent invité: «Mes lecteurs ont besoin de connaître son nom.

— Était-ce vraiment son nom? demande-t-il avant de poursuivre son récit sans attendre ma réponse. Bref, que l'adjudant-général avait reçu tous les ordres nécessaires et que j'en serais informé en temps et lieu. Qu'en dites-vous?

— Et vous n'avez rien trouvé de mieux à faire que d'exprimer votre colère dans votre journal, n'est-ce pas?»

Townshend me toise d'un regard hautain et me donne congé en ces termes:

«Vous pouvez retourner à vos lecteurs pendant que je m'occupe du chat.»

Je lui obéis tout bêtement (sans doute est-ce le paysan en moi qui me pousse à agir ainsi), mais, avant de rentrer dans la maison, je me retourne et le vois qui caresse le chat. Nous faisons des progrès, me dis-je.

*

Le 18 juillet, vers minuit, le *Sutherland*, équipé de cinquante canons, les frégates *Diana* et *Squirrel*, deux corvettes armées et deux navires de transport montèrent en amont de Québec. Wolfe surveillait attentivement les opérations.

Les sentinelles françaises n'étaient pas à leurs postes lorsque les premiers navires anglais passèrent devant Québec. À leur retour, voyant ce qui se passait, elles donnèrent l'alarme. Persuadés qu'aucun vaisseau anglais n'oserait tenter pareille expédition, leurs officiers supérieurs demeurèrent incrédules jusqu'à ce qu'ils vissent de leurs propres yeux les bateaux sur le fleuve. Les batteries françaises ouvrirent alors le feu, mais il était trop tard pour arrêter les navires. Seul le *Diana* alla s'échouer à la Pointe-Lévis.

Dès qu'il fut prévenu, Montcalm envoya quarante hommes à l'Anse-des-Mères pour aider les Indiens au cas où les Anglais tenteraient de débarquer. Puis il ordonna que les factionnaires fussent traduits en cour martiale.

Le lendemain, deux échafauds furent érigés sur un long promontoire rocheux surplombant le Saint-Laurent. Les deux sentinelles, suivies du curé de la paroisse, y furent amenées. Après les avoir hissées au sommet du rocher, on leur banda les yeux et on leur glissa une corde autour du cou pendant que le prêtre récitait quelques prières. Au signal des officiers, des soldats poussèrent les deux hommes dans le vide. Il y eut un bruit de halètement et des craquements d'os. Avant de partir, le curé leur donna une dernière bénédiction. On laissa leurs corps se balancer au vent.

Le 19 juillet, au-delà de six cents hommes commandés par Dumas se trouvaient à l'Anse-des-Mères. Plus tard dans la journée, des renforts le rejoignirent, à savoir trois cents miliciens de Trois-Rivières, des Indiens et presque toute la cavalerie.

Vaudreuil et Bigot s'étaient enfin mis d'accord. Partout dans la ville et dans ses environs, les crieurs publics annoncèrent la nouvelle proclamation du gouverneur général: quiconque serait pris en flagrant délit de pillage serait jugé, condamné et exécuté le jour même. Les procédures habituelles étaient suspendues.

Sur les hauteurs de la rive nord, presque directement en face de l'embouchure de la rivière Etchemin, se trouvait une résidence ayant autrefois appartenu à un évêque de Québec et qui offrait une bonne vue sur le fleuve. Les Canadiens achevaient d'y construire une batterie, qui fut appelée *batterie de Samos** et à laquelle Montcalm accordait la plus grande importance.

Sa première victime fut la frégate *Squirrel*. Les canons de Samos l'avaient à ce point abîmée qu'elle perdit son ancre et dut être remorquée.

Le fait de voir que ses navires avaient réussi à dépasser Québec ragaillardit Wolfe, dont les pensées se tournèrent de nouveau vers la rive nord. Depuis l'autre rive, il pouvait examiner en toute sécurité le territoire s'étendant de Québec à Cap-Rouge, situé à douze milles de la capitale. Afin d'avoir une meilleure perspective des lieux, il navigua sur le fleuve en baleinière et même à bord du *Sutherland*. Entre-temps, le major Dalling, qui était parti en reconnaissance en amont de Québec avec ses fantassins, lui suggéra deux ou trois endroits où l'armée pourrait débarquer et gravir les falaises sans trop de difficulté. Il indiqua même quelles maisons pourraient leur servir de cachettes. Pour faciliter encore les choses, Goreham établit un poste au bord de la rivière Etchemin, quelques milles à l'ouest des batteries de la Pointe-aux-Pères.

Tandis qu'il faisait les cent pas sur le pont du *Sutherland*, Wolfe en arriva à la conclusion que le projet de débarquement à Beauport, élaboré avec Saunders quelques jours auparavant, devait être abandonné. Il était décidé à attaquer les Français en amont de Québec. «Si je l'avais fait plus tôt, nota-t-il dans son journal, j'aurais probablement réussi à l'heure qu'il est.» Le général exultait à ce point devant ce qui lui apparut comme une révélation qu'il écrivit en premier lieu «infailliblement» au lieu de «probablement».

Le lendemain, Wolfe était d'excellente humeur et plein de bonnes intentions. Dans une lettre datée par erreur du 20 mai mais qu'il fit parvenir à Monckton le 20 juillet, le général ordonna à ce dernier d'emmener une partie de sa brigade dans des barges jusqu'au *Sutherland*. De là, les soldats seraient transportés près de Saint-Michel, sur la rive nord, où ils devraient assurer la protection d'un éventuel lieu de débarquement. «Si nous pouvons nous emparer de quatre ou cinq bons postes et les garder jusqu'à l'arrivée de nos amis, écrivit-il, cela pourrait avoir des conséquences fort intéressantes.» Les amis en question étaient les hommes de Townshend, à qui le général avait demandé de se trouver au bord du fleuve à minuit pour être transportés à l'île d'Orléans avant l'aube. En temps et lieu, eux aussi se retrouveraient en amont de Québec.

Au début de l'après-midi, les troupes étaient prêtes à se mettre en route, chaque soldat emportant «des provisions pour deux jours, une couverture, trente-six cartouches et deux pierres à feu de rechange». Toutefois, les soldats durent rester là où ils étaient. À quinze heures, Monckton reçut un message que Wolfe avait rédigé deux heures plus tôt: «Des circonstances particulières nous obligent à reporter notre tentative de quelques jours et à garder le secret à ce sujet... Veuillez contremander l'embarquement et la marche pour un ou deux jours.»

C'était le troisième ordre du jour envoyé par le général. À peine un premier était-il parvenu à Monckton qu'il était annulé quelques heures plus tard. En cinq heures, Wolfe avait changé d'avis trois fois. Pourquoi?

Apparemment, le général anglais n'était pas sûr du terrain sur lequel on lui avait suggéré de débarquer. À cet endroit, la rive s'élevait sur une bonne hauteur au-dessus du fleuve et le sol était couvert d'arbres touffus. De fortes vagues venaient se briser sur les rochers parsemant le rivage, et les rares ouvertures aperçues par le général ou qu'on lui avait signalées étaient pour la plupart des ravines remplies d'eau. Wolfe aurait certes pu débarquer, mais il doutait que les renforts eussent le temps d'arriver avant que Montcalm vînt le repousser dans le fleuve. Les Français comptaient déjà un grand nombre de soldats dans la région: Dumas s'était retranché à l'Anse-des-Mères et la batterie de Samos était fort efficace.

Évidemment Wolfe avait entrevu toutes ces difficultés bien avant ce jour-là, mais elles lui apparurent soudain d'une telle ampleur qu'il décida «d'abandonner l'attaque projetée au-dessus de Québec». En plus de comporter d'énormes risques, un tel débarquement, il s'en était rendu compte, aurait coûté la vie à de nombreux soldats et «aurait probablement échoué».

Plusieurs officiers anglais n'appréciaient guère ces changements de stratégie. Depuis leur arrivée «dans ce pays infernal», comme l'un d'eux qualifia le Canada, ils avaient l'impression que Wolfe était incapable de prendre la moindre décision. Ce dernier était conscient du ressentiment dont il faisait l'objet; aussi, pour tenter d'amadouer ses hommes, leur fit-il distribuer du rhum et leur permit-il de nager dans le fleuve le soir et le matin. Usant de toute sa bonne volonté pour divertir ses soldats, Wolfe envoya même Carleton chercher des jeunes filles à la Pointe-aux-Trembles afin qu'elles dînent avec les officiers.

Le 21 juillet 1759

À la Pointe-aux-Trembles, tôt dans la matinée

La pluie tombait sur le petit village de la Pointe-aux-Trembles, situé à environ vingt milles en amont de Québec, et le ciel n'était qu'un amas de nuages. Sur les eaux du Saint-Laurent, à une centaine de mètres de la rive, quatre cents Rangers et Highlanders commandés par Guy Carleton attendaient de débarquer. L'homme qui leur servait de guide était certainement le personnage le plus étonnant de son époque: Robert Stobo.

*

Avant de vous parler de Stobo, je me dois de vous présenter Guy Carleton. Il naquit en Irlande, le 3 septembre 1724, et entra dans l'armée à l'âge de dix-sept ans. Ses capacités autant que ses relations lui permirent de monter rapidement en grade. Il partit à Louisbourg avec Wolfe mais, quand il fut invité à l'accompagner à Québec en tant qu'intendant général, le roi s'y opposa. Il semblerait que Carleton l'eût insulté en critiquant les troupes hanovriennes si chères au cœur du monarque. Pitt dut intervenir et le commandant en chef de l'armée anglaise accepta de signer les papiers nécessaires.

Pendant la conquête de 1759, Carleton fit preuve de zèle et de compétence, mais il n'accomplit rien de spectaculaire, pas plus d'ailleurs que durant le reste de sa vie.

Stobo, par contre, se spécialisait dans le spectaculaire. Cet officier écossais, envoyé en Virginie alors qu'il avait à peine seize ans, apprit rapidement son métier, devint un prospère marchand et s'attira les bonnes grâces du Gouvernement et de son entourage. En 1754, sans oublier de prendre avec lui dix serviteurs et de nombreuses caisses de vin de Madère, il accompagna George Washington dans sa désastreuse expédition contre les Français sur la rivière Ohio. Washington fut défait et Stobo, fait prisonnier et ramené à Québec. Il mena là une vie fort agréable, frayant avec le gratin de la société et filant le parfait amour avec Reine-Marie Juchereau-Duchesnay, une parente de Vaudreuil. Il fut même autorisé à faire des affaires avec quelques marchands canadiens. Pendant toute cette période, il ne cessa d'espionner ses hôtes et d'essayer de s'enfuir.

Au cours de l'été 1755, Stobo fut accusé de trahison et jugé en cour martiale. Il plaida coupable et fut condamné à la guillotine, mais la cour de Versailles changea la sentence pour l'emprisonnement à perpétuité. Il continua néanmoins à vivre à Québec, poursuivant ses activités. Deux ans plus tard, avec la complicité de sa maîtresse, il tenta sans succès de s'enfuir. Cependant, il ne reçut aucune sanction.

Finalement, en mai 1759, il parvint à s'évader en descendant le Saint-Laurent en canot avec huit autres prisonniers américains (quatre hommes, une femme et ses trois enfants). Cette incroyable épopée dura trente-six jours durant lesquels les fuyards connurent privations et frayeurs de toutes sortes. Stobo réussit même à s'emparer d'une goélette et de deux capitaines.

À peine fut-il arrivé à Louisbourg que ses supérieurs lui ordonnèrent de reprendre le Saint-Laurent pour aller rejoindre le quartier général de Wolfe. Il arriva là au début du mois de juillet. Le général anglais l'utilisa comme guide.

Avec les années, Stobo devint alcoolique et il se suicida en 1770 — un fait qui n'a été découvert qu'en 1965.

*

À cinq heures du matin, Carleton ordonna à ses troupes de débarquer. De la rive au village, les Anglais ne rencontrèrent personne, mais en arrivant près de l'église ils furent accueillis par des Indiens. Ceux-ci ouvrirent le feu, tuant trois soldats et en blessant plusieurs autres. Carleton les amena dans les bois et, chemin faisant, captura le révérend Jean-Baptiste de La Brosse, un missionnaire jésuite de trente-cinq ans qui s'occupait des Indiens. À l'insu de Carleton, le jésuite avait envoyé un messager à l'Anse-des-Mères pour prévenir Dumas.

Selon les dires de Wolfe, des armes étaient cachées dans le village, mais les Anglais fouillèrent tout sans rien trouver. Par contre, ils trouvèrent des femmes — une religieuse avec un groupe de jeunes filles de Québec, des dames et des enfants apparentés aux plus importants citoyens de la ville — et deux hommes robustes. Certaines des femmes reconnurent Stobo.

Carleton ordonna à ses hommes de ne pas faire de mal aux habitants de la Pointe-aux-Trembles une fois qu'ils auraient fouillé leurs maisons et amené les réfugiés de Québec jusqu'au *Sutherland*. Entretemps, les soldats attrapèrent des vaches, des moutons et un grand nombre de poulets qu'ils emportèrent dans leurs bateaux. En faisant une dernière inspection du village, ils capturèrent un milicien, le sieur La Casse, que de graves crises d'arthrite avaient obligé à quitter la capitale. Trop occupé à batifoler dans les bras de sa maîtresse, il ne s'était pas rendu compte que son village était envahi par l'ennemi. La Casse fut lui aussi envoyé sur l'un des bateaux anglais, mais sa bien-aimée demeura dans sa maison, saine et sauve.

À quatorze heures, un homme de guet aperçut Dumas et un détachement de soldats arrivant par la route de Québec. Les Anglais se réfugièrent à toute vitesse dans leurs bateaux, mais quelques-uns d'entre eux furent blessés et une grande partie du bétail dut être abandonnée. À seize heures, Carleton était de retour à bord du *Sutherland*.

Les dames avaient eu le temps de se confesser, d'assister à la messe, puis de se refaire une beauté. Ajustant leur corset et abaissant leur décolleté, ajoutant à la hâte un ruban dans leurs cheveux, empruntant un foulard, une ceinture, une pochette pour ensuite les disposer de façon charmante, elles cherchaient à plaire aux officiers, ceux-ci ne désirant rien d'autre que la compagnie de femmes gracieuses, bien mises et loquaces. Lorsque Wolfe fut informé de leur présence, il décida d'en inviter une vingtaine à dîner. Ce fut Stobo qui fut chargé de les choisir.

Dans une cabine basse mais bien aérée, les serviteurs avaient dressé trois grandes tables de huit places chacune. Wolfe, John Rous, le capitaine du *Sutherland*, et Carleton prendraient place au bout de chaque table. Les officiers avaient mis un soin particulier à leur toilette et à leur apparence, espérant faire bonne impression sur ces dames qui pourraient leur être bien utiles une fois qu'ils auraient conquis Québec. Tout en les attendant, ils discutaient amicalement.

À vingt heures précises, Stobo amena les dames. Jeunes et vieilles, belles et laides, toutes étaient de bonne famille. Wolfe fit asseoir Mme de Charney à sa droite et Mme Joly à sa gauche. Mlle Couillard prit place à la table du capitaine Rous, et les deux charmantes sœurs Joly s'assirent tout près du capitaine Smyth, tout comme l'aînée des filles de Mme Mailhot que celle-ci n'avait pu accompagner pour des raisons de santé. À la table de Carleton, se trouvaient les autres dames des familles Charney et Magnan, Stobo et, au grand dam de ce dernier, Mme Juchereau-Duchesnay, mère de son ancienne maîtresse.

Ce fut une agréable soirée. Une douce musique coulait par les hublots ouverts, et le service, exécuté par les domestiques des officiers présents, fut parfait. La nourriture était bonne et les dames trouvèrent le vin délicieux. Durant le repas, Wolfe tint de menus propos, se moquant de la réticence de Montcalm à sortir de ses tranchées. Le général évoqua son séjour à Paris, du jour où il avait été présenté à la cour jusqu'à sa rencontre avec Mme de Pompadour.

À la table de Rous, la conversation était tout aussi animée. Un jeune et séduisant officier demanda à Mlle Magnan, assise à côté de lui, la permission d'écrire son nom et son rang sur son calepin. Il en profita pour lui faire part des sentiments qu'elle lui inspirait. Bientôt tous deux parlaient à voix basse sans plus s'occuper de ce qui se passait autour d'eux. L'officier supplia la jeune fille de quitter Québec aussitôt qu'elle le pourrait après son retour. Bien qu'il ne pût lui dévoiler les raisons de sa requête, il insista pour qu'elle lui obéît. Mlle Magnan sourit tout en secouant doucement sa jolie tête.

À la table de Carleton, Mme Juchereau-Duchesnay fit passer un mauvais quart d'heure à Stobo, lui reprochant d'avoir traité sa fille quelque peu cavalièrement. Il tenta de la calmer en lui déclarant qu'il vouait à Reine-Marie une éternelle admiration, mais la vieille dame connaissait trop bien la vie pour avaler un pareil boniment et elle se contenta d'émettre un grognement pour clore la conversation.

À la fin du repas, les dames furent informées qu'elles seraient ramenées le lendemain au rivage sous drapeau parlementaire. Wolfe en profiterait pour envoyer ses blessés à l'île d'Orléans, avec le butin pris à Pointe-aux-Trembles.

Arrivé un peu plus tôt à bord du *Sutherland* pour prendre en charge les opérations navales en amont de Québec, le contre-amiral Holmes n'avait pas pris part aux festivités.

Le 23 juillet 1759

À Québec, à l'aube

Le lendemain du jour où les bateaux anglais étaient passés dans le haut Saint-Laurent, Montcalm avait placé des gardes supplémentaires dans le port, des hommes de confiance à qui il avait donné l'ordre de lui faire directement leur rapport. Depuis, aussi souvent qu'il le pouvait, le marquis restait près des batteries, sans s'inquiéter des bombes tombant autour de lui. Il faisait le guet afin de voir si de nouvelles embarcations s'aventureraient à remonter le fleuve, comme si sa seule présence pouvait avoir pour effet de faire reculer les Anglais.

La veille, à vingt et une heures, après que les dames eurent été ramenées du *Sutherland,* l'ennemi avait recommencé à bombarder la ville, avec encore plus d'acharnement que la fois précédente. Montcalm, Le Mercier et Marcel s'étaient précipités aux batteries et y étaient restés toute la nuit. Dans l'obscurité, un soldat se mit soudain à crier: *«Incendie! Incendie!*»* Une maison de la rue de la Fabrique était en feu. Laissant Le Mercier s'occuper des batteries, Montcalm réunit quelques miliciens et marins et courut jusqu'à la haute ville. En arrivant sur les lieux, il constata que les flammes, attisées par le vent et alimentées par le bois des toits, s'étaient déjà propagées dans toute la rue. En outre, les bombes anglaises continuaient à tomber sur le brasier, empêchant les pompiers de faire leur travail. Dix-huit maisons brûlèrent.

Bientôt la cathédrale fut à son tour embrasée par un projectile. Il n'y avait plus rien à faire; la noble église qui avait fièrement dominé Québec et même toute la colonie durant plus d'un siècle n'était plus maintenant qu'un enchevêtrement de flammes folles. Les hauts clochers que l'on pouvait voir depuis plusieurs milles à la ronde s'effondrèrent et leurs trois cloches fondirent. Les miliciens et les citoyens, désespérés, voyaient le plus important symbole de leur foi et de leur vie partir en fumée. Ils

157

n'eurent même pas le temps de prier: le Séminaire et le palais épiscopal étaient à leur tour menacés par le feu. Enfin, par miracle, le vent tomba et les flammes s'immobilisèrent, finissant de consumer ce qu'elles avaient déjà attaqué.

Il était maintenant cinq heures du matin et Montcalm, n'ayant pas dormi de la nuit, décida de rentrer à son quartier général de Beauport. Il s'apprêtait à partir lorsqu'un marin arriva en courant pour lui remettre un message de Le Mercier: les Anglais tentaient de faire passer deux autres bateaux en amont de Québec. Le marquis sauta sur sa monture et regagna au galop les batteries où il constata que Le Mercier, dirigeant les canons avec précision et efficacité, avait obligé les vaisseaux à faire demi-tour pour aller se réfugier dans la sécurité de leur flotte.

Dans les premières lueurs de l'aube, Montcalm parcourut à cheval la ville dévastée. La plupart des beaux édifices n'étaient plus qu'un tas de décombres et, dans la basse ville, une seule maison avait été épargnée. La petite chapelle de Notre-Dame-des-Victoires était restée debout, mais ses murs étaient criblés de trous et son toit s'était à moitié écroulé. Dans la haute ville, la cathédrale était en ruine. Seule la cuisine du Séminaire demeurait utilisable. Le palais de l'évêque devrait être entièrement reconstruit et la maison de Montcalm, sur la rue des Remparts, était inhabitable. Le couvent des ursulines avait été lui aussi gravement endommagé: une bombe avait éventré le toit de la chapelle et creusé un énorme trou à l'endroit où se trouvait l'autel principal. D'autres projectiles avaient détruit les stalles et tordu la grille derrière laquelle les religieuses s'agenouillaient pour prier.

Lorsqu'il arriva à la porte du Palais, Montcalm constata que le père Baudouin, le père Récher et Mme Lefebvre avaient mis en place une infirmerie de fortune pour s'occuper des blessés, des malades et de tous ceux qui n'avaient plus de toit. Jamais, même dans les pires jours de la colonie, autant de gens n'avaient eu si désespérement besoin d'aide. Tournant le dos à toute cette misère, Montcalm pouvait voir l'île d'Orléans, au loin, et la menaçante forêt de mâts qui l'encerclait.

À bord du Stirling Castle, *plus tard dans l'après-midi*

Wolfe était au désespoir. Il avait l'impression de n'avoir pas fait grand-chose depuis presque un mois qu'il était à Québec. Le général avait tout d'abord voulu débarquer à Beauport, mais, les Français y étant déjà, il avait été forcé d'envisager un débarquement en amont de

Québec. Il avait pensé ensuite qu'il vaudrait mieux mettre à exécution son «projet de descente» à Beauport. Puis il avait abandonné cette idée, se proposant de débarquer plutôt à Saint-Michel, mais cet ordre avait été lui aussi annulé. Le temps pressait: dans moins de six semaines, la flotte serait obligée de rentrer en Angleterre, sans quoi elle serait prise dans les glaces. Wolfe devait agir.

Afin de préparer un nouveau plan qui lui permettrait de donner le coup fatal à l'ennemi, Wolfe convoqua Saunders et ses trois brigadiers: Monckton, Townshend et Murray. Selon le général, quatre possibilités s'offraient à eux: les Anglais pouvaient débarquer soit en amont de Québec, soit entre la rivière Saint-Charles et Beauport à marée basse, soit par la rivière Montmorency où Lévis et ses hommes étaient postés, ou encore ils pourraient donner l'assaut à la basse ville en entrant directement dans le port.

*

On ne dispose d'aucun compte rendu de cet important conseil de guerre et Townshend n'est pas là pour me raconter ce qui s'y est dit. Cependant, à mon avis, lui et Murray doutaient de pouvoir attaquer directement la ligne de défense française à Beauport, tant par la gauche que par la droite, parce que la flotte ne pouvait offrir une couverture suffisante. Selon moi, les brigadiers, tout comme Wolfe, ne pouvaient envisager un débarquement en amont de Québec sans avoir en main toutes les informations concernant le terrain et avant d'avoir soigneusement choisi l'endroit où l'attaque aurait lieu. Quant à la possibilité de donner l'assaut au port, elle n'a, selon moi, jamais été sérieusement envisagée.

*

Les cinq hommes parlementèrent pendant plusieurs heures et, après le départ de Saunders et des trois brigadiers, Wolfe écrivit dans son journal qu'ils avaient pris «la résolution d'attaquer l'armée française», mais sans parvenir à s'entendre; en fait ils n'avaient mené qu'un chaud «débat sur la méthode à adopter».

Wolfe devait donc se débrouiller tout seul. Il se mit aussitôt au travail pour préparer un nouveau plan d'attaque. Cette fois-ci, il étudierait les possibilités que lui offrait la rivière Montmorency.

Maintenant, le général avait perdu toute patience envers les Canadiens vivant dans les territoires occupés par ses troupes. Pas un seul jour ne s'écoulait sans que des partisans canadiens tirent sur les soldats anglais, en blessant ou en tuant un grand nombre. Ils transmettaient sans cesse des renseignements au quartier général de Vaudreuil à la Canardière et souvent les colons utilisaient leurs granges, leurs maisons et même leurs églises pour entreposer des munitions et des armes. Wolfe était tellement exaspéré en ce 25 juillet qu'il rédigea une seconde proclamation, dans laquelle il accusait les Canadiens d'abuser de «sa bonté, [de] sa magnanimité et [de] ses sentiments d'humanité». Considérant le peuple qu'il désirait conquérir comme indigne des offres avantageuses qu'il lui avait faites, il ordonna à ses commandants de «s'avancer dans le pays pour y saisir et emmener les habitants et leurs troupeaux, et y détruire et renverser ce qu'ils jugeront à propos». Cependant, pour témoigner des bons sentiments qui l'habitaient, il attendrait le 10 août pour mettre sa menace à exécution.

C'est le major Dalling de l'infanterie légère qui fut chargé d'aller afficher la proclamation sur la porte de l'église de Saint-Henri, sur la rive sud. En revenant, il captura deux cent cinquante hommes et femmes, dont le curé de la paroisse de la Pointe-Lévis et quarante hommes en mesure de porter les armes. Dans le butin qu'il ramena avec lui, il y avait «un nombre égal [quarante] de bestiaux, environ soixante-dix moutons et quelques chevaux», selon ce que Knox consigna dans son journal. Dalling n'avait pas attendu le 10 août.

Le 26 juillet 1759

Près de la rivière Montmorency, à trois heures

Wolfe marchait vers le premier gué de la rivière Montmorency, situé environ trois milles en amont de son campement. Il était suivi d'un bataillon du 35e Régiment et d'un détachement de Rangers commandés par Murray, ainsi que d'une compagnie de fantassins et de deux pièces d'artillerie de campagne. Le major Moncrief devait sans cesse presser les soldats qui hissaient à grand-peine les canons vers le sommet du sentier abrupt et accidenté. À bout de patience, Wolfe finit par les renvoyer au camp avant même d'avoir atteint le passage à gué. Le sentier que suivaient les troupes s'était rétréci soudain, laissant place à un long ravin de trois cents verges dont les talus escarpés se dressaient sur une hauteur de vingt pieds de chaque côté.

Au sortir du ravin, Wolfe put admirer, de l'autre côté de la rivière, le système défensif minutieusement mis en place par les Français. N'ignorant pas que ceux-ci étaient sans doute en train de l'espionner, il ordonna à ses hommes de se réfugier près d'une maison abandonnée qui se dressait au milieu d'une clairière voisine. Puis, il envoya des Rangers et un informateur canadien au deuxième gué, à environ un mille en amont.

À neuf heures, Wolfe inspecta le premier gué, profond de quatre pieds et qui s'étendait sur une longueur d'environ cent cinquante verges; le courant y était faible. Sur l'autre rive, les Français avaient érigé d'imposantes fortifications protégées par un talus escarpé et boisé. Le général anglais en fut si impressionné qu'il jugea «inutile de tenter de se frayer un passage à cet endroit», comme il l'écrivit ce soir-là dans son journal. Son tour de reconnaissance terminé, Wolfe, accompagné de son escorte, rejoignit ses troupes et se reposa en attendant les Rangers. En s'éloignant du gué, le général avait perçu la présence de l'ennemi dissimulé dans la forêt, sur l'autre rive.

Son intuition ne l'avait pas trompé: cachés depuis l'aube derrière des arbres et des rochers, neuf cents Indiens bouillant d'impatience et quelques Canadiens attendaient sans faire le moindre bruit. Ils avaient voulu se lancer à l'attaque avant même que Wolfe n'eût atteint le gué, mais leur capitaine, Charles-Michel Mouet de Langlade, les avait persuadés d'attendre qu'il se fût entretenu avec Lévis. À treize heures, le capitaine n'était toujours pas revenu, Lévis l'ayant fait patienter pendant qu'il envoyait un message à Montcalm. Le chevalier ne pouvait lancer une attaque susceptible de provoquer un engagement total des deux armées sans le consentement de Montcalm et de Vaudreuil. Cependant, la réponse de Montcalm arriva trop tard.

Les Indiens et les Canadiens postés près du gué avaient fini par perdre patience. Lançant des cris de guerre terrifiants, ils traversèrent la rivière et attaquèrent furieusement les Anglais. À moitié nus, le corps peinturluré, tomahawks, couteaux et scalps pendant à leurs ceintures, mousquets en main, les Indiens se ruaient sur les soldats anglais, les canardant et les scalpant au passage. Pour la plupart déguisés en Indiens, les Canadiens en faisaient autant, tout aussi assoiffés de sang. Les Anglais étaient figés d'horreur. Wolfe, croyant que toute l'armée française s'apprêtait à lui livrer combat, se précipita jusqu'à son campement principal et ordonna à Townshend de rassembler les troupes.

Toutefois, la bataille ne dura pas longtemps. Murray, à qui Wolfe avait laissé le commandement, parvint à rassembler les soldats qui s'étaient dispersés dès le début de l'attaque. Grâce aux encouragements du brigadier, ils réussirent à repousser les assaillants de l'autre côté de la rivière. La poursuite s'arrêta là, Murray n'ayant pas reçu l'ordre de passer sur l'autre rive. Il se contenta d'enterrer ses morts et de renvoyer les blessés au campement, leur donnant un message pour Wolfe afin de l'avertir que le combat était terminé. Les Français ne comptèrent pas leurs morts ce jour-là, mais cette brève escarmouche entre Murray et les Indiens fut coûteuse; le découragement s'empara de ces derniers, qui ne firent plus grand-chose pendant tout le reste de la campagne.

Comme le rapporta Murray, la visite de Wolfe au premier gué avait «failli tourner au désastre».

*

Il est dix-neuf heures. Portant un surplis blanc et une étole violette, l'ecclésiastique est agenouillé sur un *prie-Dieu** finement sculpté de l'église de Charlesbourg. Il est venu se recueillir dans la chapelle consacrée à la Vierge Marie, sa sainte préférée. Il lui adresse souvent ses prières, en particulier dans les périodes difficiles, et c'est précisément la raison pour laquelle il est là aujourd'hui: l'évêque de Québec n'a jamais été aussi troublé et il a grand besoin de réconfort. Son Excellence Henri-Marie Dubreuil de Pontbriand est un homme ascétique de grande taille et de faible constitution. Il souffre en fait d'une maladie qui nous est demeurée inconnue. En 1759, il a cinquante et un ans et vit à Québec depuis la fin de l'été 1741. Je le laisse se présenter à vous dans ses propres mots.

«Je suis le sixième évêque de Québec. À mon arrivée ici, en 1741, mon grand diocèse existait déjà depuis plus d'un siècle. François de Laval, dont l'Église reconnaîtra certainement un jour la sainteté, en fut le fondateur; c'est lui qui en assura la survie pendant les difficiles débuts de la colonie. Il mit en place la plupart des institutions religieuses que nous connaissons aujourd'hui et intégra l'Église de Notre Seigneur dans la vie quotidienne des habitants de notre vaste empire d'Amérique.

«Son successeur, Jean-Baptiste La Croix de Chevrières de Saint-Vallier, également un saint homme, consolida son œuvre. Certains accusèrent monseigneur de Saint-Vallier d'être trop autoritaire et trop réformiste, d'autres lui reprochèrent de se mêler de choses qui sortaient du cadre de ses fonctions, cependant que certaines âmes récalcitrantes le jugèrent trop porté à appeler la colère divine sur eux. Mais qu'importe! Il dirigea l'Église du Canada pendant quarante-deux ans, soit jusqu'à sa mort, survenue le 26 décembre 1727, alors qu'il était âgé de soixante-quatorze ans. Seul le jugement de Dieu compte; le verdict de l'histoire n'a aucune importance.

«L'assistant de monseigneur de Saint-Vallier, le moine capucin Louis-François Duplessis de Mornay, aurait normalement dû lui succéder, mais celui-ci ne mit jamais les pieds au Canada. Il fut remplacé par Pierre-Herman Dosquet, qui passa environ deux ans ici avant de retourner en France et de démissionner de son siège épiscopal. Mon prédécesseur immédiat, François-Louis de Pourroy de Lauberivière (quel nom magnifique!) mourut peu après son arrivée au pays.

«Pendant quatorze années, soit entre le moment du décès de monseigneur de Saint-Vallier jusqu'à ma nomination, l'Église du Canada demeura sans chef spirituel. Il m'a presque fallu tout recommencer à zéro, fonder de nouvelles paroisses, créer des missions, ordonner des prêtres et évangéliser.

«Monsieur LaPierre, qui est quelque peu anticlérical, vous confirmera que je suis parvenu à faire prendre à l'Église une place importante dans la vie des quelques favorisés détenant les rênes du pouvoir au Canada. Il me reprochera sans aucun doute d'avoir participé aux réceptions données par le gouverneur et par l'intendant, et d'avoir moi-même organisé des soirées. Je m'en remets également au jugement de Dieu à ce sujet. Un seul objectif a toujours guidé ma conduite: assurer la pérennité de l'Église.»

L'évêque fait quelques pas dans la chapelle, agitant quelques papiers. Je me lève pour lui poser une question, mais il me lance un regard noir qui m'oblige à me rasseoir.

«Mes préoccupations religieuses apparaissent clairement dans les ordres que j'ai donnés aux prêtres de mon diocèse, pour le cas où les Anglais envahiraient leurs paroisses. Je leur ai demandé de se montrer coopérants, de prêter serment d'allégeance au roi d'Angleterre si on le leur demandait, d'offrir leurs églises aux protestants pour leur permettre de célébrer leur culte, et de ne jamais dire ou faire quoi que ce fût qui pût porter atteinte aux intérêts des envahisseurs.

«Mon jeune ami Mennard a déclaré que j'incite ainsi mes prêtres à la trahison. Il m'a même demandé: "N'allons-nous pas défendre notre patrie?" J'ai dû lui faire comprendre que les prêtres ont pour mission de servir Dieu et non les princes de ce monde. En outre, je n'ordonne pas aux membres du clergé d'aider l'ennemi; je leur demande simplement de ne pas lui nuire afin de ne pas risquer l'extermination de notre Église. Ce n'est pas la même chose. Mais cela n'empêche pas Mennard de s'inquiéter toujours autant pour le sort de sa patrie.

«Le gouverneur général se sert de mes prêtres comme espions. Il les exhorte même à harceler les Anglais. Certains vont jusqu'à l'écouter, tel ce *curé** de la Pointe-Lévis, Charles-Marie-Madeleine d'Youville, que les Anglais ont arrêté et envoyé en aval, sur un de leurs navires de transport. Il aurait dirigé la résistance à Saint-Henri et incité ses paroissiens à nuire à l'ennemi. Est-il au service de Dieu ou du roi?»

Le curé de Charlesbourg vient interrompre Pontbriand pour lui donner un papier, vraisemblablement une missive. L'évêque la parcourt rapidement, s'agite et s'agenouille pendant que les membres de la congrégation attendent en silence. Au bout d'un instant il se relève, se tourne vers eux et leur annonce tristement: «On vient à peine de m'informer que le curé Louis Chaumont de Baie-

Saint-Paul, sur la rive nord, ne cesse de tenir M. de Vaudreuil au courant des déplacements de la flotte anglaise. Ses collègues, Pierre Chaufour de Saint-Michel de Bellechasse et Louis Saurault de Saint-Charles de Bellechasse, sont plus ou moins à la tête de la milice de leurs paroisses. L'abbé René Portneuf de Saint-Joachim, sur la côte de Beaupré, exhorte ses ouailles à résister aux Anglais. Pour couronner le tout, Jean-Basile Parent, qui est prêtre à l'Ange-Gardien, la paroisse où Wolfe a établi ses quartiers, accompagne souvent ses paroissiens dans leurs expéditions, la dernière en date ayant eu lieu le 26 juillet. Pendant que son Excellence inspectait le premier gué de la rivière Montmorency, les habitants de l'Ange-Gardien, accompagnés de M. Parent, ont tué deux soldats et en ont blessé six autres. Et ce n'est pas tout: l'abbé est aussi l'un des espions de M. de Vaudreuil. J'ai d'ailleurs sous les yeux une lettre que le brigadier Townshend a trouvée et m'a fait parvenir, dans laquelle le gouverneur général demande à M. Parent de se rendre à la Canardière le 28 juillet afin d'y recevoir de nouvelles instructions.

«Et les *séminaristes** suivent ce triste exemple. Certains se sont engagés dans la Royal-Syntaxe et d'autres, dans la milice. Le fils de Joseph Couillard des Écores, le seigneur de la Rivière-du-Sud, à peine âgé de vingt et un ans, n'est rien de moins que le capitaine de la milice de son village, alors qu'il sert dans les ordres mineurs. Blessé au cours d'une escarmouche qui a eu lieu en amont de Québec, le jeune homme a été conduit à l'Hôpital-Général, où le gouverneur général lui a fait parvenir un billet disant qu'à titre de vice-roi il espérait le voir bientôt rétabli. Dans sa réponse, Couillard a informé M. le marquis de Vaudreuil de sa décision de quitter l'hôpital: ce n'est pas le moment d'être malade, a-t-il déclaré, mais de combattre les Anglais.

«Je ne sais plus que faire. Je comprends que ce sont des Canadiens, que cette terre est leur pays. Il leur est difficile de rester neutres alors que les leurs sont attaqués, tués, blessés ou faits prisonniers. Je comprends tout cela, comme je comprends combien il leur est pénible de voir les maisons de leurs paroissiens détruites, leurs biens confisqués et leur avenir réduit en cendres. Je comprends tout cela et je sympathise avec eux, croyez-moi. Néanmoins, ce n'est pas au Canada qu'ils doivent avant tout fidélité. Ce sont des prêtres de l'Église catholique! Ils doivent servir Dieu en premier. Nous devons assurer la survie de l'Église.»

Ses yeux sont remplis de larmes. Il les essuie avec un mouchoir de dentelle et se dirige lentement vers moi. Me dominant de toute sa hauteur, il me confie: «Je prie pour eux comme je prie pour vous. Mais peut-être ferez-vous comme eux et me demanderez-vous: Que sait-il de tout cela, cet évêque venu de France?»

L'évêque demeure silencieux un instant. Puis il plonge ses yeux dans les miens et ajoute dans un souffle: «Je n'ai aucune réponse à cette question, excepté ceci: Allez en paix maintenant!»

Pontbriand me donne sa bénédiction et retourne à son *prie-Dieu**.

Le 28 juillet 1759

À l'Ange-Gardien, durant la journée

La pâle lumière de l'aube réveilla Wolfe, le tirant en même temps de sa léthargie des derniers jours. Ainsi, cet homme qui avait élaboré quatre plans pour les rejeter les uns après les autres écrivit à Monckton pour lui annoncer qu'il avait pris une décision.

Wolfe attaquerait les Français à la redoute de Johnstone, cette fortification située à Beauport, juste à l'ouest de la rivière Montmorency, sur les battures que découvrait la marée en se retirant. Ce ne serait pas un coup décisif, seulement une opération mineure ne nécessitant que quatre compagnies et un bateau — trop mineure même pour que le général en prît lui-même le commandement. Néanmoins, il ordonna à ses hommes d'emporter avec eux deux cents bêches, deux cents pelles, cinquante pioches, vingt haches, cent hachettes et, pour assurer ses arrières, mit ses grenadiers en état d'alerte.

Le navire utilisé pour cette expédition avait été équipé par James Cook, ce dernier ayant assuré à Wolfe qu'il était capable d'approcher la redoute à moins de cent pieds. L'opération, selon le général, ne prendrait guère trop de temps. Le problème consisterait plutôt à conserver la redoute une fois qu'elle serait conquise.

Au cours de cette matinée, Vaudreuil prit lui aussi une décision: il tenterait une autre fois de détruire la flotte anglaise, malgré le fiasco du 28 juin. À la tête d'une compagnie de grenadiers, Bougainville fut envoyé à l'Anse-des-Mères d'où partiraient les brûlots. Le vent était favorable, bien que la nuit ne fût pas aussi noire que le jeune officier l'avait espéré. À vingt et une heures, la flottille de brûlots descendit le Saint-Laurent, arrivant aux alentours de minuit au pied de Québec sans avoir été repérée par les navires anglais qui se trouvaient maintenant en amont de la ville.

Ces brûlots étaient très différents de ceux qui avaient été utilisés au mois de juin. Cette fois-ci, soixante embarcations — yoles, barges, goélettes et chaloupes — étaient reliées entre elles par d'énormes chaînes, formant une ligne de six cents pieds d'un bord à l'autre du Saint-Laurent. Pour empêcher que cette ligne ne dérivât, l'on avait placé à chacune de ses extrémités de petits bateaux conduits par des équipages. Les embarcations étaient remplies de toutes sortes de matériaux inflammables, de bombes, de grenades, de vieux pistolets et de canons chargés jusqu'à la gueule de mitraille.

Afin de couvrir cet engin infernal, les batteries françaises redoublèrent leurs tirs contre les lignes anglaises de la Pointe-aux-Pères, mais les canonnières chargées de les aider ne furent pas au rendez-vous. Malgré cela, les brûlots purent dériver jusqu'à l'avant-garde de la flotte anglaise. Exactement au moment où il le fallait, leurs détonateurs furent déclenchés et les flammes se propagèrent rapidement d'une embarcation à l'autre, jusqu'à ce que toute la ligne fût embrasée.

Cette fois-ci, les Anglais ne se laissèrent pas gagner par la panique. La vigie du *Stirling Castle* avait été la première à donner l'alarme. En moins de temps qu'il n'en faut pour le dire, un grand nombre de marins — les autres restèrent dans leurs hamacs — sautèrent dans leurs chaloupes et ramèrent jusqu'au brasier flottant. Avec une témérité qui étonna leurs officiers, ils tirèrent sur les chaînes, coupèrent les cordages et remorquèrent un à un les éléments du brasier jusqu'au rivage. Ils avaient pris «l'enfer en remorque»! Cet exploit accompli, chacun des marins reçut en récompense une pinte de brandy.

Vaudreuil resta imperturbable lorsqu'on lui annonça que la mission des brûlots avait encore échoué. Il se contenta de hausser les épaules et d'envoyer un message à Montcalm, qui accueillit la nouvelle avec nonchalance. Quant aux habitants de Québec et aux soldats de Beauport, ils étaient déjà trop habitués aux échecs pour prêter la moindre attention à celui-ci. Wolfe, pour sa part, était courroucé par cet acte téméraire des Français. Le lendemain, il prit des dispositions pour que fût hissé un drapeau parlementaire et envoya un message à Vaudreuil dans lequel il déclarait: «Si l'ennemi se permet d'envoyer d'autres brûlots, ils seront dirigés vers des navires de transport contenant les prisonniers français et canadiens.»

Le 29 juillet 1759

Sur la côte de Beaupré, durant la journée

Cette seconde tentative avortée pour détruire la flotte anglaise ragaillardit Wolfe et l'incita à former des projets plus audacieux. À son réveil, ce matin-là, il décida que l'opération visant à s'emparer de la redoute de Johnstone serait plus importante que prévu et qu'elle aurait lieu le lendemain, soit le 30 juillet. Saunders, qui avait déjà hissé son pavillon sur le *Centurion,* prendrait la tête de la flottille qui partirait pour cette expédition et à laquelle deux bateaux avaient été ajoutés: le *Three Sisters,* commandé par James Cook, et le *Russell.*

À dix-sept heures, la plupart des troupes de Wolfe se trouvant sur la côte de Beaupré étaient prêtes à passer à l'attaque, la brigade de Monckton attendait le signal pour se mettre en marche et les barques étaient toutes rassemblées dans des endroits stratégiques.

Wolfe avait un tel mauvais pressentiment pour cette journée du 30 juillet qu'il modifia ses dernières volontés et confia son testament, de même que son journal et le portrait miniature de sa fiancée, à son ancien camarade de classe et ami, John Jervis, capitaine du *Porcupine.* Le général anglais n'avait plus rien d'autre à faire alors qu'à attendre le lendemain.

Le 30 juillet 1759

L a journée s'annonçait chaude et calme. Il n'y avait pas un souffle de vent et Saunders affirmait que cela allait durer jusqu'au soir. Se voyant dans l'obligation de retarder l'opération, Wolfe ordonna que «les troupes se tiennent prêtes à exécuter demain les ordres donnés hier».

Le général passa la journée à réviser ses plans et à consulter ses brigadiers. Selon ce qu'il consigna par la suite dans son journal, aucun d'eux n'approuvait ses plans, mais n'avait «rien de mieux» à proposer.

Pendant que Wolfe écoutait les critiques de ses brigadiers, Montcalm arrivait à Québec avec Bougainville et d'autres officiers supérieurs afin d'inspecter les batteries. Un déserteur anglais lui avait appris que Wolfe avait l'intention d'envoyer d'autres frégates en amont de la ville pour tenter de débarquer près de Sillery.

Avant de rentrer à Beauport, Montcalm, satisfait de sa tournée d'inspection, s'arrêta à l'Hôpital-Général où la mère supérieure et les nonnes lui offrirent un morceau de gâteau et un verre de vin. Il leur promit que, lorsque les Anglais attaqueraient, son armée serait en mesure de les défaire et que Québec redeviendrait alors la ville paisible qu'elles avaient connue. Le marquis rendit ensuite visite aux malades et aux blessés couchés sur des grabats de fortune et dispersés d'un bout à l'autre du grand édifice. Il prit de l'argent dans sa bourse et le donna à la mère Saint-Claude-de-la-Croix, la priant d'offrir de sa part un verre de vin à chacun des soldats blessés.

Durant sa visite à Québec, Montcalm n'avait pas vu les deux gibets érigés à la hâte, pas plus que les deux corps qui s'y balançaient. En effet, deux soldats, l'un de vingt ans et l'autre de seize ans, avaient été arrêtés aux environs de six heures, puis jugés et condamnés à être pendus pour avoir volé un baril de whisky. Leur complice, un homme connu sous le nom de La Charlan, avait été déclaré fou et interné à vie à l'Hôpital-Général.

Pendant plusieurs jours, les corps des deux jeunes hommes continuèrent à se balancer au bout de leur corde, au-dessus du Saint-Laurent.

Le 31 juillet 1759

Sur la côte de Beaupré, à cinq heures

Aucun nuage ne pointait à l'horizon. Wolfe sentait que, dès midi, il ferait extrêmement chaud, mais déjà une forte brise venant du sud-ouest rafraîchissait l'air et poussait les vaisseaux de Saunders jusqu'à la redoute de Johnstone. Une heure plus tôt, il avait reçu un billet de l'amiral l'informant que les conditions météorologiques permettaient à la marine de participer à l'opération. Des fenêtres de la ferme lui servant de quartier général, Wolfe apercevait les nombreux navires qui déployaient leurs voiles. Il avait déjà envoyé le colonel Howe et ses troupes au premier gué, de manière à faire croire aux Français que l'attaque aurait lieu à cet endroit. Les grenadiers de Monckton étaient arrivés plus tôt sur l'île d'Orléans et des bateaux plats transportaient les autres membres de sa brigade au lieu de rencontre convenu. Le major Dalling et quelques centaines d'hommes demeureraient aux batteries de la Pointe-aux-Pères, Wolfe leur ayant demandé d'augmenter le plus possible leur puissance de tir contre la ville lorsqu'il leur en donnerait le signal.

Jugeant inutile d'attendre plus longtemps, le général anglais ordonna à ses hommes de commencer l'opération. Il se fit transporter jusqu'au *Russell*, d'où il comptait orchestrer la prise de la redoute de Johnstone. Quatre compagnies de grenadiers se trouvaient déjà à bord du *Russell* et du *Three Sisters*.

À neuf heures, Saunders demanda aux capitaines des trois vaisseaux de mettre le cap sur la redoute, située environ un quart de mille à l'ouest des chutes Montmorency. Deux heures plus tard, Wolfe connut une amère déception.

Le capitaine Cook avait commis une erreur d'estimation: ses navires touchèrent le fond beaucoup plus tôt que prévu. On découvrit en outre qu'il n'y avait pas une redoute mais deux: celle de Johnstone, la plus imposante des deux, et une plus petite dissimulée derrière la première. Toutes deux étaient cependant trop éloignées pour que les canons du *Centurion* pussent accomplir leur œuvre destructrice, nécessaire au soutien de l'attaque terrestre, et elles se trouvaient plus près des tranchées françaises que Wolfe ne l'avait espéré. Il était par conséquent impossible d'attaquer l'une ou l'autre de ces deux fortifications.

Midi venait de sonner et Wolfe était pris dans un dilemme: soit il annulait l'opération, au risque de passer encore une fois pour un indécis, ou bien il ordonnait un bombardement en règle des positions françaises. Le général décida d'aller de l'avant. Il donna le signal convenu pour que les soixante-quatre canons du *Centurion,* les vingt-huit du *Three Sisters* et du *Russell* réunis, les quarante pièces d'artillerie disposées le long de la Montmorency et les vingt-neuf canons de la Pointe-aux-Pères fissent feu tous en même temps.

Près de trois cents embarcations se trouvaient alors dans le chenal qui reliait la côte de Beauport et l'île d'Orléans, transportant la brigade de Monckton, un imposant détachement de fusiliers marins et de marins, et un grand nombre de soldats venus de l'île. Immobiles sous les rayons de soleil brûlants, les équipages attendaient les ordres de Wolfe. Plus d'un soldat souffraient déjà de coups de chaleur et il leur fallait en outre supporter le terrible vacarme des cent soixante et un canons braqués sur les positions françaises, tant à Québec que dans ses environs.

Les troupes françaises étaient en meilleure posture. Ayant appris que Howe se dirigeait vers le premier gué, Lévis y avait détaché, pour l'empêcher de traverser la rivière, cinq cents Canadiens de la brigade de Montréal et tous les Indiens qu'il avait pu réunir. Il avait également ordonné à ses propres soldats de rester à leur poste dans les tranchées et étendu sa ligne défensive jusqu'aux abords des redoutes isolées dont il pensait, à juste titre, que Wolfe voulait s'emparer. Au moment où la canonnade débuta, à midi, Lévis envoya ses instructions aux hommes chargés de garder les redoutes: ils devaient tirer jusqu'à ce que leurs munitions fussent épuisées, puis se replier dans les tranchées.

Du haut d'une colline verdoyante sise deux cents pieds au-dessus de la grève, Vaudreuil, Montcalm et Bougainville observaient depuis un bon moment les barges et les navires anglais, tentant en vain de comprendre la stratégie de Wolfe. Dès que le bombardement avait commencé, Montcalm avait donné la réplique du mieux qu'il avait pu avec ses vingt canons de petit calibre, ordonnant à tous les soldats de rester en alerte. Les régiments du Royal-Roussillon et de Guyenne avaient reçu l'ordre de se rapprocher du campement de Lévis, Montcalm lui ayant fait savoir qu'il pourrait faire appel à toutes les troupes en cas d'attaque. Trouvant qu'il en avait vu assez, Vaudreuil décida de rentrer à la Canardière, mais Montcalm et Bougainville demeurèrent sur la colline.

En dépit des milliers de projectiles qui déferlaient sur eux, les gardiens des redoutes demeurèrent à leurs postes, tirant sans relâche sur le *Russell* et sur le *Three Sisters.* Afin que le plus grand nombre possible de vies humaines fût épargné, Wolfe ordonna à presque tous les grenadiers qui se trouvaient à bord des navires de transport de débarquer sur la rive. Lui-même resta sur le *Russell,* se promenant sur le pont sans se laisser démonter par les boulets qui tombaient autour de lui. Le navire avait été touché à trois reprises et l'un des impacts avait été d'une telle force que sa baguette d'officier lui avait échappé des mains.

À quatorze heures, le général anglais était complètement exaspéré et ne savait plus que faire. Il avait réuni une force de frappe considérable, dont la moitié attendait d'un côté de la rivière Montmorency cependant que l'autre moitié voguait sur le fleuve Saint-Laurent. Tous ses hommes attendaient la bataille, endurant depuis des heures une chaleur étouffante, sans pouvoir manger ni faire leurs besoins, et à la merci du feu ennemi. Comme pour ajouter au désespoir de Wolfe, les canons des navires manquaient presque tout le temps leurs cibles. Le général constata encore une fois l'extrême incompétence de la marine: incapable de se rapprocher de sa cible, elle ne pouvait réduire au silence les canons ennemis qui décimaient les grenadiers.

Pourtant, Wolfe se trouvait dans l'impossibilité d'annuler cette opération; ses hommes ne le lui pardonneraient jamais. Ils avaient attendu patiemment pendant plus de cinq semaines avant de pouvoir faire ce à quoi ils avaient été entraînés: se battre. Si Wolfe abandonnait la partie, ils en seraient si abattus que leur rendement en serait grandement affecté par la suite. Lui-même deviendrait la risée de ses officiers, en particulier de ses brigadiers. En temps et lieu, ils pourraient même réclamer une enquête parlementaire à son sujet. Wolfe n'avait par conséquent d'autre choix que d'aller jusqu'au bout de son entreprise.

Tandis qu'il s'interrogeait sur la conduite à adopter, le général anglais remarqua des mouvements confus au milieu des troupes ennemies juchées sur les hauteurs dominant les redoutes. Sautant sur l'occasion, il envoya l'un de ses aides de camp ordonner à Monckton, qui se trouvait sur le chenal reliant Beauport à l'île d'Orléans, de «se préparer à l'action» et à Townshend et à Murray de franchir la rivière Montmorency comme il en avait été question le 29 juillet. Le moment était venu d'affronter les Français.

Cependant, Wolfe s'était trompé: les mouvements aperçus plus tôt n'étaient pas dus à la confusion. C'étaient en réalité les déplacements de Montcalm, qui, accompagné de son escorte, se rendait au camp de Lévis pour y faire l'inspection des tranchées. Partout on les accueillit avec enthousiasme. Échangeant leurs impressions, les deux amis en vinrent à la conclusion que Wolfe comptait attaquer le flanc gauche de leur ligne défensive. Par conséquent, Montcalm y envoya des renforts. Lorsque les Français virent Howe retourner à son camp principal, ils envoyèrent le chevalier de Johnstone, aide de camp de Lévis, quérir la majorité des Canadiens et des Indiens occupés à surveiller le gué. On les posta alors entre les redoutes menacées et les tranchées qui se trouvaient sur les hauteurs.

Une fois que Montcalm l'eut quitté, Lévis refit le tour des tranchées, où il constata que les soldats souffraient terriblement de la chaleur oppressante et du vacarme causé par les canons. Il refusa toutefois de se mettre à l'abri comme ne cessaient de le lui conseiller les officiers. Sous le feu de l'ennemi, le chevalier était capable de garder son calme et de demeurer maître de lui-même. Il savait qu'il devait montrer l'exemple pour encourager ses troupes. Observant les barges qui dansaient sur l'eau près du rivage, Lévis pensa que Wolfe allait devoir agir: la marée avait commencé à monter et à recouvrir les battures.

Attendant depuis sept heures du matin de passer à l'action, Townshend et Murray accueillirent avec joie l'ordre de traverser enfin la rivière Montmorency. Lorsque Howe arriva du gué, lui et ses hommes se joignirent à la brigade de Townshend. Les soldats aperçurent au loin les bateaux de Monckton qui se rapprochaient de la côte.

Au commandement de Townshend, les troupes se mirent en marche vers la rivière. Elles l'avaient presque atteinte quand l'un des aides de Wolfe arriva au galop, leur intimant l'ordre de s'arrêter. Un événement imprévu s'était produit: les barges de Monckton s'étaient échouées sur une barrière invisible avant même d'atteindre le rivage. Les marins s'étaient vite rendu compte qu'un haut-fond rocailleux leur barrait la route sur une distance considérable, les empêchant d'accéder à la rive.

Monckton envoya un officier informer Wolfe de ce contretemps et donna l'ordre de remorquer les embarcations échouées vers le chenal, où elles seraient de nouveau en sécurité. Témoins de la scène, les soldats français rirent aux éclats et se mirent à tirer des boulets, provoquant ainsi des dommages considérables.

Il était environ quinze heures et demie lorsque l'amiral Saunders, sur le *Centurion*, et le général Wolfe, sur le *Russell*, apprirent la nouvelle. Les deux bateaux se trouvant à quelque cinq cents pieds l'un de l'autre, Saunders envoya à Wolfe un message lui suggérant de se rendre sur les lieux afin d'y chercher un endroit propice pour débarquer. Bientôt, Wolfe et le capitaine James Chads s'approchèrent du rivage à bord d'une barge.

Pendant environ une heure, ils cherchèrent une ouverture dans le récif tout en essayant d'éviter le tir ennemi. Un passage étroit fut enfin trouvé et un signal, aussitôt envoyé à Monckton, l'enjoignant de faire une nouvelle tentative de débarquement.

Les embarcations réussirent cette fois à accoster et une tête de pont fut établie sur la rive ouest de la rivière Montmorency. Les troupes reçurent l'ordre de débarquer sur le rivage et d'y attendre les hommes de Townshend. Wolfe demeura un long moment sur le chenal en compagnie du capitaine Chads, observant le déroulement de la manœuvre sous le tir nourri de l'ennemi. Deux barges qui se trouvaient près de leur embarcation avaient déjà sombré, entraînant la mort de plusieurs hommes.

Ne pouvant plus supporter de se sentir à l'étroit, plusieurs soldats sautaient à l'eau avant même que leurs bateaux n'eussent atteint la rive et pataugeaient jusqu'à la grève. Les grenadiers de Louisbourg ouvraient la marche, suivis du Royal-Américain et des autres régiments. Les derniers hommes couraient encore vers le rivage lorsqu'un officier de la marine envoyé par Saunders vint informer Wolfe que les Français avaient abandonné les redoutes et s'étaient réfugiés dans les tranchées. Il était dix-sept heures et demie.

Une fois à terre, les grenadiers de Louisbourg ruèrent comme des étalons sortant de leur étable, oublieux des ordres de former les rangs et de ne pas faire de bruit. Afin de les calmer, le sergent Ned Botwood entonna l'une de ses compositions, que la plupart des soldats connaissaient par cœur, et dont ils reprirent le refrain avec ardeur: «*So at you, ye bitches, here's give you Hot Stuff*[1].»

---

1. Cet édifiant refrain pourrait se rendre par: «Attention à vous, salopes, vous allez avoir droit au grand jeu.» *(N.D.T.)*

Malheureusement, cette chanson n'eut pas l'effet apaisant escompté: les grenadiers devinrent encore plus survoltés et indisciplinés, à tel point que, soudainement, une folie furieuse sembla s'emparer d'eux. Ils donnèrent l'assaut à la première redoute et, la trouvant abandonnée, foncèrent en direction des tranchées, en haut de la colline. Ils approchaient du sommet lorsque les Français se mirent à leur tirer dessus à qui mieux mieux. Fauchés les uns après les autres, les grenadiers, blessés ou morts, roulaient le long de la pente abrupte maintenant couverte de tuniques rouges. Botwood et les officiers tentèrent vaillamment, mais en vain, de remettre un peu d'ordre dans leurs rangs. C'est à ce moment-là que la pluie, qui menaçait depuis le matin, se mit à tomber à verse, plongeant toute la région dans la pénombre. Les coups de tonnerre et les éclairs firent bientôt concurrence aux coups de canons. Le champ de bataille tout entier se transforma en mer de boue. Les grenadiers qui avaient échappé au massacre commençaient à reculer, perdant l'équilibre et trébuchant sur leurs camarades morts ou blessés. Ceux qui réussirent à s'échapper se réfugièrent tant bien que mal derrière les redoutes, où leurs officiers tentèrent de reformer les rangs. Le sergent Botwood manquait toutefois à l'appel: une balle de mousquet lui avait fracassé le crâne.

Wolfe se tenait debout sur le rivage, incapable de bouger tant il était en colère de voir son entreprise ainsi anéantie par la folie des hommes et la fureur des éléments. Il ne se donna même pas la peine d'ordonner le retour des deux régiments du Royal-Américain, qui, selon toute apparence, n'avaient pas plus de plomb dans la cervelle que les grenadiers de Louisbourg. Il ne fit rien non plus pour que la brigade de Monckton entrât dans la bataille. Le général anglais se contenta de demeurer là, impassible en apparence, bouillant de rage en lui-même.

Cependant, lorsque Townshend et Murray entreprirent d'attaquer la deuxième redoute, Wolfe les arrêta. Bientôt la marée montante les empêcherait de se réfugier sur la côte de Beaupré. Aussi le général sonna-t-il la retraite. Monckton reçut l'ordre de regagner la Pointe-Lévis, Saunders fit brûler les deux navires de transport échoués sur la grève, abandonnant ainsi vingt-huit canons à Montcalm qui pourrait bien en faire ce qui lui plairait. De son côté, Wolfe supervisa le retrait de ses troupes.

Sur le champ de bataille, gisait le capitaine David Ochterloney du Royal-Américain, blessé par une balle qui lui avait perforé les poumons. À ses côtés se trouvait son ami et compagnon de combat, l'enseigne Peyton, dont la jambe gauche était fracturée. Malgré la pluie battante et les gémissements des autres blessés, ils restaient allongés, discutant tranquillement. Lorsque la retraite fut sonnée, des soldats vinrent les chercher, mais Ochterloney refusa d'être transporté et Peyton ne voulait pas abandonner son ami.

Environ une heure plus tard, des Canadiens et des Indiens envahirent le champ de bataille, pillant et scalpant les blessés et les morts. Ils s'en prirent à Ochterloney et à Peyton, sans écouter le capitaine qui criait en français que son ami et lui désiraient se rendre. Ochterloney fut dépouillé de son argent et de tout ce qui se trouvait dans ses poches, puis un Indien lui assena un coup de couteau dans l'aine. Un de ses compagnons s'apprêtait à achever le capitaine lorsqu'un coup de feu se fit entendre, abattant l'Indien.

Peyton, ayant aperçu un double mousquet qui traînait par terre, avait réussi à ramper subrepticement jusqu'à lui pour s'en emparer. Il était sur le point de tirer de nouveau lorsque le deuxième Indien lui sauta dessus et le blessa à l'épaule. Les deux hommes se battirent férocement, mais Peyton eut le dessus et bientôt l'Indien gisait mort par-dessus lui. Exténué, il roula sur lui-même et parvint à aller se réfugier derrière un rocher, convaincu qu'Ochterloney était mort. Alors qu'il était sur le point de perdre connaissance, Peyton vit arriver un groupe de Highlanders. Ceux-ci lui donnèrent une rasade de rhum et l'un d'eux le propulsa sur son épaule pour l'emmener en lieu sûr. Une demi-heure plus tard, un officier français chargé d'inspecter le champ de bataille aperçut Ochterloney. Voyant que le capitaine était encore vivant, il fit venir une charrette et veilla à ce qu'il fût transporté à l'Hôpital-Général.

Au grand étonnement de Wolfe, le retrait de ses troupes se déroula «en bon ordre», aidé en cela par les Français qui avaient cessé de tirer sur ses soldats. Les Highlanders refusaient toutefois de traverser la rivière Montmorency tant que tous les hommes de leur régiment — le 78e — ne seraient pas réunis au grand complet. Exaspérés, le général et ses brigadiers essayèrent de leur faire changer d'avis à grand renfort de menaces et de jurons, mais les Écossais restèrent sur leur position. Avec beaucoup de patience et de dignité, ils expliquèrent qu'ils ne pouvaient, ni ne voulaient abandonner les membres de leur clan. Ils acceptèrent de suivre Wolfe quand tous les leurs «furent rembarqués». La marée était si haute que leur régiment eut beaucoup de difficulté à se rendre sur l'autre rive.

Peu après dix-neuf heures, Wolfe était de retour dans son quartier général de l'Ange-Gardien. Avant de s'accorder un peu de repos, il rendit visite aux blessés et prit son repas en compagnie des officiers. Montcalm, lui, se contenta de demeurer dans ses tranchées.

*

C'est ainsi que s'est déroulée la bataille de Montmorency, le premier combat important de la «Grande Entreprise». Du côté anglais, il y eut quatre cent quarante-trois morts, blessés ou disparus, parmi lesquels se trouvaient un colonel, deux capitaines, vingt et un lieutenants et trois enseignes. Dans le camp français, seulement soixante hommes avaient été tués ou blessés.

Lévis était assez content de lui. Il était resté debout pendant plus de douze heures, la plupart du temps sous le tir nourri de l'ennemi. En outre, le chevalier était satisfait des efforts fournis par les Canadiens pour affronter l'attaque anglaise. Dans son compte rendu du combat, il loua leur courage et leur bonne volonté.

Pendant toute la journée, Vaudreuil s'était senti tenu à l'écart. Montcalm ne l'avait pas consulté une seule fois et n'avait rien fait non plus pour lui laisser croire que son avis eût pu lui être utile. Une fois que tout fut terminé, le gouverneur général félicita Lévis qui, grâce à une planification efficace, avait permis cet «heureux événement» qu'avait été la retraite des Anglais. «Ménagez-vous, je vous prie, nous en avons besoin», lui dit-il.

Vaudreuil écrivit à Bourlamaque pour lui faire part de l'espoir qui l'habitait à présent. Le vieil homme n'avait en effet plus aucun doute quant aux chances de sauver Québec.

Montcalm se montra plus prudent. Il écrivit également à Bourlamaque: «Vous voyez, monsieur, que notre affaire n'est qu'un petit prélude d'une plus considérable sans doute à laquelle nous nous attendons.»

Il ne fait aucun doute que ce fut une bonne journée pour les Français et les Canadiens, mais je ne puis m'empêcher de me demander pourquoi Montcalm s'abstint de poursuivre les Anglais. Pourquoi leur permit-il d'aller se réfugier de l'autre côté de la rivière Montmorency? Lorsque je pose la question à Bougainville, il me répond: «Nous manquions de munitions et la pluie avait mouillé la poudre.

— Il y avait certainement une autre raison?» lui dis-je.

Il me lance un regard éloquent, signifiant qu'il désire ne pas être importuné davantage à ce sujet, mais, au bout de quelques instants, il ajoute: «Le marquis de Montcalm était dans ses tranchées et entendait y rester. Le général anglais n'allait sûrement pas réussir à l'en faire sortir par la ruse.

— Mais votre général aurait pu anéantir l'armée anglaise!

— En partie seulement. Nous n'avions aucune idée du nombre de soldats qui étaient sur l'île d'Orléans ou à la Pointe-Lévis, sans oublier la flotte. Il fut donc décidé que nous resterions sur nos positions et que nous attendrions une autre journée.

— Vous ne m'avez pas convaincu.

— Je n'ai pas l'intention de le faire», me répond Bougainville en souriant. «Vous n'y étiez pas.» Et il me quitte.

Wolfe devait être complètement désespéré. Après avoir hésité pendant des semaines, il avait fini par prendre une décision qui n'avait eu d'autres résultats qu'une cuisante défaite. Il devait en assumer l'entière responsabilité, même s'il n'était pour rien dans la plupart des erreurs qui avaient été commises. Le général pouvait toutefois se reprocher d'avoir trop exigé de ses hommes en leur demandant de monter dans trop d'embarcations en même temps. Il affirmerait plus tard combien «il est malheureux qu'un homme ne se rende compte de ses erreurs que lorsqu'il est trop tard pour y remédier», ajoutant qu'il avait entrepris cette opération sur la Montmorency dans le but d'exécuter les ordres du roi, persuadé «qu'une armée victorieuse ne rencontre aucune difficulté».

Wolfe reprocha aux grenadiers d'avoir supposé qu'ils pourraient, à eux seuls, vaincre l'armée française. Cependant, comme il ne voulait pas les démoraliser, il contint sa colère et les réprimanda le plus doucement possible. Selon lui, la défaite anglaise survenue le 31 juillet à Montmorency était «insignifiante» et pourrait être «aisément réparée dès qu'une occasion favorable» se présenterait.

De toute évidence, cette occasion n'était pas encore arrivée.

Du 2 au 8 août 1759

Au cours de la semaine qui suivit la bataille de Montmorency, les deux camps ne firent pas grand-chose, au grand désespoir de tous ceux qui attendaient impatiemment de passer à l'action.

Le 2 août, les Anglais réclamèrent une trêve de quatre heures, le temps de faire parvenir à Ochterloney ses effets personnels et une lettre que Wolfe lui avait écrite. Le capitaine avait demandé que l'on fît venir son serviteur, mais Vaudreuil lui avait refusé cette faveur. Dans une courte missive, Wolfe promit aux sœurs de l'Hôpital-Général de les protéger, elles et leur hôpital, s'il sortait vainqueur de cette guerre.

Les soldats et les marins de Québec profitèrent de cette trêve pour nettoyer les rues et pour réparer leurs batteries. Les habitants de la ville récupérèrent ce qu'ils purent de leurs biens. La trêve se termina à dix-huit heures et les bombardements reprirent de plus belle. Quatre jours plus tard, ils se poursuivaient toujours.

Entre-temps, Vaudreuil accueillit une importante délégation d'Indiens venus lui offrir un collier comme rançon pour un Canadien qui avait été accusé de vol et qui devait être exécuté ce jour-là.

Le 8 août, Murray était trempé et il avait froid. Heureusement pour lui, il avait emporté son chapeau. Wolfe l'avait envoyé avec mille deux cents hommes en amont du fleuve. Le brigadier avait pour mission d'incendier les quatre ou cinq frégates dont disposaient apparemment les Français à Trois-Rivières, de détruire un dépôt de munitions qui, d'après la rumeur, se trouvait à Deschambault, à moins de trente milles à l'ouest de Québec, ainsi que d'entrer en contact avec Amherst, lequel ne donnait pas signe de vie.

Murray dressa deux plans: soit il ferait débarquer ses troupes à Saint-Michel et marcherait jusqu'à Deschambault, ou bien il s'y rendrait directement par le fleuve. Cependant, ni l'un ni l'autre de ces deux plans ne purent être exécutés. D'une part, il aurait été suicidaire, compte tenu de l'importance des troupes françaises cantonnées à cet endroit, de débarquer à Saint-Michel; d'autre part, le vent qui aurait pu pousser les navires de Murray jusqu'à Deschambault ne fut pas au rendez-vous. Disposant d'un grand nombre d'hommes prêts à se battre, le brigadier décida, plutôt que de les laisser inactifs, de leur faire attaquer la Pointe-aux-Trembles, là où Carlton avaient trouvé les jeunes filles venues manger avec eux un soir de juillet. Les Français y ayant dressé de puissantes batteries, Murray jugea qu'il était de son devoir de les anéantir avant qu'elles n'endommagent les vaisseaux anglais ancrés en amont de Québec. Il pleuvait à verse et le brigadier était ravi d'avoir son chapeau sur la tête.

Sitôt arrivé en face de la Pointe-aux-Trembles, Murray inspecta la rive une dernière fois, puis il agita son chapeau. À ce signal, une première embarcation s'avança, bientôt suivie de plusieurs autres, toutes contournant un haut-fond semblable à celui qui avait contrecarré les projets de Wolfe le 31 juillet. Murray perdit un temps précieux à chercher une ouverture. Dès qu'il en eut trouvé une, il envoya des éclaireurs jusqu'au rivage. Les Français les accueillirent aussitôt par une pluie de projectiles. Au lieu de prendre la colline d'assaut et de se diriger vers l'église comme Murray le leur avait ordonné, les soldats se mirent à couvert, au grand dam de leur commandant. Toujours coiffé de son chapeau, celui-ci rama jusqu'à la rive afin de prendre lui-même en charge les opérations.

Seize minutes à peine s'étaient écoulées depuis que Murray avait lancé l'offensive destinée à protéger les vaisseaux anglais, qu'il agitait de nouveau son chapeau, cette fois pour sonner la retraite. La marée montait et le tir des canons français était implacable. Les éclaireurs regagnèrent la rive à toutes jambes et sautèrent dans leurs embarcations qui dérivaient. Trois pieds d'eau avaient suffi à vaincre Murray.

Lorsque ses troupes furent hors de portée des canons français, Murray renvoya les blessés au *Sutherland* et laissa les eaux du fleuve emporter les morts. Toujours à bonne distance du rivage, il distribua les munitions épargnées par la pluie. Puis, s'abritant du mieux qu'ils purent, le brigadier et ses hommes attendirent la marée haute.

À quatorze heures, les eaux ayant atteint leur point culminant, Murray agita encore une fois son chapeau et la flottille se dirigea de nouveau vers le rivage. On n'entendait que le bruit étouffé des rames et des chaloupes glissant sur l'eau; pas un seul Français n'était en vue.

Dès que le premier bateau racla le fond, les soldats sautèrent dans l'eau et marchèrent jusqu'au rivage, bientôt rejoints par Murray et leurs compagnons. Cette fois, aucun coup de canon ne les accueillit.

Un sourire illumina le visage de Murray, mais sa joie fut de courte durée. Un cri perçant retentit soudain et des centaines d'hommes — des Français, des Canadiens et des Indiens — sortirent en trombe de l'église, du moulin à vent et des édifices adjacents, des bois; il en arrivait de tous les côtés. Sur les hauteurs, chevauchant une superbe monture, un élégant officier français leva son épée pour donner le signal et aussitôt les mousquets se mirent à cracher leurs balles.

Les marins anglais qui n'avaient pas encore lâché leurs rames furent fauchés et leurs barges partirent à la dérive au milieu des morts et des blessés. Sur la grève, les soldats détalèrent vers le fleuve, espérant récupérer leurs embarcations. Dès qu'ils arrivaient à en rattraper une, ils se hissaient dedans et se mettaient à ramer de toute leur force afin de s'éloigner au plus vite des mousquets ennemis. Un soldat anglais prit néanmoins le temps de viser soigneusement le magnifique cheval de l'officier français et l'abattit. Ce fut pour Murray la seule consolation de la journée.

*

Le souvenir de cette bataille fait sourire Bougainville.

«Pas mal pour un premier commandement indépendant!» dit-il en riant.

Je n'ai même pas le temps de lui répondre qu'il se met à me raconter, avec force détails, le jour le plus glorieux de sa carrière, un épisode qu'il n'oubliera jamais, m'assure-t-il.

«Comment vous êtes-vous rendu à la Pointe-aux-Trembles?»

Bougainville se remet à rire.

«À cheval.» Puis il redevient sérieux. «Monsieur le marquis de Montcalm était inquiet parce qu'un grand nombre de navires anglais avaient réussi à dépasser Québec. Il se faisait du souci pour les approvisionnements amenés à Batiscan, quelque cinquante milles en amont de Québec. Aussi m'y envoya-t-il avec mille hommes afin d'empêcher les Anglais de débarquer. J'ai fait appel à environ six cents d'entre eux, les meilleurs de notre armée: d'excellents grenadiers, de bons cavaliers, d'admirables tirailleurs canadiens et des Indiens fiables. Votre ami Mascou était là lui aussi en compagnie du jeune Mennard.

— Et Lefebvre?

— Il n'avait pas voulu abandonner sa mère. Mais je puis vous assurer que ce jour-là j'ai goûté pour la première fois aux douceurs de la *gloire**. Ce fut une journée magnifique!»

*

Aussitôt qu'il fut en sécurité à bord du *Sutherland,* Murray fit le bilan de la bataille: cent quarante soldats et trente marins avaient été tués, blessés ou portés disparus. Lui et l'amiral Holmes s'entretinrent longuement afin de déterminer comment ils continueraient leur mission. Ils décidèrent de ne pas exécuter l'ordre que leur avait donné Wolfe de détruire les frégates françaises se trouvant à Trois-Rivières, car, comme Murray l'écrivit plus tard au général, «nous voulons nous rendre encore plus en amont». Les soldats seraient transportés par bateaux jusqu'à Deschambault au cours de la nuit précédant l'attaque, et la marine les y rejoindrait le lendemain, prenant ainsi les Français par surprise — du moins l'espéraient-ils. Toutefois, pour pouvoir débarquer à Deschambault, il fallait que Holmes fît faire des sondages supplémentaires et que la marée fût haute. D'ici là, les soldats descendraient à Saint-Antoine, sur la rive sud, presque directement en face de l'endroit où mouillait le *Sutherland*. Si les Canadiens du village essayaient de résister, leurs maisons seraient réduites en cendres.

Dans le compte rendu qu'il fit parvenir à Wolfe, Murray se vanta: «Je les ai attaqués [les Français] à trois reprises avec des succès divers. Ils peuvent chanter le *Te Deum* pour le moment, mais ils entonneront un air de mon cru dans quelques jours.» Cet homme avait une étonnante capacité de se leurrer lui-même.

Le père Récher, pour sa part, ne se faisait pas la moindre illusion. Il ne cessait de travailler, faisant toujours en sorte de se trouver là où l'on avait besoin de lui. Pendant que Murray et Bougainville s'amusaient à la Pointe-aux-Trembles, il s'était rendu à l'Hôpital-Général pour rencontrer l'évêque, qui y faisait sa ronde quotidienne. Récher lui trouva l'air vieilli et frêle; ses orbites étaient plus creuses et ses cernes, plus noirs que jamais. Pontbriand était au chevet d'Ochterloney dont l'état de santé, en dépit des soins constants des religieuses, ne semblait guère s'améliorer. Un jour ou deux plus tôt, Wolfe avait envoyé à l'officier qui avait sauvé la vie au capitaine une récompense en argent que Vaudreuil lui avait aussitôt rendue en déclarant que le jeune homme n'avait fait que son devoir. Les deux ecclésiastiques discutèrent de la dispense et d'autres sujets d'ordre religieux, puis le père Récher revint à Québec pour s'occuper des pauvres et des malades.

*

Arrivé de France au cours de l'été 1747, Jean-Félix Récher avait été ordonné prêtre deux ans plus tard, soit à l'âge de vingt-cinq ans à peine. Durant la majeure partie de son ministère, il avait dû se battre avec les diverses autorités religieuses pour défendre ses pouvoirs et ses prérogatives. D'origine normande, Récher ne lâchait pas facilement prise, et le problème de juridiction ne fut réglé qu'après sa mort, survenue en 1768.

Récher ne joua qu'un rôle mineur dans les événements rapportés ici, mais ce rôle m'apparaît inestimable. Il a en effet laissé un journal dans lequel il raconte en détail les incidents survenus en 1759 et en 1760. Le prêtre ne semblait pas vraiment s'intéresser à la guerre elle-même, se contentant de répéter à ce sujet ce qu'il avait entendu dire. Il racontait surtout les misères que devait endurer le peuple. Aussi son journal a-t-il une grande valeur car il est le seul document, à ma connaissance, à en faire mention. C'est la raison pour laquelle je considère le père Récher comme un personnage important.

*

Même s'il revint à Québec après le couvre-feu, le père Récher n'eut aucune difficulté à rentrer dans la ville, la porte du Palais ayant été laissée ouverte. Peu de temps après, quatre ou cinq soldats franchirent à cheval la même porte. D'autres soldats les accompagnaient à pied, bientôt suivis d'une centaine de femmes, d'enfants et de vieillards. Tous étaient en haillons et avaient du mal à rester debout. Leurs corps étaient couverts de plaies et de piqûres de mouche. Les souffrances, les misères et la fatigue qu'ils avaient endurées se lisaient dans leurs yeux horrifiés.

Les navires anglais ancrés en amont de Québec l'empêchant de faire venir ses provisions par le fleuve, Cadet avait obligé ces gens qui mouraient déjà de faim à faire cinquante milles à pied pour aller les chercher dans son entrepôt de Batiscan, où il leur avait remis deux cent soixante et onze charrettes, mais ni bœuf ni cheval pour les ramener. Par conséquent, les pauvres gens avaient dû tirer les charrettes à la main jusqu'à Québec, sur des chemins à peine praticables ou tout juste assez larges pour deux personnes. Ils avaient été forcés de marcher jour et nuit, sans rien manger d'autre que leur seule maigre ration habituelle, et, lorsque l'un d'eux tombait d'épuisement, les soldats le rouaient de coups.

Malgré tout, ils ramenèrent à Québec sept cents barils de porc et de farine.

*

Au cours de l'une de mes excursions dans le passé, je rencontre le père Baudouin sur l'esplanade. Il vient d'assister à l'arrivée de ce triste cortège et ses yeux sont remplis de larmes. Les bombardements font un tel vacarme que nous parvenons à peine à nous entendre.

«Une jeune fille est morte. Je crois qu'elle a été violée. Un vieillard est décédé en chemin et un jeune garçon a été écrasé par une charrette. Monsieur LaPierre, il n'y a aucune délivrance en vue.

— Avez-vous l'impression que Montcalm se montre trop prudent?

— Il ne semble pas disposé à bouger; il se contente d'attendre le jour où une glorieuse bataille viendra mettre fin à notre cauchemar...

— Ou le jour où les Anglais décideront de rentrer chez eux?» Je l'interromps comme je le fais souvent lorsque j'interviewe les gens, mais cette fois-ci en criant pour couvrir le bruit des bombes.

«Peut-être, mais il devrait les inciter à le faire rapidement. Il reçoit d'ailleurs suffisamment de conseils à ce sujet. Je suppose cependant que la plupart ne lui sont d'aucune utilité.»

Ses problèmes respiratoires l'obligeant à arrêter de parler pour reprendre son souffle, je saisis l'occasion pour intervenir. Je lui fais part de rumeurs voulant que certaines personnes, dans l'entourage de Montcalm, lui suggèrent d'abandonner Québec et de se replier sur Montréal, où Amherst finira bien par arriver avant la fin du siècle.

«Les récoltes à l'ouest de Québec étant bonnes, dis-je, il aurait amplement de quoi se nourrir.»

Baudouin me sermonne en souriant:

«Vous devriez être plus charitable. Le général Amherst est comme l'empereur Jules César: il agit lentement. Je ne savais rien cependant de cette éventuelle retraite vers Montréal. J'imagine que vos informateurs vous ont également fait savoir que, même si c'était la meilleure solution, elle ne serait pas appliquée. Le marquis de Vaudreuil s'y opposerait. C'est toujours Son Excellence qui reçoit le blâme pour les tergiversations de Montcalm.»

Le prêtre se tait de nouveau afin de retrouver son souffle, puis ajoute:

«Une délégation d'Indiens postés au premier gué de la Montmorency et une autre de miliciens de Montréal sont allées trouver Montcalm hier ou aujourd'hui. Tous lui ont suggéré de passer par le premier gué et d'attaquer les Anglais *dans les bois**, près du campement de Beaupré. Le saviez-vous?

— Non.

— Il ne s'est même pas donné la peine de répondre, sinon pour dire: "Laissons les Anglais agir les premiers."

— C'est ce qu'il répète *ad nauseam*», lui dis-je en lui adressant un sourire malicieux. Pendant une minute ou deux, nous demeurons silencieux pour écouter les bombes qui attaquent comme des moustiques.

«J'imagine que les Indiens et les Canadiens s'impatientent?

— Effectivement, réplique le prêtre. Les Indiens n'ont pas l'habitude des longs sièges et les Canadiens désirent tout simplement retourner dans leurs foyers. Ils seraient apparemment deux mille à l'avoir déjà fait. Pour tenter d'enrayer cette hémorragie, Montcalm a menacé de remettre les déserteurs aux mains des Indiens. Mais les miliciens ne sont pas effrayés pour autant. Il en a fait fouetter plusieurs presque à mort, mais cela n'empêche pas les autres de partir.

— Bougainville les qualifie de traîtres et de déserteurs. Qu'en pensez-vous?

— Sauf le respect que je lui dois, qu'est-ce qu'il en sait, *monsieur le colonel de Bougainville**?»

Ses yeux se remplissent de nouveau de larmes. «Je vois des jeunes gens comme Lefebvre, à peine sortis de l'enfance, et des vieillards à peine capables de soulever une hache ou une pelle qui font pourtant tout ce qu'ils peuvent. Je vois des enfants apeurés et des femmes désespérées, qui sont isolés dans leurs fermes et qui souvent se trouvent sur la ligne de tir de l'ennemi. Malgré tout, eux aussi harcèlent les Anglais. Je suis témoin de tout cela et j'enrage de voir que les Français ne comprennent pas vraiment ce qui se passe ici. L'hiver arrive et, de toute évidence, la France ne pourra nous apporter aucune aide supplémentaire. C'est le moment de faire les moissons. Si ces gens veulent rentrer chez eux, ce n'est ni par traîtrise ni par couardise, mais simplement pour assurer leur survie. Ils ont mis toute leur énergie dans cette campagne et pour l'instant ils n'ont à peu près rien reçu en retour.»

Le père Baudouin essuie ses larmes et aspire une grande bouffée d'air avant de poursuivre, le sourire aux lèvres: «Un certain Houle de Saint-Antoine a envoyé une batterie flottante en aval dans l'espoir de détruire la flotte anglaise. Son brûlot s'élevait sur quatre étages et deux de ces étages étaient remplis de grenades tandis que les deux autres contenaient des barils de canons. Un mécanisme devait mettre le feu au bateau, mais il n'a pas fonctionné. Toutes les tentatives pour incendier les navires ennemis ont échoué. Figurez-vous, monsieur LaPierre, que je commence à me demander si Dieu ne protège pas la flotte anglaise.»

Nous rions tous les deux. Baudouin se lève alors et contemple la ville et les bombes qui la pilonnent. Il ajoute avant de me quitter: «Nous sommes abandonnés à notre sort. Quand les Français en auront assez de se battre pour la *gloire**, ils s'en retourneront chez eux. Mais, nous, nous serons encore ici... et il ne nous restera plus rien.»

Le 9 août 1759

Depuis que les Anglais avaient commencé à bombarder la ville, à la mi-juillet, ils n'avaient guère laissé de répit aux habitants de Québec. Près de neuf mille bombes et de dix mille boulets étaient en effet tombés sur la capitale. Panet, qui, en tant que notaire, s'y connaissait en la matière, estimait les pertes à plus de dix millions de *livres**.

Le 8 août, vers l'heure du souper, les bombardements avaient redoublé d'ardeur, et depuis il n'y avait eu aucune interruption. Vers deux heures le lendemain matin, toute la basse ville était en feu. Un vent soufflant du nord-est avait attisé les flammes, qui s'étaient rapidement propagées jusque dans la haute ville, la transformant en un immense brasier. Plus de cent soixante maisons étaient en feu. Comme si cela n'eût pas été suffisant, vingt tonneaux de brandy explosèrent et vinrent alimenter l'incendie. Même le symbole de l'espérance des Canadiens, l'église Notre-Dame-des-Victoires, était la proie des flammes.

À part de participer aux épuisantes et interminables corvées des seaux, il n'y avait rien d'autre à faire que d'espérer que les Anglais finissent par arriver au bout de leurs munitions, que le vent tombât, que l'incendie s'éteignît de lui-même faute de combustible, ou que la colère divine s'apaisât.

Cependant, au milieu de l'après-midi, rien de tout cela ne s'était encore produit et la capitale n'était plus qu'un amas de fumée noire. Un épais nuage, que l'on pouvait voir depuis Beauport, emplissait le ciel et brûlait les yeux de tous ceux qui avaient le malheur de se trouver là. La ville était devenue une véritable fournaise. Les unes après les autres, les rues étaient avalées par le feu, qui les laissait désertes et couvertes de décombres fumants. Les murs des élégantes résidences d'autrefois se dressaient, semblables à des fantômes. À peine trente maisons étaient restées debout, pour la plupart inhabitables. Tout en cherchant des victimes parmi les ruines, Baudouin trouva un crucifix, qu'il emporta comme un talisman au Séminaire.

De l'église que Mme Lefebvre avait tant aimée, il ne restait plus qu'une carcasse vide et fumante. Tant que Notre-Dame-des-Victoires avait été épargnée, elle avait gardé espoir. Mais à présent tout était fini. Toute tremblante dans les bras de son fils, Mme Lefebvre était brusquement devenue une vieille dame fragile. Tout à coup, elle s'arracha à l'étreinte de Jean-François-Xavier et se mit à marcher au milieu des décombres. Tout en essuyant ses propres larmes, son fils la suivit. Il la vit s'agenouiller devant les ruines de l'autel et prendre délicatement dans ses mains la tête calcinée de la statue de la Vierge Marie. Ses yeux demeurèrent un long moment rivés sur le visage de plâtre, puis Mme Lefevre commença à en essuyer la suie. Jean-François-Xavier continua à la regarder pendant une minute ou deux avant de se pencher pour l'aider.

Pendant que Québec brûlait, le capitaine Joseph Goreham et ses Rangers se trouvaient à l'intérieur des terres. Exécutant les ordres de Wolfe, ils mettaient le feu aux maisons, aux granges et à tous les autres bâtiments se trouvant sur leur passage. Seules les églises étaient épargnées, à moins qu'elles ne fussent utilisées à des fins militaires. Goreham s'attaqua tout d'abord à la Baie-Saint-Paul, petit village situé sur la rive nord, environ cinquante milles à l'est de Québec, dont les habitants, pour la plupart des femmes, des enfants et des vieillards, avaient eu l'audace de tirer sur les bateaux anglais. À peine Goreham eut-il posé un pied sur la rive pour venir les punir qu'ils eurent encore la témérité d'ouvrir le feu sur ses hommes, tuant un Ranger et en blessant huit autres avant de se réfugier dans les bois environnants.

Incapable de faire des prisonniers, Goreham dut se contenter de vingt vaches noires, de quarante agneaux et cochons, d'un grand nombre de volailles et d'une quantité impressionnante de nourriture, de livres, de vêtements et d'articles de maison. Dans le presbytère, il trouva des lettres fort compromettantes que Vaudreuil avait écrites à Louis Chaumont, curé de la paroisse et ardent patriote.

Son butin rassemblé, Goreham ordonna à ses hommes d'incendier toutes les maisons, excepté l'église, sur la porte de laquelle il afficha la proclamation que Wolfe avait rédigée à la fin du mois de juillet. Ne laissant derrière eux qu'un épais nuage de fumée et un enchevêtrement de flammes, les Rangers se dirigèrent vers La Malbaie, qu'ils détruisirent entièrement. Puis ils traversèrent le fleuve jusqu'à Sainte-Anne-de-la-Pocatière, où cinquante fermes furent bientôt la proie des flammes.

La terreur ne faisait que commencer. Pendant ce temps, Murray arrivait à Saint-Antoine, tout près de la rivière Etchemin. À peine ses troupes eurent-elles débarqué qu'un groupe de Canadiens se mirent à leur tirer dessus, abattant un capitaine et quatre soldats. Furieux, Murray demanda au major Dalling d'incendier tout le village, sauf l'église. Jusqu'à la fin de la journée et tard dans la nuit, des panaches de fumée s'élevèrent les uns après les autres vers le ciel, provenant à la fois de la capitale et des fermes et des villages avoisinants.

À la Canardière, Vaudreuil tenait un conseil de guerre; il venait de recevoir des nouvelles de l'Ouest.

Amherst, arrivé dans la région du lac Champlain à la fin du mois de juin, se trouvait à Carillon depuis une quinzaine de jours. À dix-neuf heures, le 26 juillet, il s'apprêtait à attaquer la forteresse quand celle-ci lui explosa littéralement sous le nez. Suivant les ordres qu'il avait reçus, Bourlamaque avait évacué les lieux, laissant une fusée à combustion lente dans la poudrière du fort. Les Anglais s'emparèrent de ce qui en restait et lui donnèrent le nom de Ticonderoga.

Pendant que ses ingénieurs s'affairaient à redessiner les plans de la forteresse et à la reconstruire, Amherst se mit en route pour Saint-Frédéric, faisant remorquer ses bateaux jusqu'au lac Champlain. Là encore, Bourlamaque avait fait sauter le fort et s'était replié à l'Île-aux-Noix, située plus au nord, à l'entrée de la rivière Richelieu. Amherst rebaptisa Saint-Frédéric du nom de Crown Point et fit ériger une imposante mais inutile forteresse sur les ruines de la précédente.

*

«Tout comme un empereur romain, M. Amherst voyage dans les règles de l'art, me dit Bougainville. Il érige des forteresses qui ne servent à rien et construit des embarcations qui ne l'emmènent nulle part. Je suis sûr qu'il n'arrivera pas à rejoindre Montréal au cours de cette campagne.

— Et les autres généraux?

— Il n'y en avait qu'un seul, me répond-il, utilisant tout à coup l'imparfait au lieu du présent. Il se nommait John Prideaux et je ne suis même pas certain qu'il fût général. Il se rendit tout d'abord à

Chouaguen, qu'ils ont appelé Oswego, puis il alla assiéger Niagara. Que savez-vous de cet endroit au juste?»

Je réfléchis un instant, puis je vais chercher un livre dans la bibliothèque.

«Niagara signifie "Tonnerre des eaux". La légende dit qu'un dieu nommé Hinv vivait dans les chutes. Les Indiens le croyaient responsable de leurs maladies, du décès de leurs proches et des mauvaises récoltes qui, année après année, se succédaient. Pour obtenir ses bonnes grâces, ils lui offrirent en sacrifice la fille de leur chef, une jeune femme d'une grande beauté, en précipitant son canot du haut de la partie la plus étroite des chutes. Un des fils de Hinv la rattrapa et la prit pour épouse. Lorsque la jeune femme raconta à son mari les misères de son peuple, celui-ci lui révéla que le coupable n'était pas son père mais un serpent vivant dans les grandes chutes. Elle ordonna en rêve à son peuple de tuer le serpent, ordre qui fut aussitôt exécuté. Pour rendre hommage à sa beauté et à son courage, Hinv prit le corps du serpent et le disposa en forme de fer à cheval au sommet de l'escarpement.

— Intéressant et divertissant, me lance Bougainville sur un ton irrité. Vous devriez aussi dire à vos lecteurs que si nous perdons Niagara, nous sommes finis. Nous perdrons le contrôle de la région qui s'étend de l'Ohio jusqu'au Mississippi et Prideaux pourra descendre le lac Ontario et se précipiter à la rencontre d'Amherst près des rapides du Saint-Laurent. Les deux armées seront alors en mesure de marcher triomphalement sur Montréal.»

Bougainville ajoute que Vaudreuil a annoncé aux officiers assistant au conseil de guerre que Pierre Pouchot, le commandant du fort Niagara, avait capitulé à dix-sept heures, le 25 juillet, après avoir soutenu un siège de trois semaines, en compagnie de ses six cent sept hommes.

«J'étais absent au moment où cette nouvelle a été annoncée, précise-t-il; je me trouvais en amont de Québec avec mon armée, mais monsieur le marquis de Montcalm m'a tout raconté. Nous avons commis beaucoup d'erreurs dans l'Ouest. Pouchot s'est montré trop optimiste ou trop imprudent. Il a notamment envoyé la majeure partie de ses troupes, soit deux mille cinq cents hommes équipés des provisions et des armes nécessaires, vers l'endroit que les Anglais appellent Pittsburgh, c'est-à-dire fort Duquesne. Pouchot les a rappelés au moment où les Anglais ont commencé à l'attaquer. Le 24 juillet, ils ont été massacrés sous les yeux de ceux qui défendaient le fort. Après cette bataille, ayant beaucoup de mal à garder ses hommes à leur poste,

Pouchot a dû capituler. Soit dit en passant, le général anglais ne put même pas savourer le fruit de ses efforts: cinq jours avant la reddition du fort, il a été tué accidentellement par un de ses hommes. Pouchot s'est rendu à William Johnston — celui qui avait détourné les Indiens de nous.

— Bourlamaque n'a pas commis d'erreurs, lui dis-je pour le calmer. C'était un homme plein de ressources, ingénieux et débordant d'énergie en dépit d'une vieille blessure qui le faisait beaucoup souffrir et l'empêchait de dormir autant qu'il en avait besoin.

— Mais la plupart de ses hommes ne nous ont pas servi à grand-chose, me rétorque un Bougainville en colère. Il disposait d'environ trois mille hommes...»

Même si je sais qu'il déteste cela, je l'interromps de nouveau:

«Ils étaient exactement trois mille quarante soldats, cent soixante-dix-huit marins, cent soixante-treize officiers et cent trente et un serviteurs. J'ai oublié le nombre de commis et de manœuvres qu'on lui avait assignés.»

Feignant de n'avoir rien entendu, Bougainville répète qu'ils étaient trois mille et continue sur sa lancée:

«... y compris mille deux cents miliciens, parmi lesquels se trouvaient un grand nombre de jeunes garçons et de vieillards. Au-delà de deux cents de ses hommes étaient alités à l'hôpital et pas un seul jour ne s'écoulait sans que d'autres soldats se déclarent invalides à leur tour. Les autres étaient pour la plupart indisciplinés, ils passaient la majeure partie de leur temps à boire, n'avaient pas le cœur à l'ouvrage ou se laissaient aller au découragement, sans compter qu'un grand nombre d'entre eux désertaient.

— Votre général aurait dû lui faire parvenir des renforts!

— Ne soyez pas stupide. Nous n'avions plus de renforts... Je dois cependant admettre que les arguments du chevalier de Bourlamaque ne manquaient pas de fondement. Il avait demandé à M. de Montcalm: "Quelle est l'utilité de garder la porte d'entrée si nous permettons à l'ennemi de s'infiltrer par les portes de côté ou de derrière?"

«La perte de Niagara convainquit *mon général** que seul un miracle pouvait empêcher la colonie de tomber aux mains des Anglais avant la fin de cette campagne. Même lui, entouré de charlatans et de félons comme il l'était, ne pouvait la sauver. Comment aurait-il pu empêcher la gangrène qui rongeait le corps de s'attaquer bientôt au cœur?»

*

Dès que Niagara fut tombée aux mains des Anglais, la ligne défensive destinée à préserver Montréal fut ramenée à l'entrée des rapides du Saint-Laurent. Les Français y disposaient de mille cent hommes commandés par le chevalier de La Corne. Afin de tirer le meilleur parti possible de cette situation désespérée, le conseil décida d'envoyer Lévis prendre le commandement des forces françaises se trouvant dans ce qui restait du front ouest. Le chevalier partirait le soir même en chaise de poste et arriverait le 12 août à Montréal où il prendrait les dispositions nécessaires pour faire parvenir des ravitaillements à Québec. Lévis prendrait ensuite la route des rapides, qu'il devrait atteindre le 14 août, et où il construirait un fort. Huit cents hommes, à savoir cent soldats réguliers et des miliciens, le rejoindraient deux jours plus tard.

*

«Vous devriez préciser, déclare Bougainville en jetant un coup d'œil par-dessus mon épaule, qu'il était accompagné de l'officier Jean-Guillaume Plantavit de La Pause de Margon, ami de M. le chevalier de Lévis et auteur d'un excellent journal dans lequel il relatait ces tristes événements. Peut-être vos lecteurs aimeraient-ils aussi savoir que notre commandant d'artillerie et chancelier, François-Marc-Antoine Le Mercier, demanda à partir lui aussi. *Mon général** accepta sa requête, mais ne put s'empêcher de lui lancer une remarque acerbe: "En voulant être partout à la fois, vous ne serez nulle part!" lui avait-il dit sur un ton solennel. C'est Fiacre-François Potot de Montbeillard, l'un de mes amis, qui occupa le poste de M. Le Mercier pendant son absence.»

*

Les ordres que Lévis venait de recevoir attristèrent Vaudreuil. «Les sentiments que je vous ai voués, écrivit-il, vous persuaderont aisément de la peine que je ressens de votre départ, et qu'il m'a fallu rien moins que les puissants motifs que j'eus l'honneur de vous communiquer hier, pour me déterminer à vous éloigner. Tout comme notre Roi, j'ai pleinement confiance en vous. Votre présence stimulera nos soldats, calmera les Indiens et en imposera à l'ennemi. La seule consolation que j'éprouve à l'idée de votre départ, c'est que Mme de Vaudreuil sera heureuse de vous voir à Montréal. Je prie Dieu pour qu'Il vous accompagne dans votre mission et pour qu'elle soit couronnée de gloire.»

Montcalm était également inquiet. «Je maintiens la colonie perdue», écrivit-il à Bourlamaque dans une lettre datée du même jour. «Le chevalier de Lévis part à minuit et mène huit cents hommes; c'est beaucoup d'une petite armée, obligée de garder depuis Jacques-Cartier au Sault Montmorency.» Il terminait sa lettre en déclarant: «Je ne sais qui, de nous trois, sera le plus tôt défait.»

Avec le départ de Lévis, il ne restait aucun médiateur pour tempérer la rivalité entre Vaudreuil et Montcalm. En outre, ce dernier se voyait privé des conseils avisés d'un ami et collègue en qui il avait une confiance absolue. Ce ne fut pas par hasard que le pessimisme de Montcalm reprit ses droits aussitôt Lévis parti.

Du quarante-sixième
au cinquante-troisième jour

Du 10 au 17 août 1759

Après la prise de Niagara, il ne se passa rien de très important dans le camp anglais, jusqu'à ce que Murray agitât son chapeau de nouveau. Cependant, pour être juste, il faut mentionner que quarante canons supplémentaires furent installés sur les batteries bombardant Québec. Certains des officiers de Wolfe en conclurent que leur chef était sur le point de donner l'assaut à la capitale par le port, mais d'autres les contredirent, persuadés qu'il voulait seulement «causer à la ville le plus de dommages possible». À ce moment-là, au bout de cinquante jours de siège, les officiers des différents corps s'étaient mis d'accord sur un point: Québec ne pouvait être conquise «parce qu'il était pratiquement impossible de mener à bien un débarquement sur une côte si difficile d'accès» et si bien défendue.

Lorsque le capitaine Ochterloney décéda, le 14 août, mère de Saint-Claude-de-la-Croix était à son chevet. La veille, sentant que le capitaine allait bientôt rendre l'âme, elle avait fait venir Panet afin qu'il pût faire son testament. Il avait légué toutes ses possessions terrestres à l'officier français qui l'avait arraché à la fureur des Indiens et des Canadiens. Pour une raison inconnue, Vaudreuil attendit dix jours pour informer Wolfe de la mort d'Ochterloney.

Bougainville m'apprend que le 15 août il reçut une lettre de l'un de ses amis anglais, James Abercromby, un aide de camp d'Amherst. Abercromby l'appelait *«mon cher confrère*»* et le félicitait d'avoir reçu la Croix de Saint-Louis. Tous les amis de Bougainville qui étaient dans l'armée d'Amherst lui écrivirent pour le complimenter, ajoutant qu'ils comptaient sur lui pour leur présenter quelques jeunes et jolies brunettes canadiennes, une fois qu'ils auraient conquis le Canada. Les deux jeunes hommes avaient parié plusieurs bouteilles de champagne sur l'issue de la guerre, mais Abercromby, en vrai gentleman, attendrait d'être à Montréal pour réclamer son dû.

En lisant ces lignes, Bougainville, qui est venu prendre un verre avec moi, se met en colère.

«Le problème avec vous, paysans, c'est que vous ne comprenez absolument rien au protocole de la guerre. Les gentlemen ne se reprochent jamais les uns aux autres de se battre pour des camps opposés», déclare-t-il de son ton le plus doctoral.

Je lui demande pourquoi il n'a pas suivi Murray à Saint-Antoine après sa glorieuse victoire à Pointe-aux-Trembles.

«La marée était contre nous et l'occasion était perdue.

— L'occasion? Que voulez-vous dire?

— Mon général* pensait que la guerre était une succession d'occasions. Vous en saisissez certaines, vous en laissez passer d'autres. Vous devez juste vous tenir prêt à sauter sur la bonne. Il m'était impossible de suivre le brigadier Murray puisque la marée ne nous était pas favorable. Et ensuite, je devais attendre de recevoir de nouveaux ordres.»

Ne sachant qu'ajouter à cela, je demande à Bougainville sur un ton agressif:

«Pourquoi appelez-vous Montcalm mon général*?

— En Nouvelle-France, la tradition voulait que l'on appelât général* le gouverneur général. Cependant, sauf votre respect, le marquis de Montcalm était mon général*. D'ailleurs, monsieur de Lévis l'appelait ainsi, lui aussi.»

Sans doute pour se venger de l'offense que je lui ai faite, il déclare sans ambages:

«J'avais conseillé que nos frégates fussent utilisées pour détruire les navires anglais se trouvant dans le haut Saint-Laurent, mais votre gouverneur canadien s'y est opposé.»

Avant que Bougainville ne me quitte, je lui dis que le journal de Wolfe s'arrête le 16 août.

«Qu'est-il arrivé à la suite? demande-t-il.

— Wolfe l'a détruite.

— Eh bien! voilà de quoi vous compliquer un peu la vie.»

Sur ces paroles, il s'éloigne en riant.

Le 18 août 1759

À Deschambault, à quatre heures

Pendant la nuit, la marée avait permis à Murray de débarquer dans la baie de Portneuf, près de Deschambault. Il lui suffit d'agiter son chapeau et ses troupes ramèrent jusqu'à la rive. Comme il n'y avait personne pour leur barrer le passage, le brigadier et ses hommes se dirigèrent vers l'église de la paroisse. En chemin, ils effrayèrent un groupe de quinze soldats blessés, qui étaient en convalescence dans une grande maison située à l'entrée du village de Deschambault. Les soldats français se réfugièrent dans les bois, abandonnant leur hôtesse, une dame à l'allure aristocratique qui resta calmement assise, seulement vêtue de sa chemise de nuit. C'était Mme Joseph Rouffio, la sœur de Cadet. Surnommée «l'Amazone», cette femme d'une beauté légendaire avait défié l'Église et ses parents pour l'amour d'un soupirant jugé inacceptable par sa famille. Murray lui fit un baise-main, la mit sous garde, puis continua sa route.

Juste avant d'arriver à l'église, les troupes de Murray tombèrent sur un détachement de soixante soldats français qui, voyant qu'ils étaient beaucoup moins nombreux que leurs adversaires, se replièrent dans les bois environnants sans tirer un seul coup de feu. Murray resta dans l'église pendant que ses hommes fouillaient le village. Wolfe leur avait laissé entendre qu'ils trouveraient là un dépôt d'armes, mais leurs recherches furent vaines. Par contre, ils découvrirent un grand nombre d'objets précieux et d'articles de maison appartenant à Montcalm, à Lévis et à d'autres officiers et fonctionnaires. Au lieu d'avoir été mis en sécurité à Trois-Rivières, comme cela avait été prévu, l'argenterie, la porcelaine et les uniformes de cérémonie avaient été cachés à Deschambault. Murray ordonna que tout fût brûlé.

En attendant la marée de l'après-midi qui leur permettrait de regagner leurs bateaux, les soldats anglais attrapèrent, avec la permission de Murray, une centaine de vaches, quantité de moutons et de cochons, et bon nombre de poules qui serviraient à nourrir l'armée. Tous ces animaux furent rassemblés sur la place de l'église, avant d'être transportés jusqu'aux navires. De temps à autre, les soldats français cachés dans les bois tiraient des coups de feu, mais sans causer grand dommage. Murray ne riposta pas, préférant employer son temps à distraire «l'Amazone».

*

«Vous êtes arrivé trop tard pour faire quoi que ce soit, dis-je à Bougainville qui, ce soir, partage mon repas.

— J'étais à Cap-Rouge, à environ vingt et un milles de Deschambault. Il me fallait rassembler les fantassins, écrire un message à *mon général** et envoyer la cavalerie sur les lieux. Je sais que je n'ai pas fait grand mal au brigadier Murray et à ses troupes. À présent, je le regrette.

— Vous avez seulement capturé trois prisonniers, lui fais-je remarquer. Ce n'est pas très reluisant. Mais vous avez quand même réussi à faire bouger Montcalm. Il a tellement eu peur de trouver détruites ses précieuses réserves qu'il a parcouru en un temps record la trentaine de milles séparant son camp de la Pointe-aux-Trembles. Bien entendu, il est arrivé trop tard. Les Anglais étaient déjà remontés sur leurs bateaux.»

Bougainville boit une petite gorgée du vin canadien que je lui ai servi et soupire: «Il était épuisé lorsqu'il est revenu. Et le seul réconfort qu'il a eu après ce long et, comme vous le préciseriez, inutile voyage, fut un message de votre gouverneur général qui lui reprochait d'être absent et hystérique. C'était vraiment une drôle de guerre.»

*

Le 19 août 1759

À l'Ange-Gardien, durant la journée

Wolfe, terrassé par une forte fièvre qui avait duré plusieurs jours, avait à peine la force de bouger. Il essaya tout de même de faire son travail et de donner des ordres, mais très vite il tomba d'épuisement. Lorsque son domestique arriva pour le préparer à se mettre au lit, il le trouva effondré sur le sol. On se hâta de le transporter sur son lit de camp où le docteur l'examina, le jugeant gravement malade. Celui-ci douta même que le général passerait la nuit.

Les deux semaines qui avaient suivi la défaite de Montmorency avaient été pénibles. Chaque fois que Wolfe faisait face à ses subordonnés, il lisait dans leurs yeux désappointement et rancœur. Le sentiment de les avoir déçus avait failli le rendre fou. Il s'était querellé avec son ami Carleton pour une broutille et avait dû présenter ses excuses à Monckton pour s'être mis en colère à propos d'un incident insignifiant. Townshend était devenu encore plus insolent, du moins Wolfe en avait-il l'impression, et Murray avait disparu avec tous les bateaux, se contentant d'envoyer des rapports écrits sur un ton que le général trouvait arrogant. Et, pour couronner le tout, il y avait Amherst, l'insaisissable Amherst qui, selon Wolfe, aurait dû l'avoir déjà rejoint à Québec.

Pour ne pas perdre la tête, le général donnait de nouvelles instructions, commandait de nouveaux dispositifs, dressait des plans pour conquérir Québec dont il ne parlait à personne et nourrissait l'intention de terroriser les Canadiens.

Wolfe était déterminé à continuer de bombarder Québec, même si cela devait rendre inhabitable la ville dont il désirait s'emparer. Son seul réconfort était de voir l'épais nuage de fumée noire qui recouvrait le Saint-Laurent d'une rive à l'autre et qu'il devait au bon travail de

Goreham. Maintenant, décida-t-il, ce sera le tour de toutes les fermes situées entre les rivières Etchemin et Chaudière, et même de celles qui se trouvaient tout autour, sur la côte de Beaupré et sur l'île d'Orléans. D'ici quelques jours, le major Scott partirait avec une compagnie de Rangers et détruirait tout, de Kamouraska à la Pointe-Lévis. Même s'il devait rentrer dans son pays sans avoir réussi à conquérir Québec, Wolfe aurait au moins la satisfaction d'avoir fait sentir aux Canadiens le poids des armes de Sa Majesté le Roi d'Angleterre.

Bien qu'il entraînât ses soldats sans leur laisser une minute de répit, le général avait de plus en plus de doutes quant à leur compétence. Ses hôpitaux étaient remplis de malades et de blessés. Un grand nombre de soldats souffraient du scorbut en raison de leur alimentation inadéquate et du manque d'hygiène. L'insubordination devenait monnaie courante et les officiers étaient de plus en plus susceptibles. Tous les jours, ils ordonnaient que des hommes fussent déshabillés jusqu'à la taille et attachés à une barre transversale en bois pour que, chacun leur tour, les joueurs de tambour du régiment les fouettent avec un chat à neuf queues. Le nombre de suppliciés croissait chaque jour. La plupart du temps, les tambours administraient à leurs victimes des centaines de coups, les laissant dans un triste état et le corps en sang. Certains hommes mouraient, d'autres passaient trois semaines de convalescence à l'hôpital. Quelques-uns se suicidaient même pour échapper à la flagellation.

La désertion qui, au XVIIIe siècle, était un véritable fléau pour n'importe quelle armée, constituait une épreuve quotidienne pour Wolfe. De nombreux déserteurs, déprimés et épuisés, trouvaient refuge dans les bras accueillants d'une brave jeune Canadienne catholique. Même la menace d'être traduit en cour martiale et exécuté ne parvenait pas à les retenir.

Tout autour de lui, Wolfe percevait la panique. Ses soldats, bien qu'ils fussent professionnels et expérimentés, étaient habitués à se battre en plein jour, dans un endroit choisi et avec un adversaire bienvenu et respecté. Sur les rives du Saint-Laurent, toutefois, les batailles avaient souvent lieu pendant la nuit; on ne voyait que rarement les ennemis et ceux-ci faisaient souvent preuve d'une cruauté extrêmement difficile à supporter. Il n'était pas rare que les soldats réguliers se missent à hurler au moindre bruit. On faisait défiler les poltrons avec un chapeau de femme sur la tête, mais cela ne préservait pas les autres de la panique.

Les soldats ne parvenaient à se détendre et à s'amuser qu'en se saoulant et en jouant. Souvent, ils étaient tellement ivres qu'ils n'arrien état d'ébriété menaçaient la vie de tous et il arrivait même que des soldats fussent empoisonnés par un mauvais alcool distillé en cachette. Au cours des parties de jeu que Wolfe ne pouvait empêcher, les hommes perdaient leurs vêtements ou étaient obligés de partager leur femme avec d'autres hommes. Certains s'étaient même mis à piller pour pouvoir payer leurs dettes.

L'un des rares plaisirs de Wolfe consistait à passer ses hommes en revue. Avec leurs hauts-de-chausses, leurs guêtres et leur gilet blancs, leur magnifique pardessus rouge orné de parements multicolores, ils avaient fière allure. Leurs chapeaux à cornes leur donnaient un air résolu et vaillant, et les kilts des Highlanders apportaient une touche de gaieté à toute la parade. Wolfe les trouvait tous magnifiques.

Le général aimait aussi écouter les soldats qui, autour des feux de camps, chantaient doucement des chansons parlant des filles laissées dans leur pays. Sa préférée était celle-ci:

Why should we be melancholy, boys?
Whose business 'tis to die!
What, sighing? Fie!
Damn fear! Drink on, be jolly, boys.[1]

Secrètement, le général appréciait également les chansons grivoises, comme celle-ci:

And when we have done with the mortars and guns,
If you please, Madame Abbess, a word with your nuns.
Each soldier shall enter the convent in buff,
And then never fear, we will give them Hot Stuff! [2]

Le sexe! Il planait sur le camp, aussi épais et envahissant que les nuages de mouches et de moustiques qui sans répit harcelaient les soldats. Wolfe ne consacrait pas beaucoup de temps à méditer sur ses propres besoins sexuels, mais il avait suffisamment d'expérience pour savoir qu'en des temps comme ceux-ci les hommes couchaient avec d'autres hommes. À Louisbourg, il avait dû se montrer très sévère devant de tels incidents.

---

1. Pourquoi devrions-nous être mélancoliques? / Nous n'avons d'autre devoir que celui de mourir! / Quoi! vous gémissez? Faisons fi des soupirs. / Au diable la peur! Buvons et soyons joyeux, les gars. *(N.D.T.)*
2. Et quand nous aurons mis mortiers et canons aux oubliettes, / S'il vous plaît, madame l'abbesse, juste un mot à vos nonnettes, / Chaque soldat, nu comme un ver, dans le couvent entrera vite / Et là, comptez sur nous, nous leur donnerons de la dynamite! *(N.D.T.)*

Cependant, ce n'était pas toujours faute de compagnes que les hommes faisaient l'amour entre eux. Bon nombre de femmes venues des colonies avaient suivi l'armée à Québec. On pouvait les trouver n'importe où, crasseuses, pleines de poux et insouciantes. La plupart d'entre elles étaient des prostituées, comme celles qui venaient d'un bordel de New York appelé *Holy Ground* (Terre Sainte) parce qu'il était situé sur un terrain appartenant à l'Église. Les autres étaient de pauvres filles issues de familles misérables dont, bien souvent, les mères elles-mêmes avaient suivi l'armée. Quelques-unes étaient encore des enfants et il était facile de les exploiter. Plusieurs officiers s'étaient appropriés les plus intéressantes et vivaient ouvertement avec elles. Partout des femmes enceintes erraient, cherchant quelque moyen de se débarrasser de leur indésirable fardeau.

Pour Wolfe, cet aspect de la vie militaire était le plus déplaisant de tous. La guerre était vraiment un enfer. Cependant, elle était provisoirement interrompue pour le général, car il était gravement malade.

Du 20 au 31 août 1759

Le 22 août, le père Récher eut vent de rumeurs selon lesquelles les Anglais projetaient de quitter Québec. Il nota dans son journal: «Ils ont commencé à incendier les maisons le long de la côte de Beaupré.»

Le lendemain, le capitaine Alexander Montgomery se rendit à cheval à Saint-Joachim, petite paroisse située à l'est de Québec, près de l'endroit où les Anglais avaient établi leur campement. Auparavant, il avait incendié les fermes des paroisses de Saint-François et de Sainte-Famille, sur l'île d'Orléans, pendant que le major Dalling saccageait celles de Saint-Michel et de Sainte-Croix, sur la rive sud.

Avant de tomber malade, Wolfe avait envoyé Montgomery détruire Saint-Joachim. Le curé de ce village, le père René de Portneuf, un Canadien de cinquante-deux ans, avait harcelé les Anglais avec ses paroissiens et épié leurs faits et gestes pour le compte de Vaudreuil.

Tôt dans la matinée, les hommes de Montgomery firent brûler deux fermes et leurs dépendances sans qu'il y eût d'incident. Plus tard, cependant, des Canadiens les attaquèrent devant l'église et blessèrent un soldat avant de se réfugier dans les bois. Montgomery et sa brigade se cachèrent à l'orée du village et attendirent. Bientôt, une trentaine de villageois, accompagnés de Portneuf, rentrèrent chez eux, persuadés que les Anglais avaient quitté les lieux. Ces derniers ouvrirent alors le feu, obligeant les Canadiens à se disperser de nouveau. Neuf d'entre eux, dont le curé, furent tout de même capturés. Incapable d'en tirer la moindre information, Montgomery les fit exécuter et scalper, puis abandonna leurs corps sur le parvis de l'église. Il ordonna ensuite à ses hommes de mettre le feu à l'église, au presbytère et à tout le reste du hameau. Les habitants de Saint-Joachim ensevelirent les dépouilles de leur curé et de leurs voisins pendant que les Anglais continuaient leurs ravages, détruisant les villages voisins de Château-Richer et de Sainte-Anne-de-Beaupré.

C'est seulement le 24 août que les troupes anglaises apprirent la grave maladie de Wolfe. «Les soldats sont grandement affligés à son sujet», écrivit Knox dans son journal. Ce jour-là, les Anglais achevaient à la Pointe-aux-Pères l'installation de leurs nouvelles batteries, équipées de dix-neuf canons. Pendant ce temps, Montgomery poursuivait implacablement sa mission, incendiant toutes les fermes qui se trouvaient entre Saint-Joachim et les chutes Montmorency.

Entre-temps, des officiers de la milice allèrent trouver Vaudreuil et lui demandèrent d'autoriser les Canadiens à rentrer chez eux à tour de rôle pour moissonner leurs champs situés en amont de Québec. Vaudreuil refusa, mais promit de les dédommager quand les Anglais seraient repartis. Peu rassurés par cette promesse, les Canadiens se sauvèrent malgré tout pour regagner leurs fermes. Environ deux cents miliciens désertaient chaque nuit, même ceux qui avaient des terres en aval de Québec et sur la rive sud, territoires occupés par les Anglais. Montcalm craignait que Wolfe n'en déduisît que ses hommes l'abandonnaient. Aussi exhorta-t-il Vaudreuil à mettre un frein à ces désertions, mais celui-ci négligea de se conformer à sa requête.

Bien que le gouverneur général refusât d'obéir à Montcalm, il tint compte des conseils de Bougainville. Le 25 août, il ordonna à six cents marins d'embarquer sur les frégates ancrées près de Trois-Rivières, puis de descendre le fleuve et de détruire les navires anglais se trouvant dans le haut Saint-Laurent. Bougainville, pour sa part, devait se tenir prêt à traverser le fleuve et à attaquer les Anglais campés à Saint-Antoine. Ayant grand besoin des marins pour assurer le service des batteries et défendre la capitale, Montcalm protesta, furieux, mais Vaudreuil demeura inflexible.

Cette nuit-là, Murray revint enfin à la Pointe-Lévis avec une bonne nouvelle: les Anglais s'étaient emparés de Ticonderoga, de Crown Point et de Niagara. C'étaient les premiers renseignements que Wolfe recevait à ce sujet. Il ignorait toutefois que les Français avaient intercepté, à Yamaska, les messagers envoyés par Amherst et leurs quatre guides indiens. C'est ainsi que les Français avaient appris la décision d'Amherst de demeurer à Saint-Frédéric (Crown Point) tant que Wolfe n'aurait pas conquis Québec. Dans une lettre écrite à Montcalm à la fin d'août, Bourlamaque était catégorique à ce sujet: Amherst, jugeant la saison déjà trop avancée, n'entreprendrait aucune nouvelle campagne en 1759.

Le 27 août, Wolfe se sentait mieux, mais encore trop faible pour quitter sa chambre. Il adressa une lettre à ses brigadiers leur demandant de se réunir pour «songer au meilleur moyen d'attaquer l'ennemi» dans son campement de Beauport. S'étant toujours opposés à une attaque sur Beauport, les brigadiers étaient bien décidés à ne pas voir le fiasco du 31 juillet se reproduire. Ils discutèrent d'abord tous les trois, puis avec l'amiral Saunders, afin de préparer leur réponse, chacun ayant la décence de ne pas accuser Wolfe d'avoir complètement perdu la raison.

Au cours de la nuit où les brigadiers se réunirent, cinq autres vaisseaux anglais passèrent devant Québec, se rendant ainsi maîtres du haut Saint-Laurent. Vaudreuil et Montcalm en furent tous les deux fort affectés, mais ils demeuraient convaincus que les Anglais ne pourraient jamais débarquer en amont de Québec. Il ne faisait aucun doute dans leur esprit que Wolfe se lancerait à l'assaut de Beauport, si jamais il se décidait à passer à l'action.

On signala à Bougainville que d'autres navires anglais avaient atteint le haut Saint-Laurent, l'enjoignant de faire preuve de la plus grande prudence. Vaudreuil avait espéré que le jeune homme pourrait attaquer les Anglais postés à Saint-Antoine, mais il dut abandonner cette idée. Le flanc gauche de la ligne de Beauport fut mis en alerte et des officiers furent envoyés aux frégates afin de contremander les ordres donnés précédemment par le gouverneur général: les marins devaient rentrer à Québec dans les plus brefs délais.

Chaque fois qu'on lui demandait pourquoi les Anglais allaient en amont de Québec, Montcalm répondait invariablement qu'ils voulaient intercepter les navires de ravitaillement se dirigeant vers la capitale. Rien de plus.

Deux jours avant la fin du mois d'août, Bigot fit réduire d'un quart les rations quotidiennes. Il espérait que, dès le 15 septembre, les récoltes provenant de Montréal viendraient regarnir ses coffres à provisions. Entre-temps, pour remplacer le pain dont il manquait, l'intendant fit distribuer un supplément d'alcool.

Le dernier jour du mois, le soleil brillait et le ciel était lumineux. Pour la première fois depuis deux semaines, Wolfe put sortir de sa chambre. Tous furent frappés de voir à quel point il était maigre, pâle et fragile, mais, comme le nota Knox dans son journal, son rétablissement causa une «joie inconcevable à toute l'armée». Au cours de l'après-midi, le général rencontra l'amiral Saunders et ses brigadiers afin de discuter avec eux de la réponse à sa requête du 27 août.

Avec une extrême courtoisie, les brigadiers avaient rejeté sa proposition d'attaquer Beauport. Selon eux, une telle manœuvre était dangereuse et impraticable. Montcalm aurait eu tout le loisir, en cas de nécessité, de se réfugier derrière les remparts de Québec ou encore plus loin, en amont de la ville. L'armée anglaise se serait ainsi trouvée dangereusement exposée au moment de traverser la rivière Saint-Charles pour se lancer à l'assaut de la capitale.

Ils suggéraient plutôt d'abandonner le campement de Montmorency, de faire transporter toutes les troupes jusqu'à la Pointe-Lévis, d'où ils pourraient «porter les opérations au-dessus de la ville». Cette tactique, selon eux, permettrait à Wolfe d'imposer aux Français ses propres conditions de combat et de se placer entre Montcalm et les troupes françaises qui combattaient le général Amherst dans l'Ouest. Si les Anglais remportaient cette bataille en amont de la capitale, précisèrent-ils, «Québec est à nous et probablement tout le Canada».

Les brigadiers décrivirent à Wolfe un «plan d'action faisant suite à la proposition transmise hier»: le campement de Montmorency serait évacué en trois jours; six cents soldats demeureraient sur l'île d'Orléans pour surveiller les hôpitaux et les magasins; six cents resteraient à la Pointe-Lévis et mille à la Pointe-aux-Pères; les autres soldats rejoindraient à pied un campement situé à l'ouest de la rivière Etchemin et, de là, seraient transportés jusqu'à l'endroit où aurait lieu le débarquement — endroit qui restait à déterminer puisque les brigadiers ne purent fournir aucune indication à ce sujet.

Wolfe approuva leur plan. Il écrivit plus tard à Saunders: «Les généraux semblent avoir un sentiment commun quant aux opérations; par conséquent je me joins à eux, et peut-être trouverons-nous quelque occasion de frapper un coup.» Le général ordonna sur-le-champ que l'artillerie et les magasins de Montmorency fussent transportés au cours de la nuit à la Pointe-Lévis. Il attendit toutefois le lendemain pour donner à Townshend l'ordre «de prendre les dispositions pour retraiter de Montmorency».

Wolfe ayant malgré tout du mal à se résoudre à abandonner totalement Beauport, il tentait une dernière fois de ruser pour obliger

Montcalm à quitter ses retranchements: cinq bataillons reçurent l'ordre de demeurer cachés durant la dernière journée de l'évacuation, sans faire le moindre bruit. Si Montcalm mordait à l'appât et attaquait l'armée battant en retraite, Wolfe l'attendrait de pied ferme. Si par contre le marquis persistait dans sa stratégie défensive, il lui infligerait un coup mortel au-dessus de Québec. Où exactement, il l'ignorait encore.

Une fois sa lettre à Saunders terminée, Wolfe écrivit à sa mère:

«Chère Madame,

«Ma lettre vous convaincra qu'aucun malheur personnel autre que les défaites et les désappointements ne s'est abattu sur moi. Mon antagoniste s'est sagement renfermé dans des retranchements inaccessibles, de façon que je ne puis l'atteindre sans verser un torrent de sang, et cela peut-être pour un mince résultat. Le marquis de Montcalm est à la tête d'un grand nombre de mauvais soldats, et moi à la tête d'un petit nombre de bons qui ne désirent rien tant que de combattre; mais le vieux renard évite une action, incertain qu'il est de la conduite de son armée. Il faut être du métier pour comprendre les désavantages et les difficultés contre lesquels nous avons à lutter, qui proviennent de la force naturelle extraordinaire du pays. J'approuve parfaitement la manière dont mon père a disposé de ses affaires, même si elles contrecarrent quelque peu mes intentions de quitter le service comme je souhaite le faire à la première occasion. J'entends qu'il en soit ainsi de façon à ne pas être totalement dans la détresse et n'être pas un fardeau pour vous ou pour qui que ce soit. Je souhaite que votre santé aille pour le mieux et vous prie d'agréer, chère Madame, l'expression de ma considération distinguée. Votre fils tout dévoué.»

Au moment où le général anglais se mettait au lit, on lui fit savoir que cinq nouveaux vaisseaux étaient passés devant Québec.

Désormais, une flotte imposante se trouvait dans le haut Saint-Laurent, prête à l'aider à mettre en œuvre le plan mis au point par ses brigadiers.

Le moment serait bientôt venu de passer à l'action.

L'action reprend de plus belle

Les douze premiers jours de septembre 1759

Le 2 septembre 1759

À Beauport, durant la nuit

L e pessimisme de Montcalm avait atteint son paroxysme. D'humeur sombre, il s'assit et écrivit à Bourlamaque: «La nuit est obscure, il pleut; nos troupes habillées et éveillées dans leurs tentes. [...] Je suis botté et mes chevaux sellés, c'est, à la vérité, mon allure ordinaire la nuit. [...] Je vous voudrais ici. [...] Je ne me suis pas encore déshabillé depuis le 23 juin.»

De l'autre côté du fleuve, à l'Ange-Gardien, Wolfe était lui aussi anxieux. Quand bien même il avait consenti à évacuer son campement de Montmorency, il n'était pas sûr que ce fût la bonne solution. Il n'avait pas été capable de cacher son angoisse à sa mère et ne l'était pas davantage maintenant, tandis qu'il dictait une lettre adressée à Pitt. Il aurait voulu que son rapport fût «un compte rendu plus favorable des progrès de l'armée de Sa Majesté», mais, pour de nombreuses raisons, ce n'était pas le cas.

Il avait devant lui un ennemi récalcitrant, dit-il à Pitt, et tous les jours ses hommes engageaient de sanglantes et mortelles batailles avec les Indiens et les Canadiens. Ses soldats, et en particulier ses officiers, manquaient de compétence, ce qui restreignait ses ressources et ses mouvements. La rudesse du climat, les forts courants du Saint-Laurent et la nature du terrain l'avaient souvent empêché de mener à bien les opérations. En outre, sa propre maladie avait paralysé ses troupes pendant une longue période. Tous ces problèmes l'affectaient si profondément qu'il était «très embarrassé pour prendre une décision».

Wolfe était convaincu, cependant, qu'il serait en mesure de faire honneur à Sa Majesté dans le «peu qui reste de la campagne». D'ailleurs, il avait l'intention d'entreprendre une opération qui lui en donnerait l'occasion: «Nous nous préparons à l'exécuter [le plan des brigadiers].»

Le 3 septembre 1759

À Beaupré, à l'aube

Au petit matin, l'embarcation qui transportait Wolfe naviguait au milieu du chenal reliant l'île d'Orléans et la côte de Beaupré. Depuis minuit, le campement anglais de la rivière Montmorency était plongé dans le silence. On y avait enlevé l'artillerie et éteint tous les feux. Seules d'épaisses volutes de fumée planaient encore au-dessus de l'Ange-Gardien et de Château-Richer, les troupes de Townshend ayant incendié ces deux villages avant de partir. À l'aube, juste avant que Wolfe n'abandonnât la ferme qu'il occupait, une centaine de canots et de chaloupes avaient quitté la Pointe-Lévis, transportant à leur bord la plupart des hommes de Monckton, tous armés. Leurs embarcations étaient maintenant éparpillées parmi les navires de la flotte. Wolfe comptait les utiliser tant pour dérouter les Français que pour les attaquer dans le cas où ils essaieraient de semer la zizanie pendant l'évacuation. Les troupes qui allaient servir d'appât étaient dissimulées dans le silence le plus total, comme le général l'avait exigé. Tout se déroulait comme prévu, grâce notamment au travail de ses officiers, qui avaient orchestré de façon remarquable cette imposante manœuvre de retraite. Même le temps s'était mis de la partie: le ciel était dégagé et une légère brise soufflait du nord-est.

Pendant que Wolfe surveillait le déroulement des opérations depuis son bateau, Townshend donna le signal convenu: bientôt, la grange jouxtant la ferme qui avait servi de quartier général à Wolfe fut la proie des flammes. Les hommes du brigadier se rendirent alors sur le rivage où, afin d'offrir à Montcalm une cible irrésistible, ils embarquèrent le plus lentement possible. À dix heures, il devint évident que le marquis s'obstinait à ne pas sortir de ses tranchées. Les troupes qui auraient dû le prendre à revers furent rappelées et, à midi, Wolfe débarquait sur l'île d'Orléans.

Montcalm, qui, depuis le 1er septembre, se tenait informé de tout ce qui se passait dans le campement de Montmorency, suivit avec grand intérêt le départ des Anglais, juché sur cette même colline d'où il les avait vus se préparer à l'attaquer le 31 juillet. Au début, le marquis crut que l'ennemi allait de nouveau donner l'assaut. Il sonna l'alerte générale et attendit. Des messages lui parvenaient de tous ses officiers, l'implorant d'autoriser les soldats à quitter leurs tranchées pour attaquer les Anglais. Tardant à répondre, cependant, il ne leur permit de tirer que sur les dernières tuniques rouges.

Vers huit heures, Montcalm longea à cheval sa ligne de défense afin de voir de ses propres yeux ce qui se passait de l'autre côté de la rivière Montmorency. Une heure plus tard, il avait pris sa décision: il ne relèverait pas le défi lancé par Wolfe. Le marquis regagna son quartier général. Son armée resterait dans ses retranchements et Wolfe pourrait bien faire ce qu'il voudrait.

Townshend apprécia la générosité dont Montcalm avait fait preuve dans un moment aussi crucial, et il ne manqua pas de le souligner dans son journal. La conduite du général français le convainquit que celui-ci «ne fera plus appel aux Canadiens». Le brigadier était certain, toutefois, que le marquis devait être «inquiet de voir les Anglais abandonner ainsi Montmorency, car il courait un risque en s'assurant que ses troupes [nous] causent le moins d'ennuis possible, nous permettant par ailleurs d'envoyer le nombre de détachements désiré et de détruire leur pays sans jamais quitter les retranchements de Beauport».

*

Si Montcalm était devant moi, je le bombarderais littéralement de questions: «Qu'est-ce qui vous a pris, monsieur le marquis? Pourquoi avez-vous laissé passer cette chance unique que Wolfe vous donnait de détruire le gros de son armée? Et ne venez surtout pas me raconter que Monckton aurait pu faire ceci, que Saunders aurait pu agir comme cela ou que les soldats demeurés sur l'île d'Orléans et à la Pointe-Lévis auraient pu procéder de telle ou telle manière. Même les Anglais pensaient que vous auriez bénéficié d'un «énorme avantage» si vous les aviez attaqués au moment où ils redescendaient à pas de tortue vers le fleuve, ou encore pendant les trois heures — trois heures, monsieur le marquis! — où ils durent patienter dans le chenal avant que la marée ne les emporte.»

S'il était devant moi, je ne lui laisserais aucun moment de répit. «Était-ce votre sens de l'honneur mal placé qui vous interdisait de prendre l'avantage sur un digne adversaire dans une situation où il était vulnérable? Peut-être vous, gentlemen, voyez-vous les choses différemment que le commun des mortels. Mais laissez-moi vous dire, monsieur le marquis, que ce n'est certes pas parce que vous considériez Wolfe comme un gentleman que cela l'a empêché d'envoyer ses hommes détruire le pays et saccager les maisons et les villages de la majorité de vos miliciens. Je vois mal où vous placez votre sens de l'honneur!»

Je fulmine encore contre Montcalm lorsque j'entends un toussotement poli et des verres tinter dans mon dos. Bougainville m'offre un verre de vin. Il s'incline devant moi et déclare sur un ton solennel: «Monsieur le marquis de Montcalm me prie de vous dire que sa décision peut être considérée de deux manières. À vous de choisir celle qui vous conviendra le mieux. Dans nos campements, la nuit, nous avions l'habitude de jouer à une sorte de jeu de dés appelé «tope et tinque», au cours duquel le joueur doit éviter de se laisser piéger en obligeant constamment son adversaire à se demander quel sera son prochain geste. Monsieur le marquis aimerait que vous imaginiez que le général Wolfe était l'un de ces joueurs, un excellent joueur d'ailleurs, capable de se déplacer sur sa gauche, sur sa droite, puis au centre, sans jamais avoir de direction précise. *Mon général** refusait quant à lui de se laisser prendre à ce jeu. Lui aussi était un très bon joueur.»

Bougainville sirote son vin, puis ajoute: «Monsieur le marquis aimerait également que vous songiez à une autre possibilité. Avez-vous pensé qu'il eût pu voir, dans le camp du brigadier Townshend, quelque chose que personne d'autre ne vit: un mouvement, un reflet de soleil ou une ombre? Peut-être aperçut-il là quelque chose qui le convainquit de laisser les Anglais partir. Quoi qu'il en soit, c'est tout ce qu'il souhaitait me voir vous communiquer.

— Je ne saurai donc jamais ce qui s'est réellement passé dans sa tête?

— J'ai bien peur que non.»

Bougainville me quitte comme il est venu, sans faire de bruit.

*

À Beauport, l'après-midi et le soir

Tout au long de la journée, on demanda à Montcalm d'essayer de deviner quelles étaient les intentions de Wolfe, mais il s'agissait là d'un petit jeu pour lequel le marquis n'avait aucun talent. Il répondait que, selon lui, en allant dans le haut Saint-Laurent, Wolfe voulait marquer un temps d'arrêt avant de rentrer en Angleterre, ou bien encore qu'il comptait débarquer près de Cap-Rouge afin de couper les vivres aux Français, mais non de les attaquer. Les récoltes étaient abondantes à Montréal et Lévis avait fait appel à toutes les personnes valides — membres du clergé aussi bien que fonctionnaires, en passant par les religieuses, les femmes et les enfants — pour moissonner les champs. Une partie de ces récoltes était arrivée à Québec les 23 et 24 août, et Montcalm était persuadé que des déserteurs en avaient averti Wolfe et que celui-ci prenait maintenant ses dispositions pour empêcher tout autre convoi d'atteindre Québec.

À un jeune officier qui soutenait que Wolfe pourrait débarquer à l'Anse-au-Foulon et marcher sur Québec, Montcalm rétorqua qu'une bonne centaine de soldats postés à cet endroit suffiraient pour contenir les Anglais jusqu'au lever du jour, le temps qu'il arrivât de Beauport pour venir les repousser dans le fleuve. L'idée d'une attaque en amont de Québec lui semblait des plus saugrenues. «Il n'y a que Dieu qui sache faire des choses impossibles… et il ne faut pas croire que les ennemis aient des ailes pour, la même nuit, traverser, débarquer, monter des rampes rompues et escalader: d'autant que pour la dernière opération il faudrait des échelles.»

En fait, Montcalm s'obstinait à croire que Wolfe ne pouvait l'attaquer nulle part ailleurs qu'à Beauport, où il réorganisa sa ligne défensive en conséquence. Deux mille hommes vinrent renforcer le flanc droit; d'autres troupes furent déplacées vers le flanc gauche qui, depuis le départ de Lévis, était pris en charge par le lieutenant-colonel Poulhariez du Royal-Roussillon. Le régiment de Guyenne fut posté à proximité des plaines d'Abraham, de sorte qu'il pût prêter main-forte soit à Bougainville en amont de Québec, soit à Montcalm en aval.

Le marquis visita le campement abandonné par Wolfe de l'autre côté de la rivière Montmorency: il était bien entretenu et protégé par de nombreuses fortifications. Montcalm se rendit compte, cependant, que cette position n'était pas aussi bien défendue, dans l'ensemble, qu'il l'avait cru. Il fut aussi surpris de constater que la ferme que Wolfe avait occupée n'avait pas été détruite par le feu comme toutes les autres du village. Son inspection terminée, le marquis rentra chez lui pour y accueillir Bougainville qu'il avait invité à dîner.

La nuit n'était pas encore tombée lorsque le jeune homme traversa Québec à cheval. Cela faisait près d'un mois qu'il n'avait plus mis les pieds dans la capitale.

*

«Tout était en ruine! s'écrie Bougainville avec tristesse. La ville tout entière était détruite, il ne restait plus rien de ses édifices imposants et de ses élégantes maisons. Au milieu de tous ces décombres, je ne pouvais m'empêcher de penser aux jours meilleurs que nous avions connus, au temps des amourettes, des plaisirs et de la camaraderie. Tout cela était parti en fumée pour laisser place à la désolation. Je suis demeuré un certain temps devant la cathédrale calcinée, à m'interroger sur les voies impénétrables de Dieu. Incapable d'en supporter davantage, j'ai regagné au galop la porte du Palais, où j'ai rencontré Montbeillard. Nous sommes allés ensemble jusqu'à Beauport, lui pour prendre son service et moi pour rendre visite à *mon général**.»

*

L'absence de Bougainville avait pesé à Montcalm, et les deux hommes recréèrent rapidement l'atmosphère d'intimité et d'affection qui leur était coutumière. Le siège de Québec fut leur principal sujet de conversation, le marquis confiant à son ami son point de vue sur la situation et ses angoisses. Son armée était passablement dispersée. Près de cinq mille hommes, placés sous les ordres de Lévis et de Bourlamaque, se trouvaient à présent à l'ouest de Montréal; trois mille autres étaient aux côtés de Bougainville en amont de Québec; et il en restait deux mille dans la ville même et six mille à Beauport.

Selon Montcalm, Bougainville constituait dès lors «la clé de notre sécurité». Chargé d'assurer la surveillance d'un front s'étendant sur cinquante milles, le jeune homme jouait en quelque sorte le rôle de gardien de sécurité. Plusieurs de leurs vaisseaux se trouvant en amont de Québec, les Anglais pouvaient se rendre où bon leur semblait. Par conséquent, Bougainville avait pour mission de toujours devancer leur flotte et de ne jamais se laisser distancer par elle. D'après Montcalm, c'était le seul moyen de les empêcher de débarquer.

*

«Montcalm a-t-il bien fait de vous confier une telle responsabilité, à vous qui étiez un novice, un apprenti dans l'art de la guerre?»

Bougainville me répond aussitôt:

«Et pourquoi pas? Oh! je n'ignore pas qu'un grand nombre des officiers supérieurs dans l'entourage de *mon général** me jugeaient trop incompétent ou inexpérimenté pour une telle mission. Mais je savais ce que je faisais. N'oubliez pas que j'étais tout juste derrière Lévis et Bourlamaque dans l'ordre hiérarchique.»

J'éclate de rire.

«Qu'est-ce qui vous fait rire? demande-t-il, quelque peu offusqué.

— Je suis désolé. Je ne voulais pas vous offenser. Je viens tout simplement d'imaginer une scène pour le moins cocasse: vous aperceviez une flottille et un important mouvement de troupes. Pour savoir ce qu'il se passait, vous ne pouviez compter que sur vos yeux. En fait, il vous aurait fallu une lunette d'approche, mais la seule que vous auriez pu emprunter avait été volée. Veuillez m'excuser, mais c'est vrai qu'une telle scène aurait été plutôt amusante.

— Je suis ravi de voir que vous prenez les choses ainsi», me lance Bougainville avec humeur. Il fait quelques pas avant d'ajouter: «*Mon général** était heureux de me voir, et il en était de même pour moi. Je m'inquiétais pour lui; il était tellement seul. Je crois que sa santé s'était détériorée. Il avait beaucoup maigri depuis la dernière fois que nous nous étions rencontrés et je pouvais déceler une profonde tristesse au fond de ses yeux, même s'il plaisantait toujours. Monsieur le marquis avait en moi une confiance absolue et j'avais bien l'intention de tout faire pour ne pas le décevoir. Lorsque je le quittai, nous avions tous deux les larmes aux yeux. Nous ignorions si nous allions jamais nous revoir.»

*

Dès que Bougainville fut parti, Montcalm demeura seul avec ses soucis. L'insubordination qui régnait au sein de son armée et les désertions continuelles constituaient une menace encore plus grave que la présence des Anglais. Il avait beau faire flageller et même pendre un nombre sans cesse croissant de coupables, rien n'y faisait.

Il lui semblait en outre que la trahison devenait de plus en plus courante parmi les Canadiens. La résistance face aux Anglais avait diminué dans les paroisses, notamment dans celles où ils s'étaient le mieux installés. Montcalm envoya des bandes d'Indiens pour effrayer les habitants et les empêcher de vendre des provisions aux Anglais, de cacher les déserteurs avec lesquels leurs filles se liaient et de prêter leur concours à l'ennemi de quelque manière que ce fût. Plusieurs miliciens se levaient tout simplement et partaient. Les commerçants de Québec parlaient de se rendre sous le prétexte — non fondé — que les Indiens vendraient leurs enfants aux Anglais une fois que ceux-ci se seraient emparés de la ville.

Montcalm ne comprit jamais dans quelle situation infernale les Canadiens se trouvaient. Leur serment de fidélité au roi de France les obligeait à harceler les Anglais chaque fois que l'occasion se présentait — et tous les comptes rendus de l'époque prouvent qu'ils le firent. Mais, par représailles, Wolfe incendiait leurs villages cependant que Montcalm ne prenait aucune mesure adéquate pour les protéger, préférant envoyer les Indiens maltraiter la population au moindre signe de ce qu'il considérait comme de la collaboration avec l'ennemi. Quoi qu'ils fissent, les Canadiens se voyaient sévèrement punis. Je laisse au lecteur le soin de juger la conduite de ses ancêtres.

Le 4 septembre 1759

À la Pointe-Lévis, aux environs de midi

Tôt dans l'après-midi, deux officiers et quatre civils arrivèrent de Crown Point avec une lettre d'Amherst. Ce voyage de six cent milles avait duré vingt-sept jours. Les six hommes s'étaient tout d'abord rendus à Boston, puis avaient traversé les vastes étendues du Massachusetts pour rejoindre la rivière Kennebec, dans le Maine. Ils avaient ensuite suivi cette rivière jusqu'à un grand lac et, de là, avaient descendu la Chaudière pour aboutir à quinze milles de Québec, sur la rive sud.

Dans sa lettre, datée du 7 août, Amherst parlait de la reddition de Niagara, de la mort de Prideaux et de la conduite générale des troupes. Il disait être en train de reconstruire Ticonderoga et Crown Point, les rendant encore plus inattaquables. Il terminait sa lettre par ces mots: «Je veux avoir de vos nouvelles. [...] Je vous garantis que je ferai tout ce qui est en mon pouvoir pour réduire efficacement le Canada. C'est le moment.»

Lorsque cette lettre arriva, le «moment» était déjà passé. Amherst n'était pas venu et Wolfe était seul.

Au cours de la nuit suivante, le général fut très malade. Même si le lendemain matin son état de santé s'était quelque peu amélioré, l'armée continuait à craindre que sa maladie ne l'empêchât de commander «cette Grande Entreprise en personne», comme Knox le nota dans son journal.

Le 6 septembre 1759

À la Pointe-Lévis, au milieu de l'après-midi

La plupart des soldats anglais s'étaient rassemblés sur la rive sud. Les troupes de Murray étaient déjà dans le haut Saint-Laurent, à bord des navires qui transportaient les provisions et les autres bagages légers. L'amiral Saunders demeurait avec la majeure partie de la flotte dans le bas Saint-Laurent, et Carleton veillait sur les installations à l'île d'Orléans. Burton avait pris le commandement de la Pointe-Lévis et de la Pointe-aux-Pères, et le major Scott et Goreham s'étaient mis en route avec mille six cents soldats pour aller incendier les villages se trouvant le long de la rive sud. Monckton, Townshend et le reste des soldats qui allaient exécuter le plan des brigadiers commençaient à traverser la rivière Etchemin pour rejoindre les vaisseaux.

*

Townshend est revenu d'un long voyage dont il ne veut pas me révéler la destination.

«Alors! où en sont vos écrits? me demande-t-il sur un ton un peu moins autoritaire que la dernière fois.

— Au début du mois de septembre. Vous vous dirigez en canot vers les bateaux qui sont ancrés dans le haut Saint-Laurent.»

Townshend s'approche de mon ordinateur et lit ce que j'ai écrit sur la soixante-treizième journée du siège. Manifestement ému, il déclare:

«Je me souviens parfaitement de ce jour-là. En attendant de partir avec mes troupes, j'avais eu le temps d'écrire à ma chère Charlotte. Mon Dieu! comme elle et les enfants me manquaient! Vous avez du mal à croire une chose pareille, n'est-ce pas? Cela ne cadre pas avec l'image que vous avez de nous, les Anglais: indifférents et incapables d'éprouver de l'affection, surtout les froids et calculateurs aristocrates.»

Je préfère ne pas répondre et nous demeurons un instant silencieux. Townshend devient agité et ses yeux se remplissent de larmes. «Saviez-vous que mon frère, qui était dans l'armée d'Amherst, s'est fait tué? J'avais pour lui une grande affection.»

De nouveau le silence s'installe, mais au bout d'un moment Townshend donne un coup de poing sur la table, effrayant le chat, qui manque faire une crise cardiaque, et il déclare presque en hurlant:

«Wolfe nous a fait faire, à nous soldats anglais, la pire guerre qui fût. LaPierre, cette guerre n'était rien d'autre qu'un théâtre de violence, de cruauté et de dévastation.»

Il se tait pour surmonter sa colère, puis, une fois calmé, il ajoute:

«Je n'étais pas fait pour ce genre de guerre. Je ne supportais pas l'ambition aveugle qui animait la plupart de mes collègues, ni la confusion que notre commandant faisait naître en nous, ni la misère du peuple, misère qui leur était infligée gratuitement et que les gémissements des femmes et des enfants emprisonnés dans nos camps et nos transports rendaient encore plus insupportable.»

Son regard est perdu dans le vague. J'ai sous les yeux la photocopie d'une lettre qu'il avait écrite à sa femme et dans laquelle il exprimait les mêmes idées. Je le lui en fais la lecture: «Notre campagne est presque terminée. Je reviendrai sur le navire de l'amiral Saunders et, dans deux mois, je serai parmi ceux que je n'aurais jamais dû quitter...» Se souvenant de ce qu'il avait écrit, Townshend prend la relève: «*Adieu**. Votre mari très affectionné et ami fidèle.»

Il me salue et s'en va. J'ai le sentiment qu'il ne viendra plus me rendre visite.

*

Bougainville avait passé toute la journée à surveiller les navires anglais et à leur tirer dessus, parvenant parfois à les atteindre. La pluie d'instructions, d'ordres et de reproches contradictoires qu'il avait reçus de Vaudreuil, de Montcalm et de leurs aides de camp respectifs l'avaient obligé à demeurer encore plus vigilant. Dans une lettre, on l'informait que le régiment de Guyenne avait été placé sous son commandement et qu'il camperait toute la nuit dans les environs des plaines d'Abraham, près de l'Anse-au-Foulon. Quelques heures plus tard, le même régiment avait reçu l'ordre de se poster sur la route de Sillery et de se tenir à la disposition de Bougainville ou de Montcalm, selon ce que les circonstances exigeraient. Bougainville demanda à ce que le

Guyenne se rendît à l'Anse-des-Mères, mais Vaudreuil refusa sa requête, lui faisant parvenir, vers dix-sept heures, un message dans lequel il expliquait que le terrain ne convenait pas à un régiment de troupes régulières et qu'en outre il n'y avait pas suffisamment de bois de chauffage à l'Anse-des-Mères pour que les soldats pussent se chauffer. Plus tard, le régiment regagna son camp, à l'est de la rivière Saint-Charles.

*

«Il est vrai que de tels moments de confusion étaient assez fréquents, admet Bougainville. Néanmoins, avant que je n'en dise davantage, vous devez comprendre que la stratégie consistait à utiliser le régiment de Guyenne comme un bataillon volant et également à le garder près des plaines d'Abraham au cas où Wolfe s'aventurerait jusqu'à Québec.

— Voulez-vous dire que l'endroit où se trouvait ce régiment à tel ou tel moment constitue la clé qui m'aidera à comprendre les faits?

— Oui, exactement. Comme je vous le disais, il régnait une grande confusion à propos de ce que les Anglais faisaient en si grand nombre dans le haut Saint-Laurent. Le 4 septembre, à seize heures, je reçus un message de *mon général** m'informant que les Anglais étaient en train d'embarquer dans leurs bateaux avec l'intention de faire demi-tour pour revenir à Québec ou à Beauport. Une heure plus tard, un aide de camp de votre gouverneur général vint m'apporter un message élogieux dans lequel il écrivait: «Je n'ai pas besoin de vous dire, Monsieur, que le salut de la colonie est entre vos mains.» Et il ajoutait que l'objectif de l'ennemi était de «nous couper la communication».

— Les choses n'auraient-elles pas été beaucoup plus simples pour vous, monsieur de Bougainville, si mon gouverneur, comme vous dites, et votre général s'étaient entendus?»

Il sourit et répond: «Je n'aurais certainement pas vécu jusqu'à quatre-vingt-deux ans si j'avais dû remettre en question les décisions de mes supérieurs».

*

Lévis venait tout juste de rentrer à Montréal après sa tournée d'inspection à l'Île-aux-Noix et à l'entrée des rapides où, sur l'île portant son nom, il avait supervisé la construction du fort Lévis. Les ingénieurs lui avaient assuré que le fort serait terminé à la fin du mois de septembre. La saison étant déjà fort avancée, Lévis était convaincu qu'Amherst attendrait la campagne de 1760 pour assiéger Montréal, si la paix n'était pas revenue en Europe d'ici là. Il pensait aussi, comme il l'écrivit à Montcalm, que «Wolfe ne tarderait pas à partir». Cependant, Lévis était certain que le général anglais, avant de rentrer dans son pays, tenterait une dernière opération afin de justifier sa venue à Québec. Par conséquent, Montcalm devait se tenir sur ses gardes à Beauport et, par-dessus tout, il ne fallait pas qu'il divisât son armée. «Je désire bien ardemment de pouvoir vous rejoindre», écrivit Lévis. Toutefois, ni Vaudreuil ni Montcalm ne lui ordonnèrent de revenir.

À vingt heures, Wolfe et l'amiral Holmes montèrent à bord du *Sutherland*. C'est là que Wolfe commença à préparer le débarquement de ses troupes, qui aurait lieu quelque part sur la rive nord.

Les 7 et 8 septembre 1759

L a stratégie était bien définie: l'amiral Saunders devait faire en sorte que Montcalm restât sur le qui-vive à Beauport; l'escadron de l'amiral Holmes, qui se trouvait dans le haut Saint-Laurent, épuiserait les troupes de Bougainville; le colonel Burton bombarderait Québec depuis la Pointe-aux-Pères; le major Scott continuerait à mettre la rive sud à feu et à sang; quant à Wolfe et à ses brigadiers, ils devaient planifier le débarquement de l'armée sur la rive nord, en amont de Québec.

À cette fin, le 7 septembre, Wolfe tint un conseil de guerre à bord du *Sutherland*. L'armée fut redivisée en trois groupes, puis répartie en deux lignes de combat. Monckton et Murray commanderaient la première ligne, et Townshend, la seconde. «Une fois que la côte [aurait] été examinée et les meilleurs endroits pour débarquer choisis», selon les instructions du général, il faudrait que «les troupes reçoivent l'ordre de débarquer, peut-être à la marée de cette nuit». Mackellar estimait que la marée serait haute aux environs de trois heures du matin.

Afin de trouver «les meilleurs endroits pour débarquer», Wolfe envoya les brigadiers en reconnaissance sur la rive nord, jusqu'à l'ouest de la Pointe-aux-Trembles, et les suivit à bord de la goélette *Terror of France*. Il fut de retour sur le *Southerland* bien avant les brigadiers, qui furent pris par la marée basse et restèrent bloqués sur le Saint-Laurent jusqu'à deux heures du matin.

Le 8 septembre, à l'aube, il se mit à pleuvoir à torrents. Bougainville, qui la veille avait suivi l'embarcation des brigadiers, puis celle de Wolfe, remontant et descendant le fleuve, reçut un nouveau message de Vaudreuil. «L'ennemi ne peut avoir que deux objets, disait-il: la diversion ou s'établir en haut; à vrai dire je crois plutôt le premier. Le dernier ne peut réussir si vous êtes vigilant.»

Bougainville passa une autre difficile journée à suivre les barges, à bord desquelles se trouvaient Wolfe et ses brigadiers, ainsi que les baleinières et autres petites embarcations transportant les soldats et longeant la rive dans les deux sens. Au crépuscule, il était de retour à la Pointe-aux-Trembles.

Lorsque Wolfe revint, sur le *Sutherland,* vers midi, il arborait un sourire satisfait. Les investigations de l'armée lui avaient permis de découvrir l'endroit idéal où débarquer, entre Saint-Augustin, petit village situé à douze milles à l'ouest de Québec, et la Pointe-aux-Trembles, qui se trouvait huit milles plus loin. Le général ne fit toutefois part à personne de sa découverte.

Le 9 septembre 1759

À bord du Sutherland, *à treize heures trente*

L a pluie tombait à verse et le vent soufflait en violentes rafales. Aussi fut-il décidé, tôt dans la matinée, qu'aucune opération militaire n'aurait lieu ce jour-là. Les soldats ne pouvant demeurer plus longtemps dans leurs cabines exiguës sans risquer de tomber malade, Wolfe les fit débarquer sur la rive sud afin qu'ils pussent prendre l'air et faire de l'exercice. Le général, quant à lui, retourna sur la rive nord pour l'explorer de nouveau. Lorsqu'il revint, plusieurs heures plus tard, l'opération qui devait avoir lieu en amont de Québec avait changé de cible.

Wolfe et les brigadiers s'étaient mis d'accord pour faire une descente en amont de Québec, mais l'endroit où se ferait le débarquement n'avait pas encore été déterminé. Les brigadiers pensaient qu'il fallait descendre à l'ouest de Sillery. En effet, prenant le chemin que leur avait indiqué Murray, ils avaient accosté entre Deschambault et la Pointe-aux-Trembles, où ils avaient estimé que le terrain convenait parfaitement à une telle opération. Une fois que les troupes auraient débarqué, une tête de pont pourrait être établie assez facilement et les soldats pourraient emprunter le chemin du Roi pour marcher vers Québec. En débarquant aussi loin en amont de la capitale, ils éviteraient une éventuelle attaque de Montcalm, qui aurait pu les rattraper par les routes secondaires se trouvant au nord du chemin du Roi. Ainsi les Anglais pourraient-ils maintenir leur position, tout en protégeant leurs arrières.

Cependant, lorsque, dans l'après-midi, Wolfe revint de son expédition de reconnaissance, son idée était faite: le débarquement n'aurait pas lieu dans les environs de la Pointe-aux-Trembles. Il devait absolument prendre les Français par surprise et, comme le mentionna Mackellar dans son journal, en remontant et en descendant le fleuve le long de la rive nord sous la pluie torrentielle, il avait trouvé l'endroit qui «répondait exactement à cette attente». Le plan des brigadiers fut donc rejeté au profit de celui de Wolfe, mais, encore une fois, celui-ci n'en souffla mot à personne.

À Beauport, tôt dans la soirée

Le campement français était complètement inondé. Les ponts avaient été emportés et les pluies diluviennes avaient transformé le sol en un véritable bourbier sur lequel les charrettes ne pouvaient plus avancer. Durant la journée, le régiment de Guyenne avait de nouveau reçu l'ordre de quitter Cap-Rouge, où il avait passé la nuit précédente, pour rejoindre son camp, à l'est de la rivière Saint-Charles. Maintenant, selon Montcalm, vingt bâtiments anglais et une cinquantaine de barges mouillaient au large de Sillery et de Cap-Rouge.

Pour une fois Montcalm était sûr de lui au point de vouloir organiser le cantonnement des troupes pour le prochain hiver. Québec serait inhabitable, mais par contre il serait agréable de vivre à Montréal. Toutefois, son pessimisme naturel reprenait le dessus dans la lettre qu'il écrivit cet après-midi-là à Lévis. «En vérité, il n'y a rien à craindre pour votre partie.» À Québec, cependant, *«tout n'est pas encore dit*».» Sans savoir exactement de quoi il s'agissait, Montcalm sentait que quelque chose se préparait et cela lui faisait peur. Il aurait voulu que Lévis fût à ses côtés: *«J'avoue, mon cher chevalier, que je vous désirerais bien pour celle-ci*.»* Le marquis ne lui donna pas pour autant l'ordre de revenir.

À bord du Sutherland, plus tard dans la nuit

Wolfe avait lui aussi une lettre à écrire. En dépit de la «découverte» faite durant son exploration de la matinée et malgré sa nouvelle détermination, il était encore en proie au découragement lorsqu'il rédigea son rapport officiel à l'intention du comte de Holderness, l'un des secrétaires d'État du ministère de Pitt. Le général raconta par le menu détail tous les déboires que son armée avait connus depuis le début de la campagne. Son incapacité de conquérir Québec était, selon lui, due au fait qu'il s'agissait «sûrement du pays le plus puissant du monde sur lequel fonder la défense d'une ville et d'une colonie»; à la manière dont les Français avaient disposé leur armée et leurs armements; à la stratégie de Montcalm qu'il décrivit comme «circonspecte [...] et entièrement défensive»; aux attaques «d'hommes de soixante-dix ans ou de jeunes garçons de quinze ans» qui se cachaient dans les bois et tiraient sans cesse sur ses hommes, en tuant ou en blessant plusieurs à chaque fois; et à l'incompétence de la marine qui ne pouvait «de quelque façon que ce soit aider à attaquer l'armée canadienne». En plus de tout cela, il y avait la lente marche d'Amherst vers Montréal, les «plus violentes des marées descendantes», les lits de rivière rocailleux et les courants rapides, le manque d'équipement, la chaleur intense, la pluie désagréable, et tant de choses encore. Wolfe pouvait tout de même se vanter d'un exploit: «La ville est complètement démolie et une grande partie de la campagne, dévastée, principalement dans le bas Canada.»

Le général doutait encore qu'un débarquement en amont de Québec fût approprié. Il adressa au comte une longue litanie de toutes les difficultés qu'il devrait surmonter: la distance séparant les bateaux de l'endroit du débarquement, la nature capricieuse de la marée, l'obscurité de la nuit, le risque de voir les bateaux dériver trop loin, les difficultés du terrain, la nécessité d'agir rapidement, et ainsi de suite. En raison de tous ces problèmes, une bonne partie de l'expédition relevait d'un coup de chance. Néanmoins, il avait donné son accord pour que le débarquement eût lieu en amont de Québec, comme les brigadiers l'avaient suggéré; par conséquent «maintenant nous sommes là, avec quelque trois mille hommes, à attendre que nous soit donnée l'occasion de les attaquer au moment et à l'endroit où ils seront le plus facile d'accès».

Au sujet de sa santé, Wolfe déclara: «Je suis assez rétabli pour m'occuper du service, mais ma constitution est entièrement ruinée, sans que j'aie la consolation d'avoir rendu aucun service considérable à l'État, et sans que j'aie l'espoir d'en rendre.»

*

Voilà un général qui était sur le point de risquer la vie de trois mille six cents hommes sans même être sûr de lui ni de l'opération qu'il allait tenter! L'histoire a jugé Wolfe avec trop d'indulgence.

*

À minuit, la pluie cessa de tomber.

Le 10 septembre 1759

Un artilleur français et un jeune marin, dont on disait qu'il avait dix-sept ans à peine, furent pendus après avoir été surpris en train de voler dans la maison d'un marchand, tout près du palais épiscopal. Le vent soufflait du sud-ouest et le soleil brillait de tous ses feux.

À treize heures trente, Wolfe, l'amiral Holmes, Monckton, Townshend, Mackellar et le capitaine Chads, répartis sur trois barges, furent transportés jusqu'au poste de Goreham, sur la rivière Etchemin. Chacun d'eux avait revêtu un pardessus de grenadier afin de passer inaperçu. Le soldat au regard d'aigle qui faisait le guet sur les batteries de Sillery les repéra et rapporta à Bougainville qu'il s'agissait d'officiers: Wolfe et ses compagnons étaient si vaniteux qu'ils avaient laissé leurs insignes de grade bien à la vue.

Ils passèrent une grande partie de l'après-midi chez le major Dalling, dont la maison était située sur un haut plateau, à inspecter la rive nord (à Sillery, le vigilant officier remarqua qu'ils faisaient des signes dans sa direction) et à planter des piquets dans le sol. Wolfe espérait que les Français le croiraient en train d'établir un nouveau camp. Et c'est effectivement ce qu'ils firent.

Wolfe était de plus en plus convaincu qu'il devait abandonner le plan de ses brigadiers et changer l'emplacement du débarquement. Il ne consulta ni Monckton ni Townshend, pas plus que Murray, qui avait pris le commandement des troupes à Saint-Nicolas. Personne n'eut droit à ses confidences.

À dix-huit heures, Wolfe reprit le chemin du *Sutherland,* où il arriva une heure et demie plus tard. Après un frugal repas, il écrivit un court message à Burton qui se trouvait à la Pointe-Lévis: «Demain, les troupes rembarquent, la flotte remonte le fleuve un peu plus haut, comme si nous avions l'intention de débarquer en amont sur la rive nord, gardant une bonne distance entre les bateaux et les vaisseaux armés pour que ces derniers puissent échouer au FOU-LON, et nous comptons (s'il n'y a pas de changement de temps ou autres empêchements) faire un puissant effort à cet endroit vers QUATRE heures du matin, le 13 de ce mois.»

*

Les spéculations concernant les raisons qui poussèrent Wolfe à choisir le Foulon sont nombreuses. Certains historiens ont affirmé que ce fut Stobo qui lui en donna l'idée. Or, à cette époque, ce dernier n'était pas à Québec. Wolfe l'avait en effet renvoyé au camp d'Amherst, quelques jours après avoir reçu la lettre de ce dernier, avec l'enseigne de vaisseau Hutchins et ses hommes. Il a généralement été dit que Wolfe avait choisi le Foulon parce que c'était l'endroit qui répondait le mieux à son principal objectif, c'est-à-dire prendre les Français par surprise. Montcalm n'a jamais envisagé que l'ennemi pourrait débarquer au Foulon, même si ce n'était qu'à deux milles et demi en amont de Québec et à moins de trois mille verges de l'endroit où Wolfe avait passé l'après-midi. Une ascension de l'abrupt escarpement du Foulon, recouvert d'arbres et s'élevant à cent soixante-quinze pieds au-dessus du Saint-Laurent, paraissait des plus improbables. L'étroit passage que l'on pouvait emprunter pour monter la ravine depuis la rive, le ruisseau Saint-Denis, était bloqué par des arbres et des rochers. Wolfe, cependant, avait remarqué un détail que sûrement personne n'avait vu: à environ deux cents verges du ruis-seau, sur la droite, se trouvait une pente qui, selon lui, pouvait «répondre à nos besoins», soit permettre à ses troupes d'escalader facilement l'escarpement.

Pourtant, lorsqu'on veut juger de la tactique que Wolfe utilisa pour conquérir Québec, il faut garder en mémoire ce qui suit. Ayant lon-guement exploré cette partie de la rive, le général anglais savait qu'un petit détachement d'environ cent hommes gardaient le Foulon et que Bougainville, lui-même à la tête d'une armée aussi importante que la sienne, était campé à sept milles à l'ouest du Foulon, à Cap-Rouge. On ne sait pas si Wolfe avait pris en considération le fait qu'un large plateau, connu sous le nom des plaines d'Abraham et auquel les Fran-çais avaient facilement accès, était presque adjacent au Foulon ni s'il était conscient de ce que ses brigadiers, pour leur part, avaient envi-sagé: Montcalm pouvait prendre les routes de derrière pour rejoindre ses ennemis.

Contrairement à ce que les historiens peuvent dire — en particulier ceux qui veulent nous faire croire que la conquête de Québec par les Anglais était une bonne chose pour nous tous —, ce ne sont ni la stratégie, ni la tactique, ni le désir de créer un effet de surprise qui déterminèrent la décision de Wolfe. Il choisit le Foulon simplement parce qu'il ne voulait pas être redevable à ses brigadiers. C'était son entreprise, et non la leur. De la même façon, il refusa de leur révéler l'endroit où le débarquement aurait lieu, car il savait pertinemment qu'ils n'approuveraient pas son choix. Et il n'allait certainement pas faire quoi que ce fût qui aurait pu l'obliger à être reconnaissant à Townshend.

Maintenant vous savez tout. J'ai résolu une des plus grandes énigmes de l'histoire canadienne. Et si je me trompe, alors Wolfe devait être complètement fou et aurait dû être retiré de son poste de commandement.

Le 11 septembre 1759

À bord du Sutherland, *le matin*

Au cours de la matinée, Wolfe donna ses instructions. L'embarquement devrait commencer le lendemain matin, le 12 septembre, à neuf heures. Dans le cas où les hommes seraient obligés de rester longtemps sur les navires, les officiers avaient l'autorisation de leur donner des rations supplémentaires de rhum pour mélanger à leur eau. Wolfe confia à James Chads, capitaine du *Vesuvius,* le commandement du débarquement. Aucun officier ne devrait tenter de «faire le moindre changement, ni intervenir» dans ses décisions. Encore une fois, Wolfe s'abstint de divulguer à Monckton, son commandant en second, à Townshend et à Murray l'emplacement exact du débarquement.

À Kamouraska et à Rivière-Ouelle,
sur la rive sud, au cours de la journée

Les vieux étaient au désespoir et les enfants semblaient complètement effarés. Les soldats avaient déjà incendié une maison de leur village et maintenant ils rassemblaient les habitants sur la place de l'église. Arrivés là, les gens tombaient à genoux et récitaient leur rosaire. Lorsque, à sa grande satisfaction, le commandant des Rangers, le major Scott, constata que les villageois ne lui opposaient guère de résistance, il confisqua bétail, fruits et légumes, objets de maison et tout ce qu'il trouva d'intéressant, ordonnant à ses hommes de charger le précieux butin dans les barges. Ensuite, le major mit le feu à toutes les autres constructions du village et de ses alentours, et aux récoltes se trouvant dans les champs. Chaque fois qu'un habitant du village essayait d'intervenir, Scott le faisait abattre. Son travail terminé, il se dirigea vers le village suivant, laissant là les habitants qui durent se débrouiller avec le peu qui leur restait. Cependant, à l'insu de tous, un jeune garçon avait réussi à se faufiler jusqu'à son cheval et était parti au galop vers le village voisin pour avertir ses habitants que «*les Anglais*» allaient arriver.

Scott avait entrepris cette opération le matin du 7 septembre, à neuf heures. Il avait sous son commandement quelque mille six cents hommes, dont la moitié était avec Goreham, un peu plus en amont sur la rive du Saint-Laurent.

Dans le village de Kamouraska et ses alentours, Scott incendia deux cent vingt-cinq maisons et autres constructions — un chiffre énorme puisque, selon les registres, pas plus de cent trente-cinq familles vivaient à cet endroit.

*

J'imagine que je marche de nouveau dans les rues dévastées de Québec où je rencontre le père Baudouin. Il a maigri et sa respiration est devenue encore plus sifflante. Pourtant, il ne baisse pas les bras.

«Je me demande toujours où ils trouvent toutes ces bombes. Peut-être les fabriquent-ils sur l'un de leurs navires, me dit-il tandis que les projectiles pleuvent partout autour de nous.

— Ils en ont beaucoup. Vous n'êtes pas près de connaître une trêve.

— Je sais. Et en plus il ne nous reste presque plus de nourriture. Les soldats reçoivent trois quarts de livre de pain par jour; et nous, les habitants de la ville, n'avons qu'un quart de livre. Rien de plus. Je m'inquiète pour les enfants. Il paraît qu'à Trois-Rivières la récolte a été assez bonne, mais rien ne dit qu'on en recevra une partie avant qu'il ne soit trop tard.

— Est-ce que tout le monde souffre de la faim?

— Cela varie d'un endroit à l'autre. Les habitants des villages où vont les Anglais préfèrent leur vendre leur blé plutôt que de se le faire confisquer. À Québec, la plupart d'entre nous avons faim, mais je soupçonne que certains riches marchands et hauts fonctionnaires ont plus de nourriture que nous tous réunis. Je suppose que ce sont là les prérogatives du pouvoir.

— Sur la rive sud, le major Scott a fait autant de dégâts qu'il lui a été possible d'en faire en cinq journées complètes.

— C'est ce que j'ai entendu dire», réplique le père Baudouin, puis il ajoute: «Et le marquis de Montcalm reste dans ses tranchées.»

Nous marchons un moment sans mot dire, nous frayant un chemin parmi les décombres. Dans ce qui reste de la magnifique église des Récollets, le père Baudouin s'assoit sur une grosse pièce de maçonnerie et, tentant de maîtriser son émotion, il déclare: «Monsieur LaPierre, nous sommes un peuple habitué au despotisme, un despotisme souvent bienveillant. Nous n'avons pas appris à remettre en question l'autorité; elle vient de Dieu. En même temps, nous sommes *quand même** un peuple rebelle. Les gens pensent-ils que Dieu les a abandonnés? Sont-ils en colère contre Lui? Doutent-ils de l'utilité de leurs prières? Ont-ils perdu tout espoir? Ou alors demeurent-ils fidèles à leur foi, puisant autant de réconfort et de soutien qu'ils le peuvent dans leurs anciens rituels?»

Sans attendre ma réponse, il continue: «Je l'ignore. Leur peine et leur misère sont si grandes qu'ils ne pensent peut-être à rien d'autre qu'à survivre à la prochaine minute, à la prochaine *torche** ou à la prochaine bombe. Je ne sais pas.»

Le père Baudouin se lève et fait quelques pas, parcourant du regard les ruines de l'église. Poussant du pied un morceau de plâtre qui se trouve sur son chemin, il ajoute sur un ton sec, comme s'il s'adressait à Vaudreuil: «La confusion et l'indécision des autorités françaises, leur perpétuel refus de prendre les dispositions qui s'imposent et leur actuelle attitude consistant à attendre la suite des événements ont amené les Canadiens à critiquer leurs maîtres temporels de façon très sévère. Dans le secret de leur cœur, ils en sont venus à la conclusion qu'ils sont gouvernés par une bande d'incompétents et de crétins. Peut-être même commencent-ils à penser que ce ne serait pas si grave d'être gouvernés par une puissance étrangère, dans la mesure où cela leur permettrait de sauvegarder le peu de possessions spirituelles et temporelles qu'ils chérissent. Il est étonnant de voir comme la liste de leurs revendications est courte. Selon moi, il ne fait aucun doute qu'une pensée qui germe aujourd'hui sera demain une conviction.»

Baudouin se tait. Une dernière fois, il regarde longuement l'église dévastée, puis s'éloigne après m'avoir lancé un sec *«Bonsoir, monsieur**».

Le 12 septembre 1759

R épartie sur la vingtaine de vaisseaux qui mouillaient dans le Saint-Laurent, entre Cap-Rouge et la Pointe-aux-Trembles et devant le poste de Goreham sur la rive sud, l'armée du général Wolfe attendait. À tous ceux qui devaient porter le «coup décisif», Wolfe donna des ordres explicites: il fallait éviter de répéter les erreurs commises à Montmorency à la fin du mois de juillet. «Les bataillons se formeront sur la hauteur avec promptitude et se tiendront prêts à charger l'ennemi.» En outre, les soldats devraient sans cesse «être attentifs aux ordres de leurs officiers, y obéir, et demeurer résolus dans l'exécution de leur mission», sans oublier «ce que le pays attend d'eux et ce qu'un corps de soldats déterminés, endurcis à la guerre, est capable de faire contre cinq faibles bataillons français mêlés à des paysans sans discipline».

Bougainville passa encore la journée à surveiller et à suivre les Anglais. Malgré le mauvais temps, le jeune homme était parvenu depuis plusieurs jours à rester sur leurs traces comme on le lui avait ordonné. La tâche n'avait toutefois pas été aisée, les mouvements des embarcations étant imprévisibles et le nombre de navires et de barges changeant considérablement d'une expédition à l'autre. Il lui fallait toujours se tenir prêt à partir et marcher longtemps, généralement sur des terrains difficiles. La plupart du temps, Bougainville et ses hommes étaient affamés, sales, fatigués et frustrés. Afin de pouvoir se mettre en route aussi rapidement qu'il le fallait, il devait constamment garder cinq ou six cents soldats en état d'alerte; les autres suivaient dès que possible.

Plus tôt dans la journée, l'amiral Holmes, à la tête de quelques barges et de deux navires, avait pris la direction de la Pointe-aux-Trembles. Bougainville avait suivi, croyant que les Anglais allaient y débarquer, mais il revint quelques heures plus tard à Cap-Rouge, bredouille. Une lettre de Cadet l'y attendait, lui demandant de couvrir les bateaux de provisions venant de Montréal, en rade à la Pointe-aux-Trembles depuis deux ou trois jours. Le convoi devait descendre le fleuve au cours de la nuit. Bougainville en avisa ses factionnaires, mais aucun d'entre eux ne devait voir l'ombre d'un bateau de Cadet. Ni Vaudreuil ni Cadet n'avaient pris la peine de lui envoyer un mot pour lui dire que l'opération avait été annulée. En proie à une grande agitation, le jeune homme passa la nuit à Cap-Rouge.

Le régiment de Guyenne était toujours dans son camp. Au cours de la journée, il fut question de l'envoyer plus à l'ouest vers les plaines d'Abraham, près du Foulon, et cela donna lieu à d'interminables discussions. Cependant, aucun ordre ne fut donné à cet effet, ni par Vaudreuil ni par Montcalm.

À seize heures, les brigadiers se réunirent à bord du *Sutherland*. Ils n'appréciaient guère que Wolfe les tînt dans l'ignorance quant à l'endroit où se ferait le débarquement et, d'un commun accord, ils lui écrivirent: «Nous devons demander la permission de solliciter de vous des ordres clairs sur la tâche que nous aurons à remplir et en particulier sur la ou les places où l'attaque aura lieu.»

Lorsque, à vingt heures trente, Wolfe reçut cette missive, il fut grandement offusqué par l'audace de ses brigadiers. Il écrivit à Monckton une lettre très sèche dans laquelle il l'informait que le débarquement se ferait au Foulon. Par la même occasion, il en profita pour lui faire des réprimandes. «Ce n'est pas l'habitude», écrivit-il à son commandant en second, seule personne en mesure de mener l'opération à bien dans le cas où il serait luimême incapable de le faire, «de désigner dans les ordres publics le point direct d'une attaque, ni pour des officiers subalternes qui ne sont pas chargés d'un devoir spécial, de demander des instructions à ce propos.»

*

On a du mal à croire que Wolfe ait pu écrire une telle lettre et aucun historien ne parviendra jamais à justifier ces paroles — comme beaucoup ont tenté de le faire. Monckton n'était pas un «officier subalterne qui n'était pas chargé d'un devoir spécial». Après Wolfe, il était la personne la plus importante de l'armée anglaise à Québec et le commandant de la première ligne d'attaque.

*

Monckton envoya l'information de Wolfe à Townshend, mais pas à Murray, qui, sans aucun doute, fut tout de même mis au courant par

Townshend. À vingt et une heures, une fois que le général eut réglé ce petit problème, un de ses aides de camp vint l'avertir que les troupes commençaient à embarquer dans les chaloupes.

À Beauport, Montcalm était anxieux et agité. L'épuisement des vivres était son principal sujet d'inquiétude: d'ici deux jours à peine, il n'y aurait plus rien à manger. Peu après vingt et une heures, n'arrivant pas à se calmer, le marquis décida de faire une promenade avec M. Marcel. Montbeillard les rejoignit bientôt. Tous trois marchèrent le long de la plage, observant les retranchements au-dessus d'eux. Ils pouvaient voir, brillant dans les ténèbres, les feux de camp que les soldats avaient allumés. Les canons anglais pilonnant Québec grondaient dans le silence de la nuit; on eût dit que les bombardements étaient encore plus intenses que d'habitude. Montcalm distinguait à peine les navires anglais qui se préparaient au loin à mettre les voiles. Sur l'île d'Orléans, les soldats étaient en train de prendre place à bord des barges. Le marquis continua à marcher. À vingt-trois heures, il était convaincu que les embarcations se dirigeaient vers son camp.

Une heure plus tôt, dans le haut Saint-Laurent, le colonel Howe, à la tête de l'avant-garde, avait appelé les soldats volontaires pour «escalader la falaise». Huit hommes s'étaient montrés prêts à «mettre à exécution cet agréable ordre [...] avec toute leur vitalité, leur attention et leur vigueur». Howe leur avait permis de prendre seize hommes de plus, ce qui faisait un total de vingt-quatre soldats sous les ordres du capitaine William Delaune. S'ils survivaient, Howe ne manquerait pas de les «recommander au général».

Dans la nuit sereine et silencieuse, les volontaires avaient pris place à bord de la chaloupe qui allait prendre la tête de la flottille.

Presque au même moment, la vigie du *Hunter,* ancré au large de Sillery, trois milles à l'ouest de Québec, repéra un canot qui arrivait silencieusement, transportant à son bord deux soldats français du régiment du Royal-Roussillon; ils avaient déserté la patrouille de Bougainville. Une fois à bord du *Hunter,* les deux hommes apprirent au capitaine Smith que des barges de provisions devaient descendre le fleuve au cours de la nuit. Il était trop tard pour avertir Wolfe, mais le capitaine ordonna à ses hommes de rester sur le qui-vive.

Wolfe savait que, s'il faisait une erreur, lui et lui seul devrait en répondre devant le roi et le peuple. Cependant, il avait choisi le Foulon et c'est là qu'il jouerait sa vie.

Pour l'opération du Foulon, le général avait pris sous son commandement un peu plus de quatre mille cinq cents hommes, tous des réguliers bien entraînés et dont la plupart venaient de régiments ayant joué un rôle important depuis le début de la guerre: le 15e (le bataillon d'Amherst), le 28e (celui de Bragg), le 35e (celui d'Otway), le 43e (celui de Kennedy), le 47e (celui de Lacelle), le 48e (celui de Webb) et le 58e (celui d'Anstruther). Il avait en outre une troupe d'infanterie légère, composée de tireurs d'élite et de soldats compétents, deux bataillons du Royal-Américain (formé principalement de mercenaires allemands et de quelques Américains), les *«sans-culottes»* * (les hommes du 78e Régiment des Highland, que l'on appelait les Highlanders du Fraser) et les grenadiers de Louisbourg.

Wolfe était prêt à affronter son destin. Le temps lui était favorable et jusqu'à présent l'opération semblait bien se dérouler.

The boast of heraldy, the pomp of power
And all that beauty, all that wealth e'er gave
Await alike th'inevitable hour,
The paths of glory lead but to the grave[1].

Wolfe disait souvent qu'il aurait préféré être l'auteur de ce quatrain tiré d'*Élégie écrite dans un cimetière campagnard,* de Thomas Gray, que de faire la conquête de Québec. Cependant, contrairement à ce que la légende raconte, il est peu probable que le général anglais récitât ces vers dans l'embarcation qui, cette nuit-là, l'amena au Foulon.

Montcalm avait environ six mille hommes à Beauport, dont moins de deux mille appartenaient aux troupes régulières (les régiments du Languedoc, du Béarn, du Royal-Roussillon et de la Sarre). Plusieurs d'entre eux s'étaient engagés comme mercenaires. Bien qu'ils fussent capables de bien se battre lorsqu'ils le voulaient, la plupart du temps on ne pouvait leur faire confiance. Les *compagnies franches de la*

---

1. La fierté du blason, le faste du pouvoir
Et tout ce qu'offrent richesse et beauté
Ne font qu'un dans l'attente de l'heure inévitable,
Les sentiers de la gloire ne mènent qu'au tombeau. *(N.D.T.)*

marine* commandées par des officiers canadiens. Ces soldats étaient de bons combattants, en particulier dans les bois, mais ils manquaient eux aussi de discipline et s'habillaient n'importe comment, ce qui exaspérait Montcalm au plus haut point. En outre, ils préféraient la façon canadienne de faire la guerre à celle des Français, selon eux trop basée sur la discipline. Le général considérait les Canadiens comme de bons tireurs et des hommes infatigables qui n'avaient pas froid aux yeux, bien qu'ils fussent insuffisamment entraînés aux techniques de combat européennes. Montcalm avait incorporé environ mille de ces hommes dans les rangs des troupes régulières.

Il n'attendait toutefois rien des Indiens, espérant que tout se passerait pour le mieux.

Deuxième partie

La bataille

Du 13 au 18 septembre 1759

Sur les plaines d'Abraham

Le 13 septembre 1759

Il est à noter que la majeure partie de la bataille du 13 septembre 1759 n'eut pas lieu à l'endroit où se trouvent de nos jours les plaines d'Abraham, à savoir le parc national aménagé par la Ville de Québec afin de commémorer cet événement historique. La bataille se déroula en réalité un peu plus à l'est. De même, le plateau connu sous le nom des Hauteurs d'Abraham n'a jamais appartenu à un dénommé Abraham Martin, dont la terre était située beaucoup plus près de la ville. Je m'en suis toutefois tenu à l'inoffensive convention qui consiste à donner au champ de bataille le nom de plaines d'Abraham. Comme quoi tradition et vérité divergent souvent!

Le 13 septembre 1759

Près de Cap-Rouge, à une heure du matin

La lune entrait dans sa vingtième journée. Ses pâles rayons éclairaient le ciel et dessinaient dans la pénombre les silhouettes des trente bateaux plats, des trois chaloupes affectées aux deux petits navires, et de la goélette *Terror of France* mouillant près du *Sutherland*. À leur bord se trouvaient Monckton, Murray et les mille sept cents soldats qui étaient sous leur commandement: les volontaires recrutés par Howe, les hommes des 28e, 43e, 47e et 58e Régiments et un détachement de Highlanders et du Royal-Américain. La marée avait commencé à refluer; la nuit était sereine et le vent soufflait du sud-ouest.

Sur la passerelle du *Sutherland*, un jeune tambour portant un uniforme aux couleurs vives se dirigea vers l'une des embarcations, suivi d'un petit groupe de personnages surgis de l'obscurité: l'adjudant-major, deux ou trois serviteurs et aides de camp et quelques soldats. Derrière eux apparut un homme svelte, drapé dans une immense cape noire destinée à le protéger de l'air frais de la nuit. Wolfe tenait sa baguette d'officier à la main et portait son chapeau sur le côté de la tête. Sans un mot il prit place dans l'embarcation qui lui était réservée et attendit le signal devant marquer le début de l'opération dont l'objectif était la conquête de Québec.

À Beauport, pour une raison connue de lui seul, Montbeillard fut soudain impressionné par les tranchées françaises. «Plus je les contemplais, écrivit-il, plus j'étais persuadé que l'ennemi ne tenterait pas de les attaquer.» Il était une heure du matin lorsqu'un messager vint lui annoncer qu'«une grande rumeur de bateaux» sur le flanc droit avait obligé les troupes à regagner leurs tranchées. Montbeillard enfourcha immédiatement sa monture et galopa le long de la ligne défensive, ordonnant aux hommes des batteries de se tenir prêts.

Montcalm envoya un canot espionner les Anglais, puis il poursuivit sa veille solitaire à Beauport, dans l'attente d'une attaque ennemie.

Près du Sutherland, à deux heures

Le capitaine Chads aperçut les lueurs des deux lanternes accrochées, l'une au-dessus de l'autre, au grand mât du *Sutherland*. À son ordre, ses marins se mirent aussitôt à ramer en silence contre le reflux, bientôt suivis des autres bateaux. Le courant était extrêmement fort — les pluies torrentielles des derniers jours avaient rendu le Saint-Laurent tumultueux — et ils avaient une distance d'un peu moins de dix milles à parcourir. Chads estima qu'il leur faudrait deux heures environ pour atteindre la grève du Foulon, puis il se dirigea vers le *Hunter* qui allait lui servir de *point de repère**.

Quarante-cinq minutes plus tard, les sloops armés et les navires de transport à bord desquels se trouvaient les munitions et les provisions se joignirent aux autres bateaux.

À Beauport, à trois heures

À son retour, l'équipage du canot envoyé en reconnaissance par Montcalm, quelques heures plus tôt, déclara que les Anglais approchaient de la Canardière. Montbeillard s'y rendit aussitôt au galop. Il fit transporter un petit canon sur la rive et ordonna ensuite à la milice de Québec de s'avancer sur la grève. Par mesure de précaution, Montcalm fit partir un autre canot en observation et demanda à M. Marcel de se rendre au quartier général de Vaudreuil afin de le tenir constamment informé des événements se déroulant à la Canardière. Cela fait, le marquis attendit.

Dans le haut Saint-Laurent, une deuxième vague de soldats anglais devant se rendre au Foulon, soit mille neuf cents hommes provenant des 15e et 35e Régiments, des bataillons de l'infanterie légère et du reste du Royal-Américain, placés sous les ordres de Townshend, étaient montés à bord du *Lowestoft,* sur lequel se trouvait l'amiral Holmes, du *Squirrel,* du *Seahorse* et des autres navires de transport. Ancré en face de Cap-Rouge, le *Sutherland* surveillait le campement de Bougainville.

Près du Foulon, à trois heures trente

Le *Hunter* avait jeté l'ancre à environ deux mille verges du Foulon, là où le capitaine Smith attendait l'arrivée des navires de ravitaillement français en provenance de Montréal.

Entendant un bruit étouffé de rames, la vigie alerta l'officier de quart, qui fit mander le capitaine. Dans l'obscurité de la nuit, Smith distingua la silhouette d'un bateau qui s'approchait à une cinquantaine de pieds de là. Il ordonna aux marins et aux fusiliers marins de se tenir prêts à ouvrir le feu, mais le commandant de ladite embarcation s'identifia rapidement: il s'agissait du capitaine Fraser, du 78ᵉ Régiment des Highlanders. Soulagé, Smith lui annonça que des navires de ravitaillement français étaient attendus. Fraser prit note du renseignement.

À Beauport, à trois heures cinquante

Les hommes du second canot n'ayant rien remarqué de suspect à la Canardière, l'équipage rentra à Beauport pour faire son rapport à Montcalm. Dans le lointain, le marquis pouvait toutefois apercevoir, éclairées par la lune, les sombres silhouettes des barges et des navires de Saunders venant rejoindre les vaisseaux ancrés dans le bassin de Québec.

L'alerte passée, le marquis ordonna à ses troupes de regagner leurs tentes. Lui-même rentra chez lui, où il ingurgita une énorme quantité de thé tout en conversant avec Johnstone, devenu son aide de camp depuis que Lévis était parti à Montréal le 9 août. Montcalm ne cessa de parler des navires de ravitaillement qui lui causaient une grande inquiétude, répétant combien il serait désastreux qu'ils fussent interceptés par les Anglais.

Près du Foulon, à quatre heures

La lune s'étant dissimulée derrière des nuages, Chads et ses hommes parvenaient difficilement à se diriger, d'autant plus que le courant était plus rapide que prévu. Au moment où ils approchèrent de la grève, une sentinelle lança: «*Qui vive? Qui vive?**»

Le capitaine Fraser répliqua aussitôt sans hésiter: «*La France et vive le Roi!**»

Le factionnaire, croyant qu'il s'agissait de l'officier français commandant les navires de ravitaillement, descendit jusqu'au rivage en lançant à ses camarades: *«Ce sont nos gens avec les provisions. Laissez-les passer*.»*

Sans la moindre difficulté, quelques embarcations, dont celle qui transportait Chads, accostèrent sur la grève, où les soldats anglais se débarrassèrent rapidement des sentinelles. La marée avait toutefois eu le temps de faire dériver les autres bateaux vers l'aval. Ils abordèrent donc environ quatre cents verges à l'est du ravin et du sentier que les soldats allaient emprunter pour atteindre le sommet de la falaise, haute de cent soixante-quinze pieds. Howe et ses volontaires se trouvaient dans l'une de ces embarcations. Une pluie fine se mit à tomber.

Pendant que Delaune et ses hommes enlevaient les abattis érigés par les Français sur le chemin longeant le ruisseau Saint-Denis, Howe, accompagné de Donald McDonald, capitaine des Highlanders, de vingt-quatre volontaires et de quelques fantassins, décidèrent d'escalader sans plus tarder la falaise. Fusil en bandoulière, chacun se hissa péniblement vers le sommet en s'agrippant aux branches, aux buissons et aux arbustes qui se trouvaient à sa portée. Les Anglais se dirigeaient lentement vers l'ouest, le long de la falaise, lorsqu'un milicien les interpella. McDonald, qui avait appris le français au cours d'une des nombreuses campagnes menées par l'Angleterre en Europe, se présenta comme un officier envoyé par Montcalm pour aider à garder le Foulon. Il ordonna au soldat de reprendre son poste et d'informer son supérieur, un officier nommé Vergor, de sa présence. Le factionnaire se dirigea vers les tentes que les premières lueurs de l'aube permettaient maintenant de distinguer.

Pour une raison pour le moins obscure, le milicien tira alors un coup de feu, alertant Vergor et la trentaine de soldats demeurés au camp — les autres avaient reçu l'autorisation de regagner leurs fermes pour y faire les moissons. En apercevant les Anglais, grand nombre de miliciens s'enfuirent vers Québec, mais Vergor opposa une farouche résistance à l'ennemi. Il fut blessé et dut se rendre, non sans avoir auparavant envoyé un message à Vaudreuil. Delaune arriva peu après.

À Sillery, à quatre heures quarante-cinq

À Sillery, les cinquante soldats qui gardaient la batterie de Samos entendirent les détonations venant de l'est. La lumière du jour naissant était suffisamment intense pour qu'ils pussent distinguer les vaisseaux et les barges se trouvant au milieu du fleuve. L'officier qui les commandait, le chevalier de Douglas, ouvrit le feu, tuant et blessant plusieurs soldats demeurés sur les navires de transport et causant des dommages aux bateaux.

À Beauport, Montcalm entendit les coups de canon et, croyant que les Anglais attaquaient les navires de ravitaillement, il déclara, pessimiste, que c'était la fin de leurs espoirs. Avant de prendre de nouvelles mesures, le marquis décida donc d'attendre que Vaudreuil lui confirmât la nouvelle de la «catastrophe» et continua à siroter son thé.

Au Foulon, à cinq heures

Wolfe était à présent sur la plage du Foulon, d'où il supervisait le débarquement des premières troupes. Il se mit à la tête des soldats, les pressant d'avancer pendant que les canons de Samos poursuivaient leur œuvre destructrice.

À Cap-Rouge, à cinq heures quinze

Alerté par le vacarme qui, quelques milles plus loin, faisait rage, un soldat du campement de Cap-Rouge alla réveiller Bougainville. Cependant, le jeune colonel français ne chercha même pas à savoir ce qui se passait.

Au Foulon, à cinq heures vingt

Lorsqu'il vit le signal lui confirmant que la voie était libre, Wolfe, à la stupéfaction de ses aides de camp, entreprit de mener lui-même son armée au sommet de la falaise. Tandis que le général commençait son ascension, Chads se fit ramener vers le *Lowestoft* et vers les autres bateaux chargés de transporter la deuxième division jusqu'au lieu de débarquement.

À Beauport, à cinq heures trente

Alors que Montcalm attendait toujours des nouvelles de Vaudreuil, un officier arriva chez lui en trombe pour lui annoncer que le «drapeau rouge» flottait au-dessus de la citadelle. C'était le signal convenu pour avertir les troupes de Beauport que les Anglais avaient débarqué en amont de Québec. Le marquis vida sa tasse de thé, revêtit un uniforme propre, fit seller son cheval et se mit en route pour le quartier général de Vaudreuil, situé à environ deux milles de chez lui.

Obsédé par l'image de Saunders envahissant la capitale, le major général Pierre-André Gohin, comte de Montreuil, n'avait pas réussi, lui non plus, à fermer l'œil de la nuit. Il finissait d'inspecter les troupes postées près de la maison de Vaudreuil lorsque le messager envoyé par Vergor arriva, annonçant que les Anglais avaient débarqué au Foulon. Le soldat était si épuisé et effrayé que ses propos parurent incohérents à tous ceux qui l'écoutèrent, à commencer par Montreuil. Ne voulant toutefois prendre aucun risque, celui-ci ordonna au régiment de Guyenne de se mettre immédiatement en marche en direction des plaines d'Abraham, estimant qu'il faudrait aux soldats entre une heure et une heure trente pour former leurs rangs et parcourir les deux milles qui les séparaient du plateau. Montreuil alla ensuite trouver Vaudreuil pour l'informer de la situation.

À Québec, à cinq heures quarante-cinq

Le commandant en second de la garnison de Québec, le chevalier de Bernetz, venait tout juste d'apprendre, de la bouche d'un autre soldat de Vergor, que les Anglais avaient débarqué. Croyant que Vaudreuil n'en avait pas encore été informé, il envoya sur-le-champ un de ses hommes à la Canardière. Son message se révéla cependant un peu confus: il disait certes que les Anglais avaient débarqué mais, comme les coups de feu avaient cessé, il crut que Wolfe avait rebroussé chemin. Il ajouta néanmoins que le régiment de Guyenne «ferait mieux de se dépêcher».

Entre-temps, revigoré mais à bout de souffle, Wolfe arriva au sommet de la falaise et constata que le détachement de Vergor avait été contenu et que des sentinelles anglaises faisaient désormais le guet au bord du ravin. Il envoya Howe et Murray réduire au silence la batterie de Samos, puis s'accorda un instant de repos. À mesure que les soldats arrivaient de la plage, ils se mettaient en rang «face à la route qui s'étendait devant eux et dos au fleuve», comme le rapporta Knox. Le flanc droit se trouvait du côté de Québec et le gauche, du côté de Sillery. Les soldats demeurèrent ainsi pendant près d'une heure, même si Knox ne fit mention que de «quelques minutes».

Bien que tout se fût déroulé jusque-là comme prévu, Wolfe redoutait d'être attaqué avant d'avoir eu le temps de consolider ses positions. Les prisonniers lui avaient appris que, mis à part le détachement de Vergor, aucune troupe française ne se trouvait dans les environs immédiats. Le général anglais n'ignorait toutefois pas que Bougainville était derrière lui à Cap-Rouge et Montcalm, devant lui à Beauport. Craignant pour la sécurité de ses hommes et doutant encore des chances de succès de l'opération, il ordonna à son major général, Isaac Barré, de redescendre sur le rivage pour empêcher d'autres troupes de débarquer jusqu'à ce qu'il eût inspecté le territoire et vérifié où les Français étaient postés. Arrivé au pied de la falaise, Barré vit que les hommes de Townshend avaient déjà commencé à débarquer. Plutôt que d'interrompre le débarquement, il les enjoignit de se dépêcher, puis retourna auprès de Wolfe. Celui-ci était en train d'observer les soldats de Townshend qui avaient commencé à gravir le sentier malgré la pluie qui tombait depuis plus d'une heure. Barré et Wolfe étaient ravis de la rapidité de l'opération et se félicitèrent mutuellement. Comme il n'était pas question de laisser les troupes au bord de la falaise, le général prit une escorte avec lui et partit en reconnaissance. Il était alors six heures trente.

Du haut d'une colline, il aperçut, à environ un mille de la citadelle, un plateau ou, comme le décrivit Knox, «une parcelle de terrain plat». D'une largeur d'un mille, les plaines d'Abraham étaient délimitées au sud par des falaises tombant à pic dans le Saint-Laurent, et au nord par la côte Sainte-Geneviève et la rivière Saint-Charles. Deux routes parallèles orientées vers l'ouest traversaient les champs de blé et les prairies: au sud, le chemin Saint-Louis, qui allait de la porte Saint-Louis à Sillery, et, au nord, le chemin Sainte-Foy, qui partait de la porte Saint-Jean et se rendait jusqu'à la paroisse de Sainte-Foy. Wolfe remarqua, sur le bord du plateau, face aux murailles de Québec, un ravin peu profond formant une arête qui s'étendait jusqu'aux remparts et que l'on appelait les Buttes-à-Neveu. Des bouquets d'arbres et d'arbustes parsemaient le plateau. Après avoir évalué les possibilités qui s'offraient à lui, le général décida d'aligner ses troupes le long du talus arrière du ravin, à quelque six cents pas du sommet des Buttes-à-Neveu.

Une pluie fine tombait encore et les troupes anglaises avançaient lentement vers leur nouvelle position, marquant de fréquents arrêts à cause des éclaireurs du régiment de Guyenne qui, dépêchés sur les lieux, leur tiraient dessus. Derrière eux arrivait en renfort un détachement de soldats de la garnison de Québec envoyée par Bernetz. Ces escarmouches obligèrent Wolfe à rappeler Howe et Murray. Ce dernier le rejoignit aussitôt, mais Howe prit le temps de s'emparer de la batterie de Samos.

Une jeune religieuse de l'Hôpital-Général, sis au bord de la rivière Saint-Charles, fut la première Canadienne à apercevoir les Anglais sur les plaines. Au cours de sa ronde, elle avait jeté un coup d'œil par la fenêtre du grand dispensaire et vu les tuniques rouges qui se dirigeaient à pas lents vers l'hôpital. Elle invoqua le seigneur à haute voix, et tous les soldats en mesure de se lever se ruèrent vers les fenêtres donnant sur les plaines. Dès qu'elle eut retrouvé ses esprits, la sœur courut avertir la mère supérieure.

La mère Saint-Claude-de-la-Croix était en train de discuter avec son frère Jean-Baptiste-Claude-Roch Ramezay, commandant de la garnison de Québec, récemment hospitalisé. Dès qu'il apprit la nouvelle, le commandant s'habilla à toute vitesse et se mit en route pour Québec. Chemin faisant, il rencontra le chevalier de Boishébert et d'autres soldats qui avaient eux aussi quitté l'hôpital pour rejoindre l'armée de Montcalm.

À la Canardière, à six heures vingt

Lorsque Montcalm arriva au quartier général de Vaudreuil, celui-ci lui montra la lettre de Bernetz qu'il venait tout juste de recevoir. Le vieil homme était si agité et exaspéré que ses propos étaient quelque peu incohérents. Incapable de dire si les Anglais avaient débarqué ou non, s'ils étaient repartis ou non, il nageait dans la confusion la plus totale, même si l'on pouvait nettement entendre au loin des coups de feu. Inquiet, Montcalm décida d'aller voir ce qui se passait. Avant de partir, il envoya des renforts au régiment de Guyenne, à savoir un détachement de chacun des régiments réguliers, leur donnant l'ordre de se rendre le plus vite possible sur les plaines, de même que six cents Canadiens de la milice de Montréal, tous ceux de la milice de Trois-Rivières et une centaine de celle de Québec.

Lorsque Montcalm fut parti, Vaudreuil demeura seul, indécis, ne sachant si les renseignements qu'il possédait étaient suffisants pour lui permettre d'ordonner à toutes les troupes de Beauport de se mettre en route. En attendant d'en savoir davantage, il écrivit à Bougainville.

Après avoir abordé un ou deux sujets sans importance, le gouverneur général nota: «Il paraît bien certain que l'ennemi a fait un débarquement à l'anse du Foulon; nous avons mis bien du monde en mouvement. Nous entendons quelques *petites fusillades**... Sitôt que je saurai positivement ce dont il est question, je vous en donnerai avis.» Comme à son habitude, il nota l'heure — «Sept heures moins le quart» —, puis ajouta: «Avant de parvenir jusqu'à vous, votre messager croisera M. de Montcalm et sera en mesure de vous donner des nouvelles de lui.» Une fois sa lettre signée, Vaudreuil nota en post-scriptum: «Les forces de l'ennemi paraissent considérables. Je ne doute pas que vous soyez attentif à ses mouvements et à les suivre; c'est sur quoi je m'en rapporte à vous.»

Ayant emprunté un raccourci pour rejoindre Cap-Rouge, le messager ne croisa pas Montcalm.

Au Foulon, à sept heures

Les marins anglais hissaient à grand-peine deux canons le long du sentier du Foulon. Les hommes de Townshend avaient pour leur part atteint le sommet de la falaise, et Chads se dirigeait vers la rive sud pour y quérir les troupes de Carleton et de Burton.

Sur la route reliant Québec et Beauport, à sept heures vingt

Montcalm chevauchait sans mot dire en direction des plaines, accompagné du comte de Malartic, l'un de ses aides de camp, de Johnstone, de M. Marcel, de Joseph Barbeau, son cocher, et de son valet. Quelques soldats les suivaient.

Le marquis traversa le pont de la rivière Saint-Charles et emprunta la route sinueuse conduisant à la porte du Palais, qui donnait accès à la ville. Il ne desserra les mâchoires que lorsque le chevalier de Boishébert vint à sa rencontre, lui confirmant la présence de milliers de tuniques rouges au milieu des Plaines et l'arrivée d'autres troupes. De toute évidence, l'opération anglaise n'était pas dirigée contre les navires de ravitaillement français.

Empruntant la porte Saint-Jean, Montcalm déboucha sur les Plaines peu avant huit heures. Il galopait en direction des Buttes-à-Neveu lorsqu'il vit certains de ses hommes faire feu sur les Anglais. Du haut des Buttes, le marquis dominait le champ de bataille choisi par Wolfe et put constater de ses propres yeux ce que Boishébert lui avait raconté. Il murmura pour lui-même: *«Ils sont là où ils ne devraient pas être!*»*

Se rendant compte pour la première fois de l'importance des forces qu'il devait affronter, Montcalm renvoya Johnstone et M. Marcel à Beauport, pour enjoindre Poulhariez de lui faire parvenir tous les effectifs dont il disposait, excepté les deux cents hommes chargés de demeurer près de la rivière Montmorency. M. Marcel avait aussi mission d'aller chercher le régiment du Béarn.

Montcalm apercevait des Anglais partout: les uniformes multicolores des Highlanders et la livrée royale des tambours et des fifres contrastaient vivement avec les tuniques rouges des autres soldats anglais disposés en rangs de bataille. La cacophonie produite par le roulement des tambours, le son des trompettes et celui des fifres avait quelque chose d'effrayant. Heureusement, les cornemuses ne s'étaient pas mises de la partie.

Montbeillard arriva avec cinq canons, en disposant deux à la gauche de Montcalm, deux autres à sa droite, le long du chemin Sainte-Foy, et le dernier au centre du champ de bataille. Voyant les Canadiens et les Indiens harceler avec succès les Anglais, Montcalm en plaça d'autres sous les ordres de Dumas pour qu'ils en fissent autant. Pendant ce temps, à Beauport, Johnstone essayait de faire entendre raison à Poulhariez et aux autres officiers qui refusaient de dépêcher leurs troupes sans le consentement de Vaudreuil.

Ce dernier dut se rendre à l'évidence: une bataille en règle allait probablement avoir lieu, et non pas une simple escarmouche sans importance. Totalement épuisé, le vieil homme parvint à peine à rassembler les forces nécessaires pour réparer son erreur de jugement. Il donna l'ordre aux soldats demeurés à Beauport — à l'exception des mille cinq cents qui étaient commandés par Poulhariez — de se rendre immédiatement sur les plaines.

Le gouverneur général aurait alors écrit à Montcalm: «L'avantage que les Anglais avaient eu de forcer nos postes devait naturellement être la source de leur défaite; mais il était de notre intérêt de ne rien prématurer. Il fallait que les Anglais fussent en même temps attaqués par notre armée, par quinze cents hommes qu'il nous était fort aisé de faire sortir de la ville et par le corps de M. de Bougainville, au moyen de quoi ils se trouveraient enveloppés de toutes parts, et n'auraient d'autres ressources que leur gauche pour leur retraite, où leur défaite serait encore infaillible.»

Cependant, Montcalm ne reçut jamais cette lettre, à supposer qu'elle fût vraiment écrite.

Par contre, la missive que Vaudreuil avait envoyée un peu plus tôt à Bougainville arriva à Cap-Rouge vers huit heures. Le messager qui la portait avait traversé au triple galop la vallée Saint-Charles et emprunté la route secondaire conduisant à l'Ancienne-Lorette. Bien qu'il trouvât le message du gouverneur général quelque peu confus, Bougainville ordonna à la plupart des hommes de la cavalerie et à neuf cents grenadiers et miliciens de se mettre sur-le-champ en route pour les Plaines. S'il hâtait le pas et qu'aucun incident ne vînt ralentir sa marche, le jeune homme pouvait espérer parcourir en deux heures environ les sept milles le séparant de sa destination. Vers dix heures, il pourrait prendre Wolfe à revers avec certains des meilleurs éléments de l'armée française.

Les vieillards, les femmes, les enfants et les hommes qui ne pouvaient porter les armes faisaient tous la haie le long des rues et des remparts de Québec, observant les soldats de Beauport qui traversaient la ville, bannières au vent et tambours battants. Les soldats réguliers étaient tous vêtus d'uniformes blancs, cependant que ceux des troupes coloniales portaient leurs longs manteaux gris-blanc, leurs guêtres et leurs chaussettes bleues et les miliciens, leurs vêtements de tous les jours. Parmi ces derniers se trouvait un jeune garçon de dix-huit ans nommé Joseph Trahan, que Mme Lefebvre et le père Baudouin reconnurent. Comme les autres miliciens, il portait son fusil de chasse sur l'épaule et un couteau pendait à son ceinturon. Plus loin, Montbeillard courait dans tous les sens, exhortant les hommes qui tiraient les cinq canons à se dépêcher et ordonnant à d'autres soldats de retourner à Beauport y quérir plus de munitions. Les spectateurs cherchaient au milieu des soldats qui un père, qui un mari, qui un frère, qui un ami. Le fils de Mme Lefebvre ne se trouvait cependant pas parmi eux, lui, Mennard et Mascou étant aux côtés de Bougainville.

Les habitants de Québec n'avaient pas peur des Indiens, même s'ils devaient admettre que *«les sauvages*»* avaient l'air féroce. Ceux qui, en ce moment, traversaient la ville avaient le corps bariolé de peinture de guerre, une plume unique sur la tête, leurs couteaux et tomahawks accrochés à leur taille au milieu des scalps.

Monté sur son cheval noir et portant un uniforme d'un blanc étincelant, Montcalm semblait si triste qu'il arracha des larmes à plusieurs spectateurs. Lorsqu'il levait les bras, on pouvait apercevoir, surgissant des larges manches de sa redingote, la fine dentelle blanche de ses manchettes.

Pendant ce temps, les averses se succédaient.

Peu après neuf heures, quatre mille cinq cents hommes se trouvaient rassemblés sur les Plaines. Montcalm ordonna aux Canadiens et aux Indiens de se dissimuler partout où ils le pourraient, derrière les collines, les ravins et les bouquets d'arbres, afin d'inquiéter les Anglais. À l'extrémité du flanc droit, près du chemin Sainte-Foy, le marquis disposa une partie des troupes coloniales aux côtés d'un groupe de miliciens de Québec et de Montréal. Puis vinrent les troupes régulières auxquelles des Canadiens avaient été incorporés: le régiment de la Sarre et les troupes coloniales, celui du Languedoc enjambant le chemin Saint-Louis, le Béarn au centre, le Guyenne au début du flanc gauche et le Royal-Roussillon tout juste à côté, puis, à l'extrémité du flanc gauche, le reste des miliciens de Montréal et ceux de Trois-Rivières.

Montcalm commandait le centre avec Montreuil, cependant que le brigadier Senezergues, lieutenant-colonel de la Sarre, était à la tête du flanc droit et le lieutenant-colonel Fontbonne, duc de Guyenne, à la tête du flanc gauche. Montbeillard s'occupait des pièces d'artillerie et Dumas, des tirailleurs canadiens. En face, six cents verges plus bas, l'armée de Wolfe attendait.

Pendant que l'armée française s'apprêtait à jouer un rôle dans le drame dont il avait écrit le scénario, Wolfe, vêtu d'un uniforme spécialement confectionné pour l'occasion, exultait de voir comment il avait réussi à prendre les Français par surprise. À leur insu, il était en effet parvenu à faire débarquer ses troupes, à gravir la pente abrupte du Foulon, à s'emparer de la batterie de Samos et à choisir avec soin le terrain sur lequel il comptait les affronter.

Dès huit heures, toutes ses troupes — soit quatre mille quatre cent quarante et un hommes — étaient réunies sur les Plaines et trois cent quatre-vingt-sept autres soldats assuraient la garde du Foulon et de la batterie de Samos. Afin de protéger ses arrières et d'empêcher les Canadiens et les Indiens de contourner son flanc gauche en se dissimulant dans les broussailles, Wolfe ordonna à Townshend, à la tête du

15e Régiment (celui d'Amherst), de deux bataillons du Royal-Américain et des fantassins de Howe, de se placer à angle droit par rapport au front principal. Burton, qui se remettait à peine d'une grave blessure, commandait le 48e Régiment (celui de Webb), qui se tenait en réserve derrière le flanc droit.

Afin de couvrir un front s'étendant sur quelque trois mille neuf cents pieds, Wolfe disposa le reste de ses troupes sur deux lignes — il n'avait pas suffisamment d'hommes pour former les trois lignes habituelles. La distance entre ces deux lignes était de trois pieds, cependant que cent vingt pieds environ séparaient chaque régiment. Du côté droit, le général anglais posta le 35e Régiment (celui d'Otway) tout près du précipice dominant le Saint-Laurent, c'est-à-dire à proximité des tirailleurs canadiens et indiens dissimulés derrière les buissons près de la falaise. À gauche d'Otway se trouvaient les grenadiers de Louisbourg, sous le commandement de Carleton, suivis dans l'ordre par les 28e, 43e et 47e Régiments, ainsi que par les Highlanders du Fraser (le 78e) et le 58e Régiment, qui se trouvait à l'extrémité du flanc gauche. Wolfe commandait le centre, tandis que Monckton, à titre de premier brigadier, était à la tête du flanc droit et Murray, du flanc gauche.

La pluie tombait toujours par intermittence, sans toutefois nuire au déroulement des opérations. Le général anglais ordonna à ses officiers de s'assurer que chaque mousquet contenait deux projectiles et non un seul et, aux soldats, de ne pas tirer tant que l'ennemi ne serait pas à moins de quarante verges de la pointe de leurs baïonnettes.

En attendant l'arrivée de l'armée française, Wolfe se promena dans le champ, le chapeau relevé et la baguette d'officier en main. Tantôt il avait un mot d'encouragement pour un jeune soldat se préparant à faire son baptême du feu, tantôt il ordonnait à ses messagers de faire resserrer les rangs ou donnait des instructions aux derniers arrivés. Au fil de ses va-et-vient, le général réconfortait les blessés. Il se pencha vers un officier qui avait été touché par un tirailleur canadien et fit naître un sourire sur ses lèvres en lui promettant une promotion. Enfin, les canons arrivèrent. L'un d'eux n'avait pas les munitions adéquates, mais très vite l'on remédia à la situation et Howe les dirigea vers les troupes de Montcalm qui approchaient.

Des escarmouches continuaient à éclater un peu partout sur le terrain. Ainsi, la maison d'un certain Borgia, sur le chemin Sainte-Foy, changea plusieurs fois de main avant que les Canadiens, excédés, n'y missent le feu. À un moment donné, tandis que Montcalm plaçait ses troupes en formation de combat, les grenadiers de Louisbourg eurent un mouvement de recul, provoquant un début de panique chez les soldats placés derrière eux, qui crurent que la bataille générale avait commencé. Wolfe s'empressa d'aller leur prodiguer encouragements et recommandations. En arrivant à la hauteur des Highlanders, il fut contrarié de constater qu'ils s'étaient trop reculés par rapport aux autres régiments. Il s'en plaignit à l'un des officiers qui lui demanda l'autorisation de laisser ses hommes jouer de la cornemuse, leur son ayant sur eux un pouvoir stimulant incomparable. Wolfe, qui avait réduit tous ces instruments au silence un peu plus tôt, ordonna à l'officier de les «laisser faire un boucan de tous les diables»! Bientôt, les cornemuses firent entendre leur plainte d'un bout à l'autre du champ de bataille.

Dès que tout fut en place comme il le souhaitait, Wolfe ordonna à ses hommes de s'étendre sur le sol. L'armée anglaise se trouvait alors à moins d'un demi-mille des portes de Québec et il était neuf heures trente.

Les deux canons transportés sur les plaines par les Anglais causaient des ravages parmi les troupes françaises. Montcalm ne cessait de parcourir ses lignes, se demandant si Wolfe attendait des renforts et des canons supplémentaires. Il ne faisait pas confiance aux Canadiens et aux Indiens, qui étaient capables de perdre patience et de se mettre à charger l'ennemi, et il ignorait s'il devait ou non laisser davantage de temps aux Anglais. Le marquis tint un rapide conseil de guerre avec ses principaux officiers, mais cela ne l'aida nullement à décider du meilleur moment pour attaquer. Il confia à Montbeillard, lequel distribuait des munitions aux soldats: «Nous ne pouvons éviter le combat. L'ennemi se retranche, il a déjà deux pièces de canon. Si nous lui donnons le temps de s'établir, nous ne pourrons jamais l'attaquer avec le peu de troupes que nous avons.» Avec un frémissement dans la voix, Montcalm ajouta: «Est-il possible que Bougainville n'entende pas cela?»

Certes, Bougainville entendait. En fait, il n'avait pu quitter Cap-Rouge avant neuf heures mais, quarante-cinq minutes plus tard, il n'était pas très loin de Sillery. Il lui restait donc encore trois milles à parcourir avant de rejoindre le flanc arrière des troupes anglaises. Cependant, le mauvais état de la route l'empêchait d'avancer aussi vite qu'il l'aurait voulu et, pour ajouter à son infortune, il avait perdu au-delà d'une heure à Sillery à tenter de déloger les Anglais occupant la batterie de Samos. Après avoir perdu dix-huit hommes au cours de l'escarmouche, Bougainville décida de laisser les Anglais en faire à leur tête.

Montcalm sentit qu'il ne pourrait contenir ses hommes beaucoup plus longtemps. Il attendit encore quelques minutes, à cheval, au milieu des régiments de la Sarre et du Languedoc. Puis il contempla ses troupes, leva son épée au-dessus de sa tête et la pointa en direction des Anglais. Les porte-drapeaux déployèrent les bannières et les tambours rythmèrent la charge.

À dix heures

En poussant des cris de guerre, les hommes de Montcalm firent quatre pas rapides vers l'avant, puis se mirent à courir, le Béarn et le Guyenne en colonnes et les autres, plus ou moins bien alignés. La pluie cessa de tomber et, surgi des nuages, le soleil enveloppa les Plaines de sa lumière.

À dix heures deux

Un mouchoir ensanglanté autour du poignet, Wolfe marchait dans l'espace séparant les grenadiers et le 28e Régiment de Bragg. Avec ses yeux rieurs et son visage rayonnant d'excitation, le général anglais était presque beau. Voyant les Français s'avancer vers lui, il ordonna aux tuniques rouges de se lever et aux Highlanders de poser un genou par terre.

À dix heures cinq

Montcalm en tête, les soldats divisés en trois groupes fonçaient sur l'ennemi. Leur charge étant trop rapide, plusieurs trébuchaient sur le sol inégal. Au moment où les troupes s'engouffrèrent dans le ravin où les attendaient les Anglais, les tirailleurs canadiens vinrent bouleverser quelque peu leur ordre et leur symétrie en s'intégrant dans leurs rangs du mieux qu'ils le purent. Les colonnes se déplaçaient de manière désordonnée; le front était trop loin devant, le flanc gauche, trop loin derrière. Montcalm n'avait pas encore donné l'ordre de tirer qu'un coup de feu retentit, suivi d'une salve générale qui eut peu d'effet sur les tuniques rouges.

Regardant droit devant eux, les Anglais accusèrent le coup sans broncher. Çà et là un soldat s'effondrait tandis qu'un autre reculait d'un pas, sans doute blessé, mais leurs compagnons demeuraient aussi raides que s'ils avaient participé à une parade.

À *dix heures dix*

Selon leur habitude, les Canadiens, après avoir vidé leurs chargeurs de bon cœur, se jetèrent ventre à terre pour recharger leurs fusils et roulèrent sur leur droite. Les réguliers trébuchèrent sur eux, ce qui ne manqua pas de semer la confusion dans les rangs. Bientôt, toutefois, Montcalm et les officiers reprirent les choses en main; les Canadiens se relevèrent et l'assaut put se poursuivre. Les colonnes se déplaçaient encore trop rapidement et de manière inégale, comme si chacun ignorait où il se dirigeait et ce qu'il allait y faire.

À *dix heures treize*

Au commandement de Wolfe, les tuniques rouges avancèrent de trois pas, puis se tournèrent légèrement vers la droite, de manière à présenter une cible moins précise à leurs adversaires. Ces derniers se trouvaient à présent à quarante verges de l'ennemi. Un moment s'écoula, puis Wolfe cria: «Feu!» Le flanc droit puis le flanc gauche tirèrent successivement, peloton par peloton, cependant que le centre, moins touché par les projectiles des Français, tira d'une seule volée. Une balle vint faucher Monckton cependant que Carleton était grièvement touché à la tête.

La salve tirée par les Anglais prit les soldats français complètement au dépourvu. Ils figèrent sur place au lieu de réagir et, bientôt, un grand nombre de corps jonchaient le sol. Le flanc droit avait disparu et leur commandant, blessé à mort, avait été abandonné à son sort. Montcalm réussit néanmoins à regrouper ce qu'il en restait avec le centre. À l'extrémité nord du champ de bataille, assis dans sa *calèche**, Vaudreuil avait été témoin de la salve meurtrière.

Les tuniques rouges avancèrent de nouveau de trois pas et les hommes de la première ligne mirent un genou à terre. Les soldats attendirent en silence, pendant sept longues minutes, que la fumée de la précédente décharge se dissipât.

À *dix heures vingt-deux*

«Feu!» ordonna Wolfe pour la seconde fois. On eût dit qu'un énorme coup de canon avait été tiré.

À dix heures vingt-quatre

Dissimulé derrière un buisson, au bord de la falaise surplombant le Saint-Laurent, un tirailleur canadien visa et tira. Un officier des grenadiers de Louisbourg vit Wolfe chanceler près de lui et il le recueillit dans ses bras. Des soldats se précipitèrent aussitôt pour transporter le général à l'arrière du champ de bataille. Wolfe était mortellement atteint à la poitrine.

À dix heures vingt-cinq

Montcalm constata que son armée s'était dispersée. Les réguliers quittaient le champ de bataille à toutes jambes, se dirigeant vers la ville, alors que plus d'un Canadien s'étaient réfugiés dans les buissons, d'où ils continuaient à tirer sur les tuniques rouges. Désobéissant aux ordres, les Highlanders rompirent les rangs et se ruèrent sur les blessés, les mourants et les fuyards afin de leur porter le coup de grâce. Même Montcalm fut bientôt pris dans un tourbillon irrésistible et dut se résigner à se laisser conduire par sa monture.

Tout était déjà terminé. La bataille des plaines d'Abraham avait duré moins de trente minutes.

Au cours de la demi-heure qui suivit

Comme Vaudreuil put le constater de sa *calèche**, la déroute de l'armée française ne faisait que commencer. Une fois le flanc droit de Montcalm démantelé, plusieurs unités de miliciens canadiens prirent position le long d'un sommet boisé afin de bloquer l'accès à la rivière Saint-Charles. Les grenadiers et d'autres soldats anglais se lancèrent aussitôt à la poursuite des miliciens, lesquels avaient déjà les Highlanders à leurs trousses, sabre en main. Les Canadiens réussirent à contenir les Écossais assez longtemps pour permettre à plusieurs de leurs compagnons français de traverser la rivière. Vaudreuil tenta bien de rassembler les fuyards, mais, apparemment, sa présence eut pour seul effet d'accroître le mouvement de panique générale et il dut se contenter de les suivre jusqu'à la Canardière.

Les Canadiens continuèrent leur travail d'obstruction jusqu'au moment où Murray arriva avec des renforts. Ils réussirent tout de même à résister pendant quinze minutes, tuant et blessant plusieurs Highlanders, dont deux officiers, puis finirent par céder du terrain peu à peu. Avant de traverser le pont de la rivière Saint-Charles, ils osèrent une ultime tentative pour repousser l'ennemi, mais ils ne purent tenir le coup bien longtemps. Après trois minutes, cinq tout au plus, ils abandonnaient leurs positions et battaient en retraite, laissant derrière eux près de deux cents des leurs, morts ou blessés.

Les miliciens qui se tenaient près des portes de la ville connurent un meilleur sort. Après qu'ils eurent aidé les soldats à se réfugier à l'intérieur des murs, ils eurent le temps de fermer les portes et de se barricader.

Wolfe gisait sur sa cape, baignant dans son sang. Aucun médecin ne se trouvait sur place et ceux que Ramezay lui envoya n'arrivèrent jamais à destination. Ses aides de camp tentèrent tant bien que mal d'atténuer ses souffrances et de faire cesser l'hémorragie, mais ce fut peine perdue. Au bout de quelques minutes à peine, il leur fit signe d'arrêter. «C'est inutile, dit-il. C'en est fini de moi.»

Dans un ultime effort pour le réconforter, l'un des soldats qui l'entouraient s'écria: «Ils fuient! Regardez-les courir!»

Encore incrédule devant son succès, Wolfe demanda: «Qui fuit?»

«Mais l'ennemi, juste ciel! L'ennemi fuit de tous les côtés!»

Wolfe se souleva et donna un dernier ordre: «Que l'un d'entre vous, mes amis, aille demander au colonel Burton de conduire en toute hâte le régiment de Webb jusqu'à la rivière Saint-Charles, afin d'empêcher les fugitifs de retraiter par le pont.»

Ce dernier effort l'avait épuisé. Le général avait de la difficulté à respirer et demanda à être tourné sur le côté. Il murmura alors: «Que Dieu soit loué, je peux à présent mourir en paix.»

C'est ainsi que s'éteignit James Wolfe, major général en Amérique et commandant en chef de l'expédition dirigée contre Québec. Il était âgé de trente-deux ans.

Dans la confusion qui suivit la déroute de son armée, Montcalm fut entraîné vers la porte Saint-Louis, où il parvint à arrêter sa monture. Le marquis tenta alors d'encourager ses soldats mais en vain. La plupart de leurs officiers étaient morts, blessés ou avaient disparu, et les Highlanders s'acharnaient à les poursuivre. Ils ne s'arrêtaient même pas pour écouter les exhortations de leur général. Aussi celui-ci poursuivit-il sa route.

Le marquis était sur le point de franchir la porte lorsque deux balles l'atteignirent coup sur coup. Trois soldats se précipitèrent pour le maintenir en selle. Escorté par Montbeillard, Montcalm fut conduit au domicile du chirurgien du roi, André Arnoux. Ce dernier se trouvait à l'Île-aux-Noix, aux côtés de Bourlamaque, mais c'est son frère, également médecin, qui examina le marquis. Les blessures de Montcalm étaient mortelles et Arnoux fut d'avis qu'il ne survivrait pas jusqu'au lendemain matin.

Wolfe étant mort et Monckton trop grièvement blessé pour pouvoir demeurer sur le champ de bataille, les soldats anglais, privés de chef, étaient en proie au désarroi. Personne ne donna suite à l'ordre d'empêcher les Français de traverser la rivière Saint-Charles et Murray qui aurait pu tirer profit de l'occasion ne le fit pas. Ce fut finalement Townshend, troisième dans l'ordre de commandement, qui prit les opérations en charge. Il rappela les soldats et les rassembla sur les Plaines.

Enveloppé dans la tunique d'un grenadier et drapé des couleurs anglaises, le corps de Wolfe fut déposé sur une civière. Précédé d'une escorte et de ses aides de camp, le général fut transporté au bord de la falaise, descendu le long du sentier jusqu'à la plage du Foulon et déposé avec grand respect dans l'une des embarcations de Chads qui le ramena au *Lowestoft*.

Bougainville arriva trop tard: l'armée française s'était éclipsée et, d'un bout à l'autre des Plaines, il ne vit que des tuniques rouges.

Le jeune homme entreprit de former une ligne défensive le long du chemin Sainte-Foy, mais Townshend ouvrit le feu, tuant deux de ses soldats et en blessant quatre autres. Ne disposant d'aucune pièce d'artillerie et ne pouvant entrer en contact avec aucun des commandants de l'armée française, Bougainville ne se sentait pas de taille, avec à peine deux cents cavaliers et six cents soldats à ses côtés, à affronter les Anglais. Il sonna la retraite et mena ses hommes en bon ordre jusqu'au village de l'Ancienne-Lorette, où il décida d'attendre le reste de ses troupes et les instructions de Vaudreuil.

Townshend choisit de ne pas poursuivre Bougainville. Il n'avait qu'un bataillon à sa disposition et les munitions qu'il possédait ne convenaient pas à ses deux canons. Comme le brigadier devait l'expliquer plus tard dans une dépêche adressée aux autorités supérieures anglaises, il n'était pas dans ses attributions de pourchasser Bougainville à travers les bois et les marécages du Canada et de «compromettre les résultats d'une journée aussi décisive».

*

La manière dont les deux généraux ont mené la bataille des plaines d'Abraham a déjà fait couler des hectolitres d'encre et des forêts entières ont été dévastées pour fournir du papier à tous les historiens ayant tenté de disséquer et d'analyser les agissements de Wolfe et de Montcalm, et les raisons qui les ont poussés à prendre telle ou telle décision, à donner tel ou tel ordre. Aussi ai-je préféré éviter la tentation de la surenchère. Je crois avoir donné suffisamment d'indices au lecteur pour lui permettre de porter son propre jugement sur les faits.

Cela étant dit, il me reste néanmoins deux points à éclaircir.

«Où diable étaient passés les navires de ravitaillement?»

Bougainville me fournit la réponse lui-même:

«Ils étaient parvenus à l'embouchure de la rivière Cap-Rouge, pas très loin de l'endroit où se trouvait le *Sutherland.* Cependant, les bateaux prenaient sérieusement l'eau et il a été décidé...

— Qui a pris la décision? lui dis-je, presque en criant.

— Les responsables de l'opération, je présume. Sans doute M. Cadet, le munitionnaire général, fut-il informé des problèmes que connaissaient les navires et prit-il la décision de faire transporter les provisions par charrette jusqu'à Québec. Je tiens toutefois à vous préciser, avant que vous ne me posiez la question, que je n'en avais pas été avisé, pas plus que mes sentinelles, à ce que je sache. Cela aurait-il pu faire une différence si nous l'avions su?

— Je l'ignore. Il aurait cependant été plus difficile pour les Anglais de se rendre au Foulon et de remonter la falaise. Peut-être cela vous aurait-il également obligé à vous lever plus tôt que vous ne l'avez fait.» Je laisse passer un certain temps avant de lui demander le plus gentiment possible: «Où étiez-vous cette nuit-là?»

Bougainville fait les cent pas. Je sens qu'il n'a nullement envie de répondre à cette question ni à celles que fera inévitablement jaillir sa réponse. Pour l'encourager, j'affirme sur un ton beaucoup plus dramatique que je ne le souhaite: «Plusieurs personnes ayant étudié la bataille des plaines d'Abraham vous tiennent pour responsable de la défaite française.»

Il me lance un regard douloureux et hausse les épaules tout en continuant de déambuler dans mon bureau. Je me permets d'insister:

«Écoutez, on vous a réveillé à cinq heures quinze pour vous signaler qu'on entendait des coups de canon du côté des batteries de Samos et vous n'avez même pas pris la peine de faire vérifier ce renseignement. Vous êtes simplement retourné vous coucher.»

Comme Bougainville ne répond toujours pas, j'ajoute: «Vous êtes retourné au lit avec la femme de votre cousin!»

Il s'arrête, se retourne brusquement et me demande, sur un ton vaguement irrité: «Cette histoire est-elle de votre invention?

— Non, mais un historien prétend qu'il ne peut y avoir d'autre explication possible à votre retard.

— Votre historien est un imbécile! J'étais seul au lit. Je n'ai jamais entendu de coups de canon. J'étais épuisé parce que je m'étais rendu à la Pointe-aux-Trembles et que j'en étais revenu à pied en l'espace de quelques heures à peine...

— Un célèbre historien canadien a écrit qu'il n'y avait eu aucun mouvement de navire anglais ce jour-là!

— Qu'est-ce qu'il en sait, votre historien? Les marins anglais ne cessaient de se promener sur le fleuve avec leurs barges et leurs navires — et le 12 septembre ne fit pas exception à la règle. Par conséquent, j'étais fatigué et je me suis couché. J'ajouterai que les sentinelles avaient souvent des comportements pour le moins hystériques. Lorsque j'ai reçu le message de M. de Vaudreuil, vers huit heures, je suis parti presque aussitôt. Ma seule erreur fut de tenter de déloger les Anglais installés à Sillery. Et encore, je comptais protéger mes arrières, comme tout bon officier chargé d'un commandement se doit de le faire. Et puis assez de toutes ces balivernes! Adieu.»

Bougainville me quitte brusquement et me laisse seul à mes pensées.

La plupart des historiens considèrent que, dès qu'il fut sur les Plaines, Wolfe dirigea ses troupes de façon remarquable, cependant que Montcalm commit des erreurs les unes à la suite des autres; la défaite des Français serait donc, selon eux, due à la supériorité de l'armée anglaise. Je conteste un tel jugement.

À mon avis, Wolfe démontra, dans la manière dont il prépara le débarquement à l'Anse-au-Foulon et dont il disposa ses troupes sur les Plaines, qu'il était incompétent, pour ne pas dire dément. Quant à Montcalm, il se laissa abattre par son pessimisme, sa paranoïa et son incapacité d'agir avec fermeté. Pour ce qui est de l'armée anglaise, elle n'était ni meilleure ni pire que l'armée française, et en fait toutes les deux ne valaient pas cher. Reste la question du comportement des Canadiens pendant la bataille.

Il a souvent été dit que Montcalm avait commis une erreur fatale en incorporant des Canadiens au sein de ses troupes régulières. Cette affirmation contient sans doute une part de vérité. Les deux armées ne faisaient pas la guerre de la même façon. Pourtant, seuls les Canadiens se sont comportés convenablement et avec un semblant de dignité pendant la bataille des plaines d'Abraham. Grâce à eux, à leur courage, à leur adresse et à leur initiative, plus d'un de leurs camarades français purent trouver refuge dans les tranchées de Beauport ou à l'intérieur des murs de Québec. Au prix de nombreuses pertes, les Canadiens ont réussi, cette journée-là, à sauver en partie l'honneur de la France. Dans leur hâte à critiquer la manière dont les Canadiens ont défendu leur pays, les historiens ont oublié de tenir compte du geste noble que les habitants de cette terre ont accompli le 13 septembre 1759.

Après plus de deux cent trente ans, les faits sont maintenant rétablis.

*

Sur les plaines d'Abraham, à treize heures

Townshend, Murray et d'autres officiers supérieurs s'adressèrent à chacun des régiments rassemblés sur les Plaines pour les féliciter et les remercier du travail qui les avait menés à la victoire. Townshend ordonna aux soldats de manger et de se reposer un peu pendant que lui-même en ferait autant.

Tout en reprenant des forces, le brigadier évalua la situation dans laquelle il se trouvait. Wolfe n'ayant accompli que la moitié du travail, devait-il le finir? Il pouvait traverser la rivière Saint-Charles et poursuivre les soldats français qui s'étaient réfugiés à Beauport. Ceux qui s'étaient battus sur les Plaines devaient de toute évidence être démoralisés et désorganisés, mais Vaudreuil pouvait avoir à sa disposition des troupes dont les hommes étaient demeurés dans leurs tranchées et qui, contrairement à ceux des troupes anglaises, n'étaient pas fatigués par la bataille. Bougainville était par ailleurs sur ses arrières et la garnison de Québec, avec tous ses canons, se trouvait en face de lui. Townshend décida donc d'attendre le lendemain pour voir de quelle façon la situation évoluerait.

Entre-temps, afin de consolider ses positions, le brigadier ordonna la construction d'une route jusqu'au Foulon, de manière à pouvoir hisser plus facilement canons, provisions et munitions jusqu'aux Plaines. Il traça les plans des batteries et des redoutes, Mackellar et ses ingénieurs lui ayant assuré qu'ils pourraient en ériger douze avant la tombée de la nuit. Toutes les constructions situées en bordure des Plaines et celles bordant les deux routes qui les traversaient furent incendiées, arbres et arbustes furent déracinés, et chaque clôture fut détruite. Des abris et des tranchées parsemèrent bientôt tout le plateau et partout l'on put voir des sentinelles faisant le guet.

Townshend envoya une partie des blessés dans les hôpitaux de l'île d'Orléans et de la Pointe-Lévis. Il apprit par la suite que certains d'entre eux avaient été amenés à l'Hôpital-Général qui se trouvait à présent à l'intérieur des limites du champ de bataille. Les treize officiers et les trois cents soldats français prisonniers furent conduits jusqu'au Foulon et embarqués à bord des navires de transport mouillant dans le Saint-Laurent alors que les morts des deux armées furent enterrés dans une fosse commune.

Townshend félicita Saunders, son officier supérieur à Québec et dans les environs: la marine avait été irréprochable. Chads avait accompli des miracles et les marins et fusiliers marins de l'amiral Holmes avaient fait leur travail de façon remarquable. Dans sa réponse au brigadier, Saunders écrivit: «La perte de notre ami, le général Wolfe, suscite en moi les plus vives inquiétudes, lesquelles sont dans une certaine mesure atténuées par la grande victoire d'aujourd'hui.»

Tous deux décidèrent que le corps de Wolfe, après avoir été embaumé à la Pointe-Lévis, demeurerait à bord du vaisseau de l'amiral Saunders, le *Stirling Castle,* où il attendrait d'être transporté à Portsmouth sur le *Royal William.*

À la Canardière, à quinze heures

Après avoir traversé la rivière Saint-Charles, les soldats en déroute étaient encore effrayés, complètement désordonnés, et la plupart n'avaient plus de chef. Leurs officiers supérieurs étaient tout aussi désorganisés. On eût dit que personne n'était en mesure de rétablir l'ordre.

Vaudreuil lui-même en fut incapable. Des officiers, des capitaines et même des hommes de rang inférieur venaient l'importuner dans son quartier général, certains lui recommandant de détruire le pont de la rivière Saint-Charles et de ne pas bouger, d'autres réclamant à cor et à cri que l'armée battît en retraite à la Pointe-aux-Trembles. Le vieil homme supportait à grand-peine leurs voix stridentes, leurs arguments confus et leurs craintes accablantes.

Peu nombreux étaient ceux qui conseillaient au gouverneur général de retourner sur les Plaines avec les mille cinq cents soldats frais et dispos commandés par Poulhariez, les deux mille hommes de la garnison de Québec, les trois mille de Bougainville, ainsi qu'avec les miliciens canadiens encore capables de viser juste et les Indiens pouvant encore effrayer leurs ennemis. Selon eux, la bataille des Plaines n'avait pas été concluante et Vaudreuil devait contre-attaquer presque immédiatement, avant que les Anglais n'eussent le temps d'établir des positions imprenables. Seule une telle mesure permettrait d'honorer le roi et de faire valoir la suprématie des armes françaises.

Mais, se demandait Vaudreuil avec impatience, l'armée voudrait-elle le suivre? Les soldats accepteraient-ils d'obéir à Bougainville, celui-ci étant à présent le plus haut gradé des officiers français de Québec et des environs? Et si les Anglais gagnaient cette deuxième bataille sur les plaines d'Abraham, ne lui faudrait-il pas capituler pour l'ensemble du Canada?

Ne sachant que faire, le vieil homme s'enferma avec Bigot et passa en revue les articles de la capitulation que Montcalm avait rédigés avant même l'arrivée des Anglais à Québec. Toujours incapable de prendre une décision, il envoya un officier au chevet de Montcalm dans l'espoir d'en tirer un conseil. Selon le marquis, le gouverneur général avait trois possibilités: attaquer l'ennemi sur-le-champ, battre en retraite jusqu'à Jacques-Cartier, situé environ trente milles environ en amont de Québec, ou aller trouver Townshend et capituler au nom de toute la colonie. Montcalm laissa cependant à Vaudreuil la responsabilité de choisir le plan d'action lui convenant le mieux.

Le gouverneur général renvoya Bigot, convoqua un conseil de guerre pour dix-sept heures et s'enferma dans ses quartiers. Après quinze minutes de réflexion, sa décision était prise: il gagnerait du temps. Le vieil homme appela son secrétaire et lui dicta une lettre pour Lévis, qui se trouvait à Montréal. Il lui raconta les événements de la journée, mettant l'accent sur le rôle que lui-même y avait joué. Son espoir avait été, écrivit-il, que Montcalm n'agît pas avec précipitation, mais «le malheur nous en a voulu, au point que l'affaire s'est engagée avec trop de vivacité». La bataille avait coûté plusieurs vies; Montcalm était au nombre des blessés et chacun craignait pour sa vie. «Personne ne désire plus que moi que ce ne soit rien.»

En ce qui concernait ses projets, il précisa: «Je pars dès ce soir pour aller prendre poste à Jacques-Cartier, où je vous prie, Monsieur, de vouloir bien venir me joindre sitôt ma lettre reçue. Vous sentez qu'il est d'une très grande conséquence que vous fassiez toute la diligence possible. Je vous attendrai avec beaucoup d'impatience... Je laisse [Québec] à son propre sort.» Il était seize heures trente lorsque Vaudreuil signa cette lettre.

Une demi-heure plus tard, le conseil de guerre, composé de Bigot et d'officiers de l'armée, entérina à l'unanimité la décision de Vaudreuil. À dix-huit heures, l'armée recevait l'ordre de se préparer à partir pour Jacques-Cartier dès vingt-deux heures.

À Québec, le même soir

Montcalm était à l'agonie mais, pour le moment, il dormait paisiblement. Il s'était endormi dès que le messager de Vaudreuil était parti. Vers dix-neuf heures, un autre messager envoyé par le gouverneur général arriva avec une missive et des documents. Dans sa lettre, Vaudreuil annonçait son départ avec l'armée à Jacques-Cartier. Il avait espéré, écrivit-il, suivre un autre plan d'action, mais «l'opinion de ces messieurs [les officiers] se trouvant appuyée de la vôtre, je consens, quoique avec douleur». Il demanda à Montcalm de remettre à Ramezay les articles de la capitulation, ajoutant cette précision: «Vous verrez qu'ils sont les mêmes dont j'étais convenu avec vous.»

M. Marcel répondit pour le général: «Monsieur le marquis de Montcalm, sensible à vos attentions, me charge d'avoir l'honneur de vous écrire qu'il approuve tout; je lui ai lu votre lettre et le modèle de capitulation que j'ai remis à M. de Ramezay, suivant vos instructions, avec la lettre que vous lui écrivez à cette occasion.»

En post-scriptum M. Marcel ajouta: «Monsieur le marquis de Montcalm ne va guère mieux, cependant il a le pouls un peu meilleur à dix heures du soir.»

Avant de replonger dans le sommeil, Montcalm demanda à M. Marcel de remettre tous ses papiers à Lévis et d'écrire à sa mère, à sa femme et à chacun de ses enfants. Il lui dicta ensuite une lettre pour Townshend dans laquelle il recommanda les malades et les blessés à sa bienveillance. Puis Montcalm ne se préoccupa plus que de son âme. L'aumônier des ursulines entendit sa confession et lui administra les derniers sacrements.

Les instructions que Vaudreuil avaient données à Ramezay étaient explicites: le commandant devrait se débrouiller tout seul. «Nous désirons affirmer catégoriquement, écrivait Vaudreuil, que M. de Ramezay ne doit pas attendre que l'ennemi donne l'assaut à la ville.» En fait, il devrait plutôt se rendre dès que la nourriture viendrait à manquer.

À la Canardière et à Beauport, à vingt-deux heures

Vaudreuil fut le premier à partir dans sa *calèche**, sous la protection de six cents miliciens venus de Montréal. Il emprunta la route de Charlesbourg, située à l'est de la rivière Saint-Charles et des lignes ennemies. Bigot le suivait de près, laissant à Beauport des centaines de tonneaux de farine et de porc, du bœuf, des milliers de livres de pain et de biscuits, près de cent tonneaux de brandy et quatorze de vin, soit des provisions pour environ dix jours. Les tentes demeurèrent debout, les munitions dans leurs caches et les canons muets dans les tranchées. Dans sa hâte de fuir, Bigot ne prit même pas la peine d'écrire un mot à Ramezay, resté seul à Québec.

Vaudreuil leur ayant fait distribuer une généreuse ration d'alcool, une bonne partie des soldats étaient soûls et avançaient de façon désordonnée, exception faite des membres du Royal-Roussillon. «Ce n'était pas une retraite, écrivit Johnstone, mais une horrible et abominable fuite, mille fois pire que celle du matin sur les plaines d'Abraham. Elle se fit dans un tel désordre et une telle confusion que, si les Anglais l'avaient connue, trois cents hommes envoyés à la poursuite de notre armée auraient suffi pour la tailler en pièces et la réduire.»

Mais les Anglais firent mine de ne rien entendre.

À l'Hôpital-Général, à vingt-trois heures trente

De jeunes sœurs servaient du bouillon chaud aux patients de l'un des pavillons lorsqu'on frappa à la porte d'entrée de l'hôpital. Elles allèrent ouvrir et se retrouvèrent en face d'un grand officier portant «une espèce de jupe», entouré de plusieurs soldats également «sans guêtres». L'officier entra calmement dans l'édifice et referma la porte avec fermeté derrière lui. Il demanda à voir les révérendes mères des trois communautés qui vivaient à présent sous le même toit. Lorsque celles-ci se présentèrent, il les salua poliment et les informa qu'il prenait possession de l'hôpital au nom du roi d'Angleterre et qu'il placerait des gardes à l'extérieur. Les sœurs n'avaient rien à craindre pour leur sécurité; Wolfe leur avait promis sa protection et son désir serait respecté. L'officier prit congé des trois supérieures et, quelques instants plus tard, deux cents tuniques rouges entouraient l'hôpital.

Les Anglais avaient perdu ce jour-là six cent cinquante-huit hommes, tous rangs confondus. Du côté français, Vaudreuil évalua à six cent quarante-quatre le nombre de morts, de blessés et de disparus. Il négligea toutefois de tenir compte d'une bonne partie des pertes subies par les Canadiens et les Indiens.

L'inévitable

Du 14 au 18 septembre 1759

Il m'a été très difficile de reconstituer les événements qui eurent lieu à Québec durant ces journées. En effet, les comptes rendus dont nous disposons sont souvent contradictoires et manquent, la plupart du temps, de clarté. Par conséquent, il m'a fallu souvent lire entre les lignes afin de pouvoir écrire les pages qui suivent.

Quatre-vingt-unième jour

Le 14 septembre 1759

L'armée française en fuite

Vers trois heures du matin, Vaudreuil et l'armée avaient atteint Charlesbourg. Le gouverneur ordonna aux cent cinquante hommes du régiment du Béarn envoyés par Montreuil avant la fuite, de le rejoindre à Jacques-Cartier, ne laissant dans la capitale que cent vingt soldats réguliers. Il écrivit ensuite à Ramezay une lettre dans laquelle il ne lui révéla rien d'important, si ce n'est qu'il dirait «beaucoup de bien à son sujet à la cour de Versailles». Après une brève entrevue avec l'évêque, Vaudreuil se mit en route pour l'Ancienne-Lorette, où il arriva aux environs de six heures. Il fit une halte à Saint-Augustin pour manger et coucha à la Pointe-aux-Trembles.

Les chevaux du gouverneur général mirent une journée à parcourir la distance de vingt milles qui allait enfin le séparer de Québec, et surtout de Townshend. Épuisé, affamé, inquiet et de mauvaise humeur, Vaudreuil trouva ce voyage à cheval sur des routes cahoteuses fort éprouvant. C'était un vieil homme et les terribles événements de la veille et le long siège qui les avait précédés l'avaient fait vieillir, du moins en avait-il l'impression, de plusieurs années d'un seul coup. Il s'inquiétait de ce que l'on dirait de lui à la cour et du sort qui l'attendait et se faisait également du souci pour les habitants de Québec, ces gens qu'il avait dû laisser entre les mains des Anglais et qui, à moins d'un miracle, y demeureraient. Vaudreuil connaissant bien ses sujets, il savait qu'en ce moment même ils le maudissaient. Cherchant à se justifier et à minimiser sa responsabilité, il mit tous ses malheurs sur le dos de Montcalm en train d'agoniser à Québec, formulant même en pensée la lettre qu'il enverrait à la cour et dans laquelle il parlerait de l'ambition démesurée du marquis, de sa fourberie et de ses constantes conspirations ourdies contre lui et l'intendant. Le vieil homme dirait que le général français avait toléré l'insubordination et le pillage de la part des soldats réguliers, mais que, dans les mêmes circonstances, il s'était montré extrêmement sévère envers les Canadiens, essayant sans cesse de les monter contre lui. Son intervention auprès des Indiens n'avait causé que friction et désastre. Montcalm était responsable de tout ce qui était arrivé.

L'armée de Vaudreuil ne se comporta guère mieux durant sa fuite qu'elle ne l'avait fait pendant la bataille des plaines d'Abraham. À l'Ancienne-Lorette, les soldats pillèrent une boulangerie et tuèrent son propriétaire. Peu de temps après, un messager rattrapa Vaudreuil pour lui annoncer la mort de Montcalm.

Chez Arnoux, à cinq heures

Montcalm prit la main de M. Marcel et murmura: «Candiac! Candiac!» Un sourire se dessina sur ses lèvres. Le prêtre commença à prier: *«Je vous salue, Marie...*»* Alors le marquis Louis-Joseph de Montcalm, seigneur de Saint-Véran, de Candiac, de Tournemine, de Vestric, de Saint-Julien et d'Arpaon, baron de Gabriac, lieutenant général et commandant en chef des troupes régulières en Amérique du Nord, rendit le dernier soupir.

À quelques milles de là, la religieuse de l'Hôpital-Général qui tenait le journal de sa communauté écrivit: «Le restant de l'armée française a disparu. Leurs tentes sont encore dressées le long des battures de Beauport; mais les batteries sont silencieuses et les tranchées désertes; leurs canons, encore pointés, sont muets. Le long des Plaines encore couvertes du sang de leur crime, les vainqueurs creusent la terre pour cacher de la vue les hideuses conséquences de la guerre, emportant les rares victimes encore vivantes et se dépêchant de se retirer, afin de protéger leur position gagnée avec tant de chance.»

Quand elle apprit la mort de Montcalm, la religieuse pleura. Puis, accompagnée des autres sœurs et de quelques patients en mesure de la suivre, elle se rendit à la chapelle afin de prier pour le repos de son âme.

À la Pointe-Lévis, au cours de l'après-midi

Au cours de la journée, Townshend fit un discours à la mémoire de Wolfe. «Nous aurions souhaité, déclara-t-il, que feu notre comman-

273

dant, James Wolfe, eût survécu à ce jour si glorieux et eût été en mesure de récompenser les troupes comme elles le méritent.»

Dans leurs plus beaux uniformes, les soldats de la Pointe-Lévis et tous ceux dont on n'avait pas besoin pour manœuvrer les canons bombardant Québec faisaient la haie le long de la route de l'hôpital, où Wolfe avait été embaumé, et jusqu'à la rive. Une barge recouverte d'un linceul noir, à bord de laquelle se tenaient douze marins du navire amiral de Chads, attendait près du rivage. Précédés par Murray qui représentait Townshend, quelques grenadiers de Louisbourg et des officiers supérieurs, suivis par les aides de camp de Wolfe, portèrent le cercueil drapé des croix d'Angleterre et d'Écosse jusqu'à la barge. Les officiers et les aides de camp embarquèrent dans cinq autres chaloupes et le cortège se dirigea vers le *Stirling Castle*, où l'amiral Saunders, l'aumônier supérieur et les officiers de la marine reçurent le corps. Les cornemuses entonnèrent un air funèbre et les canons de la flotte tirèrent une salve. Les drapeaux furent mis en berne et le corps du général fut solennellement transporté dans une luxueuse cabine spécialement préparée à cet effet, là où James Wolfe demeurerait jusqu'à son départ pour sa patrie.

À Québec, plus tard dans l'après-midi

En l'honneur de Montcalm, Ramezay avait ordonné que tous les drapeaux de Québec fussent abaissés. Tandis qu'il organisait les funérailles du général, le commandant se rendit compte que l'armée française avait quitté Beauport sans qu'il en fût averti. Il envoya des hommes pour aller récupérer toute la nourriture qu'ils pourraient trouver dans les campements, mais ils revinrent les mains vides, les lieux ayant été pillés, probablement par les habitants de l'Ange-Gardien, de Beaupré et de Château-Richer. Les blessés des plaines d'Abraham qui ne pouvaient être admis à l'Hôpital-Général furent amenés, sous drapeau parlementaire, à Québec où Ramezay avait pris des dispositions pour qu'ils fussent soignés. Ceux qui étaient entrés dans le camp anglais pour aller chercher les blessés l'informèrent à leur retour de la progression des retranchements de Townshend sur les Plaines. À quatorze heures trente, le capitaine Barrot du régiment du Béarn vint saluer Ramezay avant de se mettre en marche avec les soldats réguliers vers l'extérieur de la ville.

Les habitants de Québec, se rendant compte qu'ils avaient été complètement abandonnés, envahirent les rues, furieux. Ils provoquèrent presque une émeute, accusant les soldats français et leurs officiers d'être des lâches. Ils critiquaient ouvertement Vaudreuil, lui souhaitant tous les malheurs imaginables et réclamant une capitulation immédiate. Les marchands et les citoyens les plus importants rencontrèrent les officiers de la milice pour rédiger une requête officielle. Plus tard, lorsque leur rage se fut momentanément calmée, les habitants de la ville se réunirent pour assister aux obsèques de Montcalm.

Nulle part dans la ville on n'avait pu trouver un ouvrier capable de fabriquer un cercueil décent et il n'y avait pas eu moyen de procurer à Montcalm un uniforme propre. Le *bonhomme** Michel, qui travaillait pour les religieuses, lui confectionna une boîte avec quelques planches et trouva un coussin pour sa tête. M. Marcel racla du mieux qu'il put le sang qui tachait ses vêtements.

À vingt et une heures, le lent convoi funèbre quitta la maison d'Arnoux et emprunta les rues dévastées menant au couvent des Ursulines. Le soldat qui portait la croix processionnelle ouvrait la marche, flanqué de deux miliciens tenant chacun à la main une lanterne allumée. Le père Baudouin et deux des prêtres qui n'avaient pas quitté la ville les suivaient, accompagnés de Ramezay, du chef de la police et d'autres notables marchant derrière eux. Les habitants de la ville, sans prêter attention aux bombes encore lancées par les Anglais de la Pointe-aux-Pères, se tenaient par grappes le long de la route, récitant leur rosaire.

À la chapelle des ursulines, la seule église restée debout, le corps fut accueilli par l'aumônier des religieuses et l'abbé Récher, qui y célébrèrent un simple office funèbre. Dans la lumière des cierges, les dignitaires pouvaient distinguer le plafond éventré, les fresques en ruine et les grilles tordues derrière lesquelles les sœurs qui étaient restées pour garder le couvent s'étaient agenouillées pour prier.

Après le service, le corps du marquis de Montcalm fut enterré dans le trou qu'une bombe avait fait à l'endroit où se trouvait l'autel. Après que tout le monde eut quitté l'église, le *bonhomme** Michel remplit la fosse de terre et de cailloux, puis répara le sol de la chapelle du mieux qu'il put.

À Saint-Thomas, sur la rive sud, à l'heure du souper

Goreham, responsable des récents saccages de Berthier, de Saint-François et de Saint-Pierre, arriva à Saint-Thomas. Tandis qu'il mangeait et se reposait, attendant le lendemain pour poursuivre sa mission, il écrivit à Saunders pour l'avertir qu'une frégate française se trouvait dans la rivière Saguenay depuis un mois. Dans la soirée, quelques Canadiens, menés par le seigneur de Rivière-du-Sud, Jean-Baptiste Couillard, et par son fils Joseph, attaquèrent le détachement de Goreham. Trois Rangers furent tués, de même que le seigneur, son fils et deux de leurs compagnons. Depuis une semaine que cette opération de destruction avait été entreprise, Goreham avait incendié cent vingt et une fermes.

Quatre-vingt-deuxième jour

Le 15 septembre 1759

Aux premières heures du matin, sous une pluie torrentielle, Lévis quitta Montréal pour rejoindre Vaudreuil, Bigot et le reste de l'armée française à Jacques-Cartier. Ils étaient arrivés de la Pointe-aux-Trembles vers midi, considérablement retardés par l'effondrement d'un pont.

Sur les plaines d'Abraham, les Anglais continuaient à établir leur camp. Pendant que la plupart des soldats creusaient des tranchées et érigeaient des fortifications, les autres pillaient. Deux femmes furent violées et beaucoup d'autres, maltraitées. Sur la rive sud, Scott avait mis à feu et à sang la seigneurie de Saint-Roch. Alors qu'il se reposait, il vit arriver Elphistone, le capitaine de l'*Eurus,* qui venait lui annoncer la défaite des Français survenue deux jours plus tôt et lui ordonner de rentrer immédiatement à Québec. Le major acquiesça sans grand enthousiasme, mais retarda son départ.

À onze heures, vingt-six des citoyens les plus importants de la ville se réunirent dans la maison encore habitable de Ramezay, sur la rue Saint-Louis, et lui remirent une pétition qu'ils avaient préparée au cours de la nuit précédente. Panet, le notaire, était leur porte-parole. Sur un ton sonore et morne, il lut le document à Ramezay, lui rappelant que les habitants de Québec avaient résisté à un bombardement de soixante-trois jours, manqué de nourriture pendant les soixante-dix-neuf jours qu'avait duré le siège et perdu une grande partie de leurs biens. Tout au long de cette épreuve, leur seule préoccupation avait été «la sécurité de Québec et la gloire du roi de France».

«Maintenant la situation a changé.» Les Anglais étaient sur les Plaines et l'armée française était en déroute; il ne restait presque plus de vivres et Ramezay n'avait aucun moyen de défendre Québec convenablement. Il ne restait qu'une seule solution: une «capitulation honorable». «Si nous nous soumettons maintenant, les Anglais seront conciliants. Si, par contre, nous les faisons attendre, ils seront exaspérés et nous pourrions avoir à subir les répercussions de leur colère.» Au nom des femmes, des enfants et de tous ceux qui avaient déjà suffisamment souffert, Panet pria Ramezay de faire preuve de compassion et de sauver *«le peu qui leur reste de l'incendie*»*.

Lorsque le notaire eut terminé sa lecture, il tendit la pétition à Ramezay, dûment signée par les citoyens et par quelques «gentlemen de la milice». Le commandant les remercia pour leur rapport et leur assura qu'il suivrait les instructions données par le gouverneur général. Après leur avoir serré la main et offert un verre de vin, Ramezay s'en alla. Il lui fallait évaluer ses effectifs et voir dans quel état se trouvaient ses magasins.

Le commandant savait bien qu'il lui aurait fallu près de sept mille soldats aguerris pour être en mesure de défendre Québec. Avec un peu de chance, il pourrait compter sur les cent vingt soldats réguliers que Vaudreuil avait laissés, les marins s'occupant des batteries et quelques miliciens. Ce n'était certes pas suffisant pour tenir un siège indéfiniment. Beaucoup de miliciens avaient déjà quitté leur poste et un plus grand nombre encore attendaient l'occasion de le faire. Ramezay sentait qu'une mutinerie devenait inévitable. Le major de la ville, Armand de Joannès, avait frappé deux miliciens du plat de son épée, suscitant une grande colère parmi les soldats.

Quant aux magasins, ils contenaient en tout et pour tout dix-huit pintes de farine, deux mille huit cents kilos de biscuits, vingt-huit pintes de riz, dix-huit de lard, trente bovins, cinquante-neuf tonneaux de vin, quarante d'huile d'olive, huit de prunes, soixante boîtes de chandelles, trois barriques de beurre et trente pintes de viande de bœuf salée. Les réserves de nourriture que les habitants de la ville avaient cachées étaient toutes épuisées. Ramezay avait besoin de vivres pour nourrir deux mille soldats, marins et miliciens, deux mille six cents femmes et enfants, mille deux cents fonctionnaires et commis, sans compter les malades, infirmes ou blessés demeurant dans les divers hôpitaux de fortune, les quelques prêtres et religieuses qui n'étaient pas partis et les prisonniers de guerre. Et Vaudreuil n'avait plus envoyé aucune instruction depuis sa lettre du 13 septembre.

À vingt-deux heures, le commandant convoqua en conseil de guerre quatorze officiers supérieurs, dont quatre étaient canadiens. Il commença par leur lire les instructions de Vaudreuil, puis passa soigneusement en revue tous les aspects de la défense de Québec, insistant sur le manque de nourriture. Ramezay posa ensuite à chacun des officiers une question toute simple: Devrait-il capituler s'il était en mesure d'obtenir des conditions honorables?

Douze officiers étaient en faveur d'une capitulation immédiate. Après de longues discussions, Joannès finit par se ranger à leur avis, mais le commandant de l'artillerie de la ville, Louis-Thomas Jacau de Fiedmont, resta sur ses positions, déclarant qu'il valait «mieux réduire les rations encore davantage et défendre la ville jusqu'à la dernière extrémité» plutôt que de capituler. Les uns après les autres, les membres du conseil consignèrent les raisons de leur vote par écrit et signèrent le procès-verbal de la réunion. Ramezay, le dernier à signer, nota: «En raison des instructions que j'ai reçues du marquis de Vaudreuil et du grave manque de nourriture confirmé par les déclarations des fonctionnaires et par ma propre enquête, j'en conclus que je dois essayer d'obtenir de l'ennemi les plus honorables conditions de capitulation.» Cependant, le commandant attendit avant de faire hisser le drapeau parlementaire.

Le 16 septembre 1759

Bougainville se trouvait à la Pointe-aux-Trembles lorsque, tôt dans la matinée, le chevalier de Saint-Rome lui apporta les ordres de Vaudreuil. Ce dernier lui demandait de faire escorter le chevalier, qui devait aller chercher à Saint-Augustin des charrettes et des provisions et les ramener à Québec. «La cavalerie me paraît la troupe la plus convenable, avait écrit le gouverneur. L'objet le plus intéressant est maintenant d'empêcher la ville de manquer et de s'assurer de l'objet qui occupe les ennemis.» Bougainville prit les dispositions nécessaires pour faire escorter Saint-Rome et envoya un messager à Ramezay pour lui annoncer l'arrivée des provisions et lui indiquer quelques endroits dans la ville où il pourrait peut-être trouver des vivres.

Quand, deux heures plus tard, le messager de Bougainville arriva à Québec, Ramezay ordonna à Joannès et à un autre officier d'aller rencontrer Vaudreuil ou, dans le cas où ils ne le trouveraient pas, de se renseigner pour connaître exactement les intentions du gouverneur — si jamais l'un ou l'autre des officiers de Bougainville en savait quelque chose. Joannès et son escorte devaient être de retour avant la nuit.

En attendant que Vaudreuil l'eût informé de ses projets, Ramezay fouilla de nouveau la ville pour trouver de la nourriture, mais ses recherches furent vaines. À minuit, le gouverneur ne s'était toujours pas manifesté et les provisions n'étaient pas arrivées de Saint-Augustin.

Dès son retour, Joannès rapporta à Ramezay qu'il avait à peine parcouru neuf milles lorsqu'un officier de l'avant-garde de Bougainville lui avait dit que Vaudreuil était à Jacques-Cartier, mais, d'après lui, les soldats étaient trop abattus pour que l'on pût compter sur eux. Selon Joannès, il valait mieux ne pas espérer d'aide de leur part. Pourtant, avant de remonter sur son cheval pour rentrer à Québec, Joannès avait écrit à Vaudreuil afin de l'avertir que la ville devrait capituler si des vivres et des renforts n'étaient pas arrivés avant dix heures le lendemain matin. Mais, comme il le déclara à Ramezay, il n'y avait aucun moyen de savoir si Vaudreuil avait reçu cette lettre.

Sur la rive sud, ce jour-là, Scott et ses Rangers firent une longue marche pour aller de Saint-Roch au cap Saint-Ignace, incendiant et pillant à loisir et détruisant Saint-Jean-Port-Joli et l'Islet. Pendant ce temps, Goreham, James Montague et d'autres Rangers arrivaient à pied de Saint-Thomas, où ils avaient passé la journée du 14, et se rapprochaient de la Pointe-Lévis. Leurs pas les conduisirent jusqu'au village de la famille Melançon. Debout devant la cabane à sucre, Élisabeth attendait.

La jeune fille savait ce que les Anglais faisaient — ils attaquaient les gens se trouvant encore dans les parages, pillaient leurs fermes, confisquaient leur bétail et, pendant que sur la place de l'église les habitants priaient, ils brûlaient leur village. Entre les arbres, elle vit James Montague arriver et bientôt ils se retrouvèrent face à face, devant la porte de la cabane. Il lui adressa un sourire nerveux qu'elle s'abstint de lui rendre.

«Où est ton grand-père? demanda-t-il doucement en français.

— Il a été fait prisonnier, il y a quelques semaines», répondit Élisabeth sans lever les yeux sur lui.

Le jeune homme avait envie de la prendre dans ses bras, de lui dire que bientôt il reviendrait et combien il l'aimait, mais il était incapable de prononcer ces mots que, il le sentait bien, elle ne voulait pas entendre. Alors il lui dit plutôt que les siens avaient déjà brûlé sa maison. Élisabeth fit quelques pas et ses yeux se remplirent de larmes. Cependant, très vite elle se ressaisit et essuya ses larmes qui étaient davantage dues au chagrin qu'à la colère. Pour la première fois, elle le regarda et alors tous les souvenirs des moments passés ensemble défilèrent dans sa tête. Cet instant de nostalgie fut de courte durée. Elle lança un regard en direction de sa maison et déclara: «Nous la reconstruirons. Nous sommes habitués aux malheurs. Nous la reconstruirons.»

Puis, montant son cheval sans selle, elle regarda James droit dans les yeux. «Je vais aller au village voisin pour avertir les gens de votre arrivée. Ne m'en empêche pas, s'il te plaît. Un jour, je t'ai rendu service. À toi d'en faire autant maintenant.»

Il y eut un silence, puis Élisabeth ajouta: «J'attends un enfant de toi», et elle partit au galop.

Le 17 septembre 1759

À Jacques-Cartier, peu après l'aube

À travers la pluie et le brouillard, la sentinelle aperçut une *calèche** et son escorte venant dans sa direction, bientôt suivies d'un grand nombre d'hommes à pied et à cheval. Le factionnaire appela son lieutenant et la garde fut renforcée. Quelques instants plus tard, un officier descendait de la *calèche**. C'était Lévis, accompagné de ses serviteurs.

À Québec, à dix heures trente

Personne — pas même Vaudreuil — n'avait fait parvenir d'instructions, de renforts ni de vivres à Québec. Bien décidé à respecter le délai qu'il s'était fixé, Ramezay ordonna à Joannès de se tenir prêt à se rendre au camp anglais afin d'y prendre les dispositions en vue de la reddition de la ville.

Dans l'espoir de gagner du temps, Joannès implora le commandant de patienter pendant qu'il entreprendrait de nouvelles recherches pour trouver de la farine et d'autres provisions. Ramezay accepta.

Sur les plaines d'Abraham, à onze heures quinze

Malgré le temps pluvieux et maussade, le chroniqueur Knox trouva les ordres du jour réconfortants. Trois jours après la bataille, Townshend décrétait enfin les règles de conduite auxquelles son armée devait se plier. «Je ne tolérerai aucun acte licencieux, déclara-t-il, et prendrai les mesures nécessaires pour assurer la discipline qu'exige notre devoir et que dicte la mémoire de notre regretté général.» Le brigadier répéta qu'aucun soldat ou officier ne devait, sous peine de mort, pénétrer dans l'Hôpital-Général sans en avoir l'autorisation. Knox approuvait cette fermeté. «La bataille n'est pas terminée, écrivit-il dans son journal. Elle vient à peine de commencer. Le pays ne nous appartient pas encore.»

Plus tard, au cours d'une réunion des officiers, Knox apprit que soixante canons et cinquante-huit mortiers avaient été transportés sur les Plaines. Bientôt, les Anglais seraient en mesure de bombarder la capitale, si jamais Ramezay refusait de capituler. Déjà, une bonne partie de la flotte de Saunders avait pénétré dans le bassin de Québec en prévision d'une attaque contre la basse ville.

À Jacques-Cartier, à midi

Avant même d'arriver chez Vaudreuil, Lévis se faisait déjà une idée des doléances qui l'attendaient. Lorsqu'il vit le gouverneur général, le chevalier lui trouva l'air fragile et vieilli. Celui-ci l'accueillit avec effusion et tenta aussitôt d'imputer à Montcalm la responsabilité de la défaite du 13 septembre. Lévis l'interrompit aussitôt.

«*Monsieur le gouverneur**, fit-il, laissons M. de Montcalm reposer en paix. Je dois à sa mémoire de vous faire remarquer qu'il a cru agir pour le mieux. Malheureusement, les généraux qui perdent la bataille ont toujours tort.» Le chevalier demeura un instant silencieux, puis il ajouta avec sévérité: «Mais puisque nous mettons en cause l'honnêteté et l'honneur de M. de Montcalm, je me demande si vous êtes conscient, *Excellence**, que *Sa Majesté, notre Roi**, ne jugera pas si honorables que cela les décisions que vous et le conseil de guerre avez prises après la bataille des plaines d'Abraham.»

Vaudreuil chancela devant la virulence de l'attaque. Lévis poursuivit sans même lui laisser la chance de répliquer: «On n'abandonne pas dix lieues de pays pour une bataille perdue! La retraite, pour ne pas dire la fuite, de votre armée fut une grande erreur. Ce fut un geste précipité et déshonorable, qui nous a causé grand tort. Nous étions sur le point de voir cet effroyable siège se terminer dans la gloire; au lieu de cela, nous avons perdu une bataille, notre armée est en fuite et le moral des troupes s'est grandement détérioré, sans compter que les soldats ont perdu confiance en leurs officiers. Partout règnent la confusion et un grave manque de discipline. Les miliciens désertent en masse et la population est désespérée.»

Lévis se tut pour reprendre son souffle. Vaudreuil n'eut même pas le temps d'ouvrir la bouche pour essayer de se justifier que le chevalier poursuivait, maintenant avec plus de douceur: «Je ne doute pas que vous aurez le courage d'accepter la responsabilité des décisions prises et la disgrâce qui l'accompagne. Il vous aurait été loisible de rallier les troupes et de combattre les Anglais le 13 ou dans la matinée du 14, mais vous avez choisi de ne pas passer à l'action. Il nous faut à présent faire tout en notre pouvoir pour réparer cette faute.»

Lévis fit une pause, puis dévoila son plan d'action:

«J'ai l'intention, *Monsieur le gouverneur**, de ramener l'armée à Québec immédiatement et d'y attaquer les Anglais. Je ferai tout ce qui est en mon pouvoir pour empêcher la prise de Québec et, dans le pire des cas, j'évacuerai la population et je détruirai la ville. L'ennemi ne passera pas l'hiver dans la capitale de la Nouvelle-France.»

Refusant d'écouter les protestations de Vaudreuil, le chevalier continua: «Monsieur le marquis de Vaudreuil, je compte sur votre collaboration la plus complète et la plus totale, comme vous me l'avez promise dans les deux lettres que vous me fîtes l'honneur de m'écrire les 13 et 14 courants. J'assumerai le commandement total de nos forces et des opérations. Sommes-nous d'accord, *Excellence*?*»

Le vieil homme était bouleversé. Personne, mis à part Madame la marquise, n'avait jamais osé s'adresser à lui de façon aussi directe et dure. Néanmoins, Vaudreuil n'avait pas le choix: seul le plan de Lévis pourrait réparer les dommages causés par ses décisions et pour lesquels il devrait rendre des comptes à Versailles. Le gouverneur général aurait à renoncer à ses pouvoirs, mais il jugea que c'était un prix équitable à payer. Il répondit: «Oui, Monsieur le chevalier, nous sommes d'accord; vous aurez plein pouvoir. Quant à moi, je demeurerai ici à Jacques-Cartier.»

Lévis voulait que les troupes se missent immédiatement en marche, mais Bigot n'était pas en mesure de les ravitailler dans un délai aussi bref. Aussi le chevalier dut-il patienter jusqu'au lendemain matin.

Vaudreuil écrivit à Ramezay et à Bougainville. Lévis fit parvenir à Bernetz, le commandant en second à Québec, une missive lui annonçant son arrivée. Toutefois, les messagers ne partirent que deux ou trois heures plus tard et au-delà de trente milles les séparaient de la ville assiégée.

À proximité des lignes anglaises, à quatorze heures

Bougainville attendait Saint-Rome et les vivres en provenance de Saint-Augustin. Il reçut cependant un message lui disant que le convoi de provisions avait été retardé en raison du piètre état de la route. Le

jeune homme décida néanmoins de passer à l'action. Il envoya Rochebeaucourt, le commandant de la cavalerie, à Charlesbourg en compagnie de cent cavaliers pour y réquisitionner cent sacs de biscuits et les
livrer à Québec le plus rapidement possible. Pendant ce temps, un petit
détachement, sous le commandement du capitaine de Belcourt, reprit
possession de l'ouvrage à cornes de la rivière Saint-Charles situé près de
la Canardière. Une fois arrivé à destination, Belcourt devait faire parvenir à Ramezay un message l'informant que des provisions arrivaient.

À Québec, entre seize et dix-huit heures

Le moral des habitants et des miliciens n'avait jamais été aussi bas
depuis le début du siège. Ils n'avaient reçu aucun secours. Les femmes
et les enfants se lamentaient et déambulaient dans les rues de la ville en
quête de nourriture. Les notables refusaient de porter les armes. Les
soldats étaient de plus en plus nombreux à déserter la ville. Certains
tentaient de rejoindre l'armée française, d'autres rentraient chez eux et
quelques-uns allaient chercher refuge dans le camp de Townshend. On
rapporta même à Ramezay qu'un sergent de l'armée régulière avait
remis la clé d'une des portes de la ville aux Anglais. Il régnait un tel
désordre que le commandant ne parvenait plus à se faire obéir.

De leur côté, les Anglais se préparaient à attaquer de nouveau. Sur
les batteries et les redoutes érigées sur les plaines, le nombre des
canons ne cessait d'augmenter. La flotte de Saunders exécutait
d'importantes manœuvres dans le port de la basse ville. À seize heures,
six navires étaient prêts à passer à l'attaque cependant que d'autres faisaient voile vers Québec. On pouvait apercevoir les soldats embar-
quant dans des barges pour se diriger ensuite vers le port. Des sentinelles postées sur les remparts avertirent Ramezay qu'un détachement
imposant de soldats anglais s'avançaient sur les Plaines en direction de
la porte du Palais.

Le commandant fit sonner l'alerte générale et, accompagné de
quelques officiers supérieurs, se rendit aussitôt sur les quais. Il s'aperçut bientôt que les miliciens refusaient de se battre et que la plupart
d'entre eux, ainsi que leurs supérieurs, ramenaient leurs armes aux
magasins du Roi afin de pouvoir réintégrer les rangs de la population
civile et des non-belligérants. Ils n'avaient nullement l'intention, à
présent que l'armée française les avait abandonnés, de se faire massacrer
par les Anglais, ceux-ci étant sur le point de donner l'assaut à la ville.

Impuissant à défendre Québec ou même à prétendre qu'il pouvait encore le faire, Ramezay tint de nouveau conseil avec ses officiers. Tous étaient d'accord avec lui pour hisser le drapeau blanc. Le commandant donna par écrit l'ordre à Joannès de se rendre au campement anglais avec les articles de la capitulation. Comme le voulait la coutume, un officier l'y accompagnerait afin de servir d'otage. Ramezay regagna ensuite ses quartiers pour y attendre le *dénouement** de l'affaire.

Au cap Saint-Ignace, sur la rive sud, à dix-sept heures

Scott et Goreham avaient parcouru près de soixante milles depuis le début de leur mission. Ils avaient incendié quinze villages, seigneuries et concessions, ainsi que mille cent maisons, granges et autres bâtiments. Ils avaient capturé soixante prisonniers et tué cinq Canadiens. Leurs hommes avaient détruit des bateaux de toutes tailles, des moulins, des centaines d'acres de champs de blé et des pêcheries situées le long du Saint-Laurent et d'autres rivières. Ils s'étaient également emparés d'un grand nombre de vaches et de moutons, ainsi que de nombreux objets de maison. Scott déclara avoir perdu sept Rangers, dont trois avaient été tués et quatre blessés.

Scott et ses hommes s'apprêtaient maintenant à monter à bord du navire envoyé par Saunders pour les quérir. Ils avaient prévu embarquer plus tôt dans la matinée, mais la marée ne le leur avait pas permis. Aussi, histoire de tuer le temps, s'étaient-ils amusés à incendier les soixante maisons du cap Saint-Ignace, y compris le presbytère.

À Québec, à dix-neuf heures

Belcourt livra son message verbalement: «Ne désespérez pas, des vivres sont en route.» Ramezay décida néanmoins qu'il ne rappellerait pas Joannès tant qu'il n'aurait pas les provisions en question sous les yeux.

Au campement anglais,
sur les plaines d'Abraham, à vingt heures

Après qu'il eut terminé son repas, Townshend fit entrer Joannès et lut le document que Vaudreuil avait rédigé. Il contenait onze articles de capitulation. Les dix derniers articles ne posaient aucune difficulté:

les habitants pourraient conserver la jouissance de leurs biens et, au moment de rendre les armes, ils ne subiraient aucunes représailles pour avoir défendu leur pays; les propriétés des personnes absentes ne seraient pas confisquées; l'évêque et le clergé pourraient se déplacer librement dans l'exercice de leurs fonctions et la liberté de religion serait garantie aux habitants du pays; la protection des malades et des blessés serait assurée, et des soldats protégeraient les églises, les hôpitaux, les couvents et les principaux édifices; et Ramezay aurait la permission de communiquer avec Vaudreuil et le gouvernement français.

Toutefois, Townshend ne pouvait répondre aux conditions du premier article: il était certes disposé à accorder les honneurs de la guerre à la garnison française, mais il ne pouvait permettre aux officiers et aux soldats de rejoindre le gros de l'armée à Jacques-Cartier. À l'instar des marins, ils devraient plutôt se constituer prisonniers de guerre et, à ce titre, seraient ramenés en France dans des navires anglais, aux frais de la couronne britannique.

Vaudreuil avait prévu la réaction de Townshend et conseillé à Ramezay de ne pas insister. Afin de gagner du temps, Joannès demanda toutefois l'autorisation de retourner voir Ramezay afin que celui-ci approuvât la contre-proposition de Townshend. Le brigadier acquiesça mais lui ordonna d'être de retour avant vingt-trois heures, à défaut de quoi la reddition ne serait pas valable et les Anglais donneraient l'assaut à Québec.

Joannès avait une heure devant lui.

En route vers Québec, tard dans la soirée

Ayant perdu les lettres que Vaudreuil lui avait demandé de remettre à Ramezay, le messager renonça à se rendre jusqu'à Québec. Bernetz ne reçut jamais le message de Lévis.

Sur la rue Saint-Louis, dans la haute ville,
à vingt-deux heures trente

Ramezay exultait: Townshend lui avait accordé des conditions encore plus favorables que celles que Vaudreuil avaient espérées. Il n'y avait donc aucune raison de ne pas capituler sur-le-champ et de ne pas renvoyer Joannès au camp des Anglais. Le major demanda une nouvelle fois au commandant d'attendre jusqu'au lendemain matin. Qui

287

sait si des vivres et des renforts ne leur parviendraient pas entre-temps. Cependant, pour Ramezay, il n'était plus question d'attendre. Il signa l'acte de reddition et ordonna par écrit à Joannès de se rendre sans délai jusqu'au camp de Townshend.

Un quart d'heure plus tard, lorsque Joannès demanda à voir Townshend, quelques minutes à peine avant l'expiration du délai, celui-ci était déjà couché.

À Québec, peu avant minuit

Une centaine de cavaliers commandés par Rochebeaucourt entrèrent dans la ville par la porte du Palais, des sacs détrempés attachés à leurs selles. Lorsqu'il les livra à Ramezay, Rochebeaucourt s'écria: «Il ne sera pas nécessaire de capituler. D'autres vivres vous parviendront sous peu, j'en suis persuadé, et peut-être même des troupes.

— Vous êtes arrivé trop tard, monsieur, répliqua Ramezay. Le major Joannès livre en ce moment même à Son Excellence le général anglais, les articles de la capitulation que je viens de signer.»

Rochebeaucourt était consterné. Il implora Ramezay de se rétracter et d'attendre, lui demandant de faire confiance au gouverneur, à Lévis et à l'armée, et de leur accorder les quelques heures qui peut-être leur permettraient de sauver l'honneur de la France. Le commandant sentit monter en lui une terrible colère. Incapable de se maîtriser plus longtemps, il déversa sa rage sur le pauvre Rochebeaucourt.

«Je suis un homme d'honneur, déclara Ramezay sur un ton solennel. J'ai réussi à obtenir des conditions de capitulation plus favorables que ce que M. de Vaudreuil avait espéré.»

Il dévisagea Rochebeaucourt et lui demanda: «Que se produira-t-il, à votre avis, si je n'honore pas mon engagement envers les Anglais comme vous me le demandez? Que se passera-t-il alors, monsieur?» Approchant son visage à quelques centimètres à peine de celui de Rochebeaucourt, Ramezay répondit lui-même à sa question: «À peine une heure après que je me serai rétracté, le général Townshend nous donnera l'assaut depuis les plaines d'Abraham et l'amiral Saunders depuis le port. Plusieurs des gens de la ville sont d'avis que si les choses en arrivaient là, nous, militaires aussi bien que civils, serions tous exécutés.»

Le commandant attendit que ses paroles fissent leur effet, puis, en proie à une vive émotion, il demanda à Rochebeaucourt: «Où est-elle notre armée, monsieur? Toujours à Jacques-Cartier? Eh bien! moi je suis ici et je dois prendre une décision. Cette ville, avec ses murs qui s'écroulent et ses palissades en ruine, est assiégée de toutes parts. La population se sent trahie et abandonnée par l'armée qui devait la protéger. Elle souhaite que je capitule; dans l'honneur certes, mais que je capitule quand même.»

Ramezay marchait de long en large. Il s'empara de quelques biscuits détrempés et lança sur un ton hargneux: «Ces biscuits humides et ramollis sont-ils toute la nourriture que l'on nous donne? Où sont les troupes et les munitions qui sont en route, à ce qu'on m'a dit? Où, je vous le demande?» Il s'approcha de nouveau de Rochebeaucourt: «Sachez, monsieur, que j'ai dû tenir le coup tout seul pendant quatre jours. C'est mieux que ce que l'armée a réussi à faire après la bataille des plaines d'Abraham!»

Le commandant se tut, étonné de sa propre colère. Une petit voix intérieure l'exhortait de se calmer. Sourire aux lèvres, il affirma à Rochebeaucourt: «Je suis un fidèle serviteur de notre roi. Si les Anglais changent d'idée et modifient les conditions qu'ils ont accepté de respecter, je considérerai notre entente comme nulle. Mais pour que ma remarque ait une quelconque signification, il est essentiel que demain, avant que le jour ne soit bien entamé, une troupe de cinq cents soldats de métier ayant avec eux leur équipement, leurs bagages et des provisions pénètrent dans la ville avec des vivres pour la population. Au moment de votre départ, cette nuit, j'enverrai un message à Son Excellence le gouverneur général à cet effet et, si vous disposez des moyens nécessaires, je vous prierais d'en faire autant. Je vous remercie. Les gens de ma maison veilleront à ce que vous et vos hommes soyez bien traités. *Bonsoir, monsieur.* *»

Ramezay se dirigea vers ses quartiers en priant pour qu'un miracle se produisît.

Le 18 septembre 1759

À Jacques-Cartier, à l'aube

L a pluie avait enfin cessé de tomber et la journée s'annonçait enso-leillée. L'armée était prête. Vaudreuil passa en revue les régiments du Béarn, du Languedoc, de Guyenne, du Royal-Roussillon et de la Sarre, les troupes de miliciens qui n'avaient pas fait défection et les *troupes franches de la marine**. Il lui sembla que ses hommes avaient de nouveau l'air de vrais soldats: ils se tenaient droit, leurs uniformes et leurs vêtements étaient propres et leurs armes prêtes à faire feu. Ils avaient fière allure, avançant au son des tambours qui jouaient un air joyeux pendant que les drapeaux flottaient au vent dans toute leur splendeur. Montbeillard et Johnstone derrière lui, Lévis prit congé du gouverneur. «Nous serons à la Pointe-aux-Trembles ce soir, déclara Lévis, à Saint-Augustin demain soir et à Québec le 20. Je prie le ciel pour que nous n'arrivions pas trop tard.» Le vieil homme l'espérait aussi. «Que Dieu soit avec vous!» fit-il.

Bigot, lui, n'avait pas jugé utile de se lever.

Dans le camp anglais, à huit heures

La lumière du soleil baignait les plaines d'Abraham. Réveillée au son des tambours, des pipeaux et des fifres, l'armée anglaise formait maintenant un grand losange sur les Hauteurs. Au centre du terrain de parade se trouvait une table sur laquelle étaient posés deux exemplaires des articles de la capitulation, de même que des plumes et un encrier. Des officiers supérieurs des deux armées se tenaient debout du même côté de la table. Un détachement de Highlanders s'avança d'une des extrémités du terrain, suivis de Saunders, Townshend, Murray, Carleton et Burton, ces deux derniers s'étant suffisamment remis des blessures qu'ils avaient subies le 13 pour pouvoir assister à la cérémonie. Monckton, encore trop faible, était absent et n'avait pu prendre connaissance des articles de la capitulation. Majestueusement, le défilé marcha à pas lents et cadencés du centre du plateau jusqu'à la table. Saunders et Townshend prirent place, ce dernier donna un signal et le major Joannès et son escorte s'avancèrent à leur tour, entourés des grenadiers de Louisbourg.

L'amiral Saunders fut le premier à signer les deux exemplaires des articles, bientôt suivi de Townshend. Comme Ramezay avait déjà apposé sa signature au bas des documents, Joannès dut se contenter de jouer le rôle d'observateur. À la fin de la cérémonie, Townshend lui remit l'un des documents. Le major de la ville s'inclina avec grâce, le remercia, se retourna et marcha d'un pas aussi ferme qu'il put jusqu'à sa monture. Tandis qu'il revenait vers la ville, une grande clameur s'éleva derrière lui.

Une fois ses troupes calmées, Townshend entreprit de lire l'ordre du jour: «La capitale du Canada ayant en ce jour capitulé devant les armes de Sa Majesté à des conditions honorables pour notre armée victorieuse, tous les actes de violence, de pillage et de cruauté sont désormais strictement interdits. La garnison aura droit aux honneurs de la guerre, et les habitants déposeront leurs armes. En vertu de leur reddition, ils ont droit à la protection de Sa Majesté. Québec est à nous!»

À Québec, à seize heures

Les habitants de la ville faisaient la haie dans les rues de ce qui avait été un jour une capitale fière et orgueilleuse. Armés, les soldats de la garnison étaient à leurs postes, cependant que les marins se tenaient près des batteries et que les sentinelles et leurs officiers supérieurs étaient postés près des trois portes de la ville. Ramezay, les officiers placés sous ses ordres, les dignitaires et les notables, y compris les pères Récher et Baudouin, s'avancèrent sur la place qui se trouvait en face du château Saint-Louis. Le drapeau fleurdelisé flottait toujours au-dessus de la citadelle.

Peu avant seize heures, une sentinelle annonça l'arrivée des Anglais. Un détachement de l'artillerie ouvrait la marche, le drapeau britannique flottant au-dessus de l'affût du canon qui les accompagnait. Venaient ensuite les trois compagnies de grenadiers ayant reçu mission de garder les trois portes de la ville. Quelques minutes plus tard, le commandant des Anglais, le brigadier Townshend, suivi d'une escorte impressionnante, arriva à cheval sur la place d'Armes afin d'y recevoir les clés de la ville. Au même moment, sur le plus haut rempart de la citadelle, un officier français abaissa le drapeau de la France, le plia respectueusement, puis le porta solennellement à Ramezay. Un officier anglais déplia le drapeau britannique et hissa les croix de saint Georges et de saint André au-dessus de la citadelle. Dans la basse ville, le capitaine Palliser de la Marine royale, entouré d'un grand nombre de marins et de fusiliers marins, hissa à son tour le drapeau aux couleurs de l'Angleterre au-dessus du port.

Pendant que les roulements des tambours et des salves d'artillerie saluaient le changement de régime, les soldats, marins et officiers français sortirent de Québec pour être conduits jusqu'aux navires de transport anglais qui les attendaient dans le bas Saint-Laurent. Ils emportaient avec eux leurs bannières, leurs armes et leurs bagages. Des soldats anglais les remplacèrent bientôt à leurs postes. Townshend s'inclina devant Jean-Baptiste-Nicolas-Roch de Ramezay et ordonna à un détachement de Highlanders de l'escorter jusqu'à sa résidence de la rue Saint-Louis. Dès que le commandant fut parti, Townshend pénétra dans le château Saint-Louis, qui serait désormais la résidence officielle du gouverneur anglais de Québec. Escorté de quelques hommes, le capitaine Daubressy partit annoncer la nouvelle à Vaudreuil.

Accourus des bois environnants, des femmes et des enfants en haillons et à moitié morts de faim, le corps émacié et dévoré par les mouches et les puces, pénétrèrent dans la ville pour y quémander du pain. Le premier geste officiel des Anglais fut de mettre sur pied une cantine destinée à les nourrir.

Au cours de la première nuit du règne des Anglais, Ramezay se reposa dans sa résidence, convaincu de n'avoir rien à se reprocher. Le père Charles Baudouin fit ses bagages et se rendit à l'Hôpital-Général afin de commencer à y convertir les Anglais. En colère parce qu'on venait de le priver d'un moment de gloire, Lévis confia à son journal: «Il est inouï que l'on rende une place sans qu'elle soit ni attaquée ni investie.» Dès lors, il commença à dresser des plans pour l'hiver et pour la prochaine campagne. À environ neuf milles de là, Bougainville déclara: «Telle a été la fin de la campagne du monde la plus belle jusqu'à ce moment.» Quant à Vaudreuil, il confia à Ramezay le soin d'envoyer lui-même les articles de la capitulation en France.

Satisfait de lui-même, Townshend rentra dans son camp sur les Plaines. Depuis la fin de la bataille, sa situation avait été pour le moins critique. À présent que les Anglais occupaient la citadelle, il était certain que les Français ne l'attaqueraient pas. Saunders pouvait ramener la flotte en Angleterre, et lui-même, remettre son commandement à Murray et partir sur le vaisseau de l'amiral. Qu'importait pour lui qu'il se mît à neiger le lendemain. Québec lui appartenait. Il avait acquis la ville au prix de généreuses conditions de capitulation et laissait à d'autres le soin de déterminer si ce prix avait été trop élevé.

Dès cette première nuit, la mère supérieure de l'Hôpital-Général entreprit d'encourager les siens à résister aux Anglais, cependant que, dans les villages de la rive sud, on entendit pour la première fois l'expression *«les maudits Anglais!**». À Beauport et à Québec, le major Moncrief «découvrit deux cent trente-quatre pièces d'artillerie, dix-sept mortiers, quatre obusiers, divers morceaux de cuivre et de fer, six cent quatre-vingt-quatorze barils de poudre, quatorze mille huit cent soixante-dix boulets de canon, mille cinq cents obus, trois mille mousquets avec leurs baïonnettes et soixante-dix tonnes de plombs à mousquet, ainsi que plusieurs autres articles de moindre valeur», mais très peu de nourriture. À la Pointe-aux-Pères les batteries s'étaient tues. Il n'y avait pour ainsi dire plus rien à détruire à Québec. En outre, le peu qui restait appartenait désormais à Sa Très Britannique Majesté.

Peu avant minuit, James Montague quitta son détachement et retourna vers Élisabeth de Melançon. Mme Lefebvre, qui avait passé la journée à prier dans l'église Notre-Dame-des-Victoires, déambulait maintenant à travers les rues désertes de la ville en ruine qui était la sienne. Aux abords de ce qui restait de la cathédrale, un soldat l'arrêta et l'enjoignit de rentrer chez elle dans une langue qui lui parut incompréhensible et humiliante. Elle descendit une allée, derrière l'une des nombreuses maisons devenues inhabitables, et atteignit un escarpement où elle s'arrêta pour regarder les flots du Saint-Laurent. Une nouvelle vie commençait, pensa-t-elle. D'ici peu, son mari reviendrait de l'Ouest, ses jeunes enfants de Sorel, et son fils Jean-François-Xavier serait démobilisé. Il y avait beaucoup de travail à faire pour reconstruire Québec et la campagne environnante. Cinquante années seraient nécessaires à cette tâche.

À l'aube du nouveau règne, lorsque les quinze mille habitants répartis des deux côtés du Saint-Laurent, entre Québec et Gaspé, qui vivaient dans une ville et cinquante-neuf villages, paroisses et seigneuries, se réveillèrent, ils étaient devenus sujets du roi d'Angleterre.

Épilogue

Après un rude hiver et avant que les glaces n'eussent complètement libéré le Saint-Laurent, Lévis revint à Québec, où le 28 avril 1760 il défit les Anglais à la bataille de Sainte-Foy, une bataille que l'on considère généralement comme la seconde bataille des plaines d'Abraham. Le siège de Québec recommença — mais cette fois-ci les Français étaient de l'autre côté des murs de la ville. Cela ne dura pas longtemps, cependant. Le 15 mai, les navires anglais entrèrent dans le port de Québec et, le lendemain, détruisirent tout ce qui restait de la flotte de Lévis. Incapable de garder sa position, celui-ci se replia sur Montréal dans la nuit du 16 mai et attendit l'inévitable.

Il n'eut pas à attendre très longtemps. Au cours de l'été, Amherst et trois corps d'armée composés de dix-sept mille hommes convergèrent sans se presser sur Montréal. L'un d'eux, commandé par Murray, remonta le Saint-Laurent depuis Québec, brûlant quelques villages sur son passage; l'autre, sous les ordres du brigadier William Haviland, après avoir occupé le fort de l'Île-aux-Noix que Bourlamaque avait déserté, descendit la rivière Richelieu; et l'armée d'Amherst traversa les rapides situés à l'entrée du Saint-Laurent.

La France n'avait envoyé aucun renfort et les Canadiens, abandonnés, trahis et aliénés refusaient de prendre les armes. Au début du mois de septembre, Lévis ne comptait plus qu'environ deux mille soldats dans son armée. Vaudreuil réclamait la paix, mais les conditions proposées par Amherst étaient moins avantageuses que celles que Ramezay avait obtenues l'année précédente. Amherst lui ayant refusé les honneurs de la guerre et Vaudreuil, la permission de continuer à se battre, Lévis se retira sur l'île Sainte-Hélène et brûla ses drapeaux plutôt que d'avoir à les remettre aux Anglais.

Le 8 septembre 1760, Montréal et les territoires français d'Amérique du Nord furent cédés aux Anglais. Tout le Canada appartenait désormais à George II. Officiers, soldats et fonctionnaires français, de même que quelques marchands et hommes d'affaires canadiens, s'embarquèrent pour la France. Cependant les soixante-seize mille cent soixante-douze «âmes» qu'Amherst trouva au Canada demeurèrent dans leurs trois villes et leurs cent huit paroisses — et y survécurent.

*

Bougainville me rend visite pour la dernière fois, me dit-il. Il veut me demander quelques renseignements.

«Je sais que lorsqu'il revint en France le marquis de Vaudreuil fut emprisonné à la Bastille puis acquitté. Mais qu'est-il arrivé à Bigot, qui fut reconnu coupable de fraude et banni?

— Vers la fin de sa vie, en 1771, il fut autorisé à aller voir Mme Péan à Blois, en Touraine.

— Ah! la belle Lélie! J'ai entendu dire qu'elle est morte à l'âge de soixante-dix ans et qu'elle était toujours aussi belle, énergique et désirable. Et M. de Ramezay?

— Il s'embarqua pour la France en octobre 1759 et passa vingt ans à se justifier. Finalement, il eut la satisfaction de recevoir les excuses de Vaudreuil et une pension du roi.

— Une victime des circonstances, déclare Bougainville.

— Comme nous tous, il a été trahi», dis-je avec humeur. Après un instant de silence, Bougainville se met à parler de Lévis.

«Il est devenu maréchal de France et duc. Il a eu la chance de mourir avant la Révolution française, mais sa veuve et deux de ses filles furent condamnées à la guillotine. Son fils réussit à y échapper et il vit le peuple profaner la tombe de son père.

— Et vous, monsieur, que vous est-il arrivé?

— Oh! j'ai vécu de façon fort honorable. Comme vous le savez, j'ai fait le tour du monde en bateau, aidé les Américains à se libérer, survécu à la révolution de 1789, je me suis marié à l'âge de cinquante-deux ans et j'ai eu deux fils, je suis devenu *comte de l'Empire**, et, le 3 septembre 1811, on a enseveli ma dépouille au Panthéon.»

Bougainville a l'air content de lui. Il caresse les chiens puis me demande de lui parler *des Anglais**.

«Amherst a continué à duper tout le monde. Monckton n'a fait par la suite rien d'important, à moins que l'on ne considère la conquête de la Martinique et de Grenade comme significative. Murray a passé les dernières trente-cinq années de sa vie à se battre avec tout le monde et n'a guère obtenu d'avancement — par contre, certains disent qu'il était l'ami des Canadiens. Saunders est mort de la goutte et Townshend est devenu représentant de la Couronne en Irlande et, comme tous les aristocrates de son époque, a vécu dans l'oisiveté.

— Et vos amis, le major Scott et l'homme qui venait de Nouvelle-Écosse, comment s'appelait-il déjà?

— Goreham. Scott partit avec Monckton pour piller la Martinique et Grenade. Quant à Goreham, il trouva son salut dans l'alcool et dans les dettes. Que voulez-vous savoir de plus?

— Le père Baudouin?

— Murray le chassa de l'Hôpital-Général. Il mourut en 1761.

— Vous l'admiriez, *n'est-ce pas**, monsieur LaPierre?

— Oui, énormément. Et avant que vous ne me le demandiez, il faut que je vous dise que Mme Lefebvre mourut en faisant ce qu'elle avait toujours fait, c'est-à-dire aider les autres; Mascou partit pour l'Ouest canadien et vécut très vieux; Mennard devint prêtre; Jean-François-Xavier retourna au séminaire pendant un certain temps, mais j'ai perdu sa trace et ne sais ce qu'il fit ensuite.

— Et Élisabeth de Melançon et James Montague?

— Après tous ces événements, ils ont vécu heureux.

— Contrairement à votre peuple.

— Mon peuple a survécu et, à la longue, il a retrouvé sa qualité de vie. Mais ce n'est pas grâce à vous, ni à aucun de vous sur les plaines d'Abraham.

— Vous nous jugez bien sévèrement!

— Non, je ne vous juge pas. Vous tous, *les Français comme les Anglais**, vous êtes montrés cruels envers mon peuple et la situation critique dans laquelle nous nous trouvions vous laissait indifférents.» Bougainville me regarde d'un air perplexe.

«Vous ne comprenez pas, n'est-ce pas? lui dis-je avec davantage de pitié que de colère. Nous, les Canadiens, ne représentions pas grand-chose à vos yeux, tout comme à ceux des Anglais. Nous n'étions que des pions dans votre implacable et obsessionnelle recherche de *la gloire** et dans votre règlement de comptes en Europe. Nous avions édifié quelque chose de bien dans la vallée du Saint-Laurent et sur les terres des Grands Lacs, de même qu'en Louisiane et en Acadie. Mais vous, les Français, nous avez trahis, vous avez laissé nos ennemis nous piller et nous tuer, puis vous nous avez abandonnés dans les décombres. Les Anglais ne se sont pas mieux comportés, mais du moins sont-ils restés, nous aidant à reconstruire, et quand vint le temps de choisir entre nous et leurs colonies du Sud, ils ont pour nous. Nous ne vous devons pratiquement rien. Mais nous devons aux Anglais notre survie, si l'on peut dire.»

Rompant le silence embarrassant qui s'est installé, je lui dis: «*Adieu**, monsieur Louis-Antoine de Bougainville!

— *Au revoir**, monsieur Laurier Lucien LaPierre.»
Bougainville se dirige vers la porte mais, juste avant de l'ouvrir, il me demande sans se retourner: «Allez-vous écrire ma biographie?»
J'éclate de rire.

BIBLIOGRAPHIE

REMARQUE: La plupart des documents originaux qui traitent du siège de la ville de Québec, de la bataille des plaines d'Abraham et de la capitulation de la ville ont été largement diffusés, tant en français qu'en anglais. On peut se les procurer dans toute bonne librairie à travers le pays. J'ai puisé abondamment à ces sources.

Je suis particulièrement reconnaissant au professeur C. P. Stacey pour la précision et l'érudition dont il a fait preuve dans *Quebec, 1759,* un ouvrage destiné à commémorer le deux centième anniversaire de la bataille des plaines d'Abraham. Je remercie le professeur Guy Frégault, auteur de *La Guerre de la Conquête* (ouvrage publié en 1955), de m'avoir communiqué une perspective historique que je n'ai retrouvée nulle part ailleurs. Je suis également redevable au professeur W. J. Eccles, qui possède une connaissance phénoménale du Canada d'avant 1760, de m'avoir inspiré la plupart des commentaires d'ordre social et culturel que l'on retrouve dans le présent ouvrage.

Le lecteur qui désire en savoir davantage sur la question trouvera ci-dessous une brève liste d'ouvrages facilement accessibles.

BEER, G. L., *British Colonial Policy, 1754-1765,* New York, 1922.

BIRD, Harrison, *Battle for a Continent,* New York, 1965.

BONNAULT, C., *Histoire du Canada français,* Paris, 1950.

BRADLEY, Arthur Granville, *The Fight with France for North America,* Toronto, 1908.

BRUNET, Michel, *Les Canadiens après la Conquête. 1759-1775,* Montréal, 1969.

CASGRAIN, H. R., dir., *Collection des manuscrits du maréchal de Lévis,* 12 vol., Montréal-Québec, 1889-1895.

CASGRAIN, H. R., *Montcalm et Lévis,* 2 vol., Québec, 1891.

CHAPAIS, Thomas, *Le Marquis de Montcalm,* Québec, 1891.

CONNEL, Brian, *The Plains of Abraham,* Londres, 1959.

DONALDSON, Gordon, *Battle for a Continent: Quebec 1759,* Toronto, 1973.

DOUGHTY, A. G. et G. W. PARMELEE, *The Siege of Quebec 1759,* Toronto, 1973.

DOUVILLE, R. et J. D. CASANOVA, *La Vie quotidienne en Nouvelle-France; le Canada de Champlain à Montcalm*, Paris, 1964.

ECCLES, W. J., *Canada Under Louis XIV, 1663-1701*, Toronto, 1964.

ECCLES, W. J., *France in America*, New York, 1972.

ECCLES, W. J., *The Canadian Frontier, 1534-1760*, New York, 1969.

FINDLAY, James Thomas, *Wolfe in Scotland*, Londres et New York, 1928.

FRÉGAULT, Guy, *La Guerre de la Conquête*, Montréal, 1955.

GARRETT, Richard T., *General Wolfe*, Londres, 1975.

GIBSON, L. H., *The British Empire before the American Revolution*, 8 vol., New York, 1939-1954.

GRAHAM, G. S., *Empire of the North Atlantic: The Maritime Struggle for North America*, Toronto, 1950.

GRINNELL-MILNE, Duncan William, *Mad Is He? The Character and Achievement of James Wolfe*, Londres, 1963.

GROULX, Lionel-Adolphe, *Histoire du Canada français*, 40 vol., Montréal, 1950-1952

GROULX, Lionel-Adolphe, *Lendemain de Conquête*, Montréal, 1920.

GUENIN, Eugène, *Montcalm*, Paris, 1898.

HAMELIN, J., *Économie et Société en Nouvelle-France*, Québec, 1960.

HARPER, John Murdoch, *The Greatest Event in Canadian History. The Battle of the Plains*, Toronto, 1909.

HART, Gerald, *The Fall of New France*, Montréal, 1888.

HATHEWAY, Warren Franklin, *Why France Lost Canada, and other essays and poems*, Toronto, 1915.

HIBBERT, C., *Wolfe at Quebec*, Londres, 1959.

LANCTOT, G., *Histoire du Canada du traité d'Utrecht au traité de Paris, 1713-1763*, Montréal, 1964.

MAHEN, Reginald Henry, *Life of General The Hon. James Murray, a Builder of Canada*, Londres, 1921.

MARTIN, Félix, *Le Marquis de Montcalm et les dernières années de la colonie française au Canada*, Paris, 1879.

MARTIN, Félix, *De Montcalm en Canada*, Paris, 1867.

MITCHELL, John, *The Conquest in America between Great Britain and France with its Consequences and Importance*, New York, 1965.

NISH, C., *The French Canadians. 1759-1766. Conquered? Half Conquered? Liberated?*, Toronto, 1966.

PARKMAN, Francis, *Montcalm and Wolfe*, Londres, 1962.

REILLY, Robin, *Wolfe at Quebec*, Londres, 1963.

ROBITAILLE, Georges, *Montcalm et ses historiens,* Montréal, 1936.

ROY, P. G., *Bigot et sa bande et l'affaire du Canada,* Lévis, 1950.

SAMUEL, S., *The Seven Years' War in Canada. 1756-1763,* Toronto, 1959.

STACEY, C. P., *Quebec, 1759 — The Siege and Battle,* Toronto, 1959.

STANLEY, G. F. F., *Canada's Soldiers, the Military History of an Unmilitary People,* Toronto, 1959.

STANLEY, G. F. F., *New France. The Last Phase, 1744-1760,* Toronto, 1968.

WADDINGTON, Richard, *La Guerre de Sept Ans. Histoire diplomatique et militaire,* 5 vol., Paris, 1899-1914.

WAUGH, W. T., *James Wolfe, the Man and the Soldier,* Montréal, 1928.

WARBURTON, George, *The Conquest of Canada,* 2 vol., Londres, 1857.

WILLIAMS, Smith, *First Days of British Rule in Canada,* Kingston, 1922.

WILLSON, Beckles, *The Life and Letters of James Wolfe,* Londres, 1909.

WOOD, William Charles Henry, *The Passing of New France,* Toronto, 1915.

WOOD, William Charles Henry, *The Fight for Canada,* Boston, 1906.

WRONG, George McKinnon, *The Fall of Canada,* Oxford, 1914.

TABLE DES MATIÈRES

LES ÉDITIONS DE
L'HOMME

Ouvrages parus aux
Éditions de l'Homme

Affaires et vie pratique

*30 jours pour mieux organiser..., Gary Holland
  Acheter et vendre sa maison ou son condominium, Lucille Brisebois
*Acheter une franchise, Pierre Levasseur
*Les assemblées délibérantes, Francine Girard
*La bourse, Mark C. Brown
*Le chasse-insectes dans la maison, Odile Michaud
*Le chasse-insectes pour jardins, Odile Michaud
  Le chasse-taches, Jack Cassimatis
*Choix de carrières — Après le collégial professionnel, Guy Milot
*Choix de carrières — Après le secondaire V, Guy Milot
*Choix de carrières — Après l'université, Guy Milot
*Comment cultiver un jardin potager, Jean-Claude Trait
  Comment rédiger son curriculum vitæ, Julie Brazeau
*Comprendre le marketing, Pierre Levasseur
  Des pierres à faire rêver, Lucie Larose
*Devenir exportateur, Pierre Levasseur
  L'étiquette des affaires, Elena Jankovic
*Faire son testament soi-même, Me Gérald Poirier et
    Martine Nadeau Lescault
  Les finances, Laurie H. Hutzler
  Gérer ses ressources humaines, Pierre Levasseur
  Le gestionnaire, Marian Colwell
  La graphologie, Claude Santoy
*Le guide complet du jardinage, Charles L. Wilson
*Le guide de l'auto 92, Denis Duquet et Marc Lachapelle
*Le guide des bars de Montréal, Lili Gulliver
*Le guide des bons restaurants de Montréal et d'ailleurs, Josée Blanchette
  Guide du savoir-écrire, Jean-Paul Simard
*Le guide du vin 92, Michel Phaneuf
*Le guide floral du Québec, Florian Bernard
  Guide pratique des vins de France, Jacques Orhon
  J'aime les azalées, Josée Deschênes
*J'aime les bulbes d'été, Sylvie Regimbal
  J'aime les cactées, Claude Lamarche

*J'aime les conifères, Jacques Lafrenière
*J'aime les petits fruits rouges, Victor Berti
J'aime les rosiers, René Pronovost
J'aime les tomates, Victor Berti
J'aime les violettes africaines, Robert Davidson
J'apprends l'anglais..., Gino Silicani et Jeanne Grisé-Allard
Le jardin d'herbes, John Prenis
*Je me débrouille en aménagement intérieur, Daniel Bouillon et
    Claude Boisvert
*Lancer son entreprise, Pierre Levasseur
Le leadership, James J. Cribbin
Le livre de l'étiquette, Marguerite du Coffre
*La loi et vos droits, Me Paul-Émile Marchand
Le meeting, Gary Holland
Le mémo, Cheryl Reimold
*Mon automobile, Gouvernement du Québec et Collège Marie-Victorin
Notre mariage — Étiquette et planification, Marguerite du Coffre
L'orthographe en un clin d'œil, Jacques Laurin
*Ouvrir et gérer un commerce de détail, C. D. Roberge et A. Charbonneau
Le patron, Cheryl Reimold
*Piscines, barbecues et patios, Collectif
*La prévention du crime, Collectif
*Prévoir les belles années de la retraite, Michael Gordon
Les relations publiques, Richard Doin et Daniel Lamarre
Les secrets des maîtres vendeurs, Henry Porter
La taxidermie moderne, Jean Labrie
*Les techniques de jardinage, Paul Pouliot
Techniques de vente par téléphone, James D. Porterfield
*Le temps des purs — Les nouvelles valeurs de l'entreprise, David Olive
*Tests d'aptitude pour mieux choisir sa carrière, Linda et Barry Gale
*Tout ce que vous devez savoir sur le condominium, Robert Dubois
Une carrière sur mesure, Denise Lemyre-Desautels
L'univers de l'astronomie, Robert Tocquet
La vente, Tom Hopkins

Affaires publiques, vie culturelle, histoire

*Artisanat québécois, tome 4, Cyril Simard et Jean-Louis Bouchard
*La baie d'Hudson, Peter C. Newman
Beautés sauvages du Canada, Collectif
Bourassa, Michel Vastel

Animaux

Le chat de A à Z, Camille Olivier
Le cheval, Michel-Antoine Leblanc
Le chien dans votre vie, Matthew Margolis et Catherine Swan
L'éducation canine, Gilles Chartier
L'éducation du chien de 0 à 6 mois, Dr Joël Dehasse et
  Dr Colette de Buyser
*Encyclopédie des oiseaux du Québec, W. Earl Godfrey
Le guide astrologique de votre chat, Éliane K. Arav
Le guide de l'oiseau de compagnie, Dr R. Dean Axelson
*Mon chat, le soigner, le guérir, Dr Christian d'Orangeville
*Nos animaux, D. W. Stokes et L. Q. Stokes
*Nos oiseaux, tome 1, Donald W. Stokes
*Nos oiseaux, tome 2, Donald W. Stokes et Lillian Q. Stokes
*Nos oiseaux, tome 3, Donald W. Stokes et Lillian Q. Stokes
*Nourrir nos oiseaux toute l'année, André Dion et André Demers
Vous et vos oiseaux de compagnie, Jacqueline Huard-Viaux
Vous et vos poissons d'aquarium, Sonia Ganiel
Vous et votre bâtard, Ata Mamzer
Vous et votre Beagle, Martin Eylat
Vous et votre Beauceron, Pierre Boistel
Vous et votre Berger allemand, Martin Eylat
Vous et votre Bernois, Pierre Van Der Heyden
Vous et votre Bobtail, Pierre Boistel
Vous et votre Boxer, Sylvain Herriot
Vous et votre Braque allemand, Martin Eylat
Vous et votre Briard, Pierre Van Der Heyden
Vous et votre Bulldog, Pierre Van Der Heyden
Vous et votre Bullmastiff, Pierre Van Der Heyden
Vous et votre Caniche, Sav Shira
Vous et votre Chartreux, Odette Eylat
Vous et votre chat de gouttière, Annie Mamzer
Vous et votre chat tigré, Odette Eylat
Vous et votre Chihuahua, Martin Eylat
Vous et votre Chow-chow, Pierre Boistel
Vous et votre Cockatiel (Perruche callopsite), Michèle Pilotte
Vous et votre Cocker américain, Martin Eylat
Vous et votre Collie, Léon Éthier
Vous et votre Dalmatien, Martin Eylat
Vous et votre Danois, Martin Eylat
Vous et votre Doberman, Paula Denis

Cuisine et nutrition

Plein air, sports, loisirs

Le tennis, Denis Roch
*****Le tissage,** Germaine Galerneau et Jeanne Grisé-Allard
Tous les secrets du golf selon Arnold Palmer, Arnold Palmer
La trompette sans professeur, Digby Fairweather
Le violon sans professeur, Max Jaffa
*****Le vitrail,** Claude Bettinger
Le volley-ball, Fédération de volley-ball

Psychologie, vie affective, vie professionnelle, sexualité

*****30 jours pour redevenir un couple heureux,** Patricia K. Nida et
Kevin Cooney
*****30 jours pour un plus grand épanouissement sexuel,** Alan Schneider et
Deidre Laiken
*****Adieu Québec,** André Bureau
À dix kilos du bonheur, Danielle Bourque
Aider mon patron à m'aider, Eugène Houde
*****Aider son enfant en maternelle et en première année,**
Louise Pedneault-Pontbriand
À la découverte de mon corps — Guide pour les adolescentes,
Lynda Madaras
À la découverte de mon corps — Guide pour les adolescents,
Lynda Madaras
L'amour comme solution, Susan Jeffers
L'amour, de l'exigence à la préférence, Lucien Auger
Les années clés de mon enfant, Frank et Theresa Caplan
Apprivoiser l'ennemi intérieur, Dr George R. Bach et Laura Torbet
L'art d'aider, Robert R. Carkhuff
L'art de l'allaitement maternel, Ligue internationale La Leche
L'art de parler en public, Ed Woblmuth
L'art d'être parents, Dr Benjamin Spock
L'autodéveloppement, Jean Garneau et Michelle Larivey
Avoir un enfant après 35 ans, Isabelle Robert
Bientôt maman, Janet Whalley, Penny Simkin et Ann Keppler
*****Le bonheur au travail,** Alan Carson et Robert Dunlop
Le bonheur possible, Robert Blondin
Ces hommes qui méprisent les femmes... et les femmes qui les aiment,
Dr Susan Forward et Joan Torres
Ces hommes qui ne peuvent être fidèles, Carol Botwin
Ces visages qui en disent long, Jeanne-Élise Alazard
Changer ensemble — Les étapes du couple, Susan M. Campbell

Tout se joue avant la maternelle, Masaru Ibuka
Transformer ses faiblesses en forces, Dr Harold Bloomfield
Travailler devant un écran, Dr Helen Feeley
*Un second souffle, Diane Hébert
Vouloir c'est pouvoir, Raymond Hull

Santé, beauté

30 jours pour avoir de beaux ongles, Patricia Bozic
30 jours pour cesser de fumer, Gary Holland et Herman Weiss
30 jours pour perdre son ventre (pour hommes), Roy Matthews et
    Nancy Burstein
*L'ablation de la vésicule biliaire, Jean-Claude Paquet
Alzheimer — Le long crépuscule, Donna Cohen et Carl Eisdorfer
L'arthrite, Dr Michael Reed Gach
Charme et sex-appeal au masculin, Mireille Lemelin
*Comment arrêter de fumer pour de bon, Kieron O'Connor,
    Robert Langlois et Yves Lamontagne
Comment devenir et rester mince, Dr Gabe Mirkin
De belles jambes à tout âge, Dr Guylaine Lanctôt
Dormez comme un enfant, John Selby
Dos fort bon dos, David Imrie et Lu Barbuto
Être belle pour la vie, Bronwen Meredith
Le guide complet des cheveux, Philip Kingsley
L'hystérectomie, Suzanne Alix
Initiation au shiatsu, Yuki Rioux
Maigrir: la fin de l'obsession, Susie Orbach
Le manuel Johnson & Johnson des premiers soins, Dr Stephen Rosenberg
Les maux de tête chroniques, Antonia Van Der Meer
Maux de tête et migraines, Dr Jacques P. Meloche et J. Dorion
Mini-massages, Jack Hofer
Perdre son ventre en 30 jours, Nancy Burstein
Principe de la technique respiratoire, Julie Lefrançois
Programme XBX de l'aviation royale du Canada, Collectif
Le régime hanches et cuisses, Rosemary Conley
Le rhume des foins, Roger Newman Turner
Ronfleurs, réveillez-vous!, Jocelyne Delage et Jacques Piché
Savoir relaxer — Pour combattre le stress, Dr Edmund Jacobson
Le supermassage minute, Gordon Inkeles
Le syndrome prémenstruel, Dr Caroline Shreeve
Vivre avec l'alcool, Louise Nadeau

**le Jour,
éditeur**

Ouvrages parus au Jour

Affaires, loisirs, vie pratique

L'affrontement, Henri Lamoureux
*Auberges et relais de campagne du Québec, François Trépanier
Les bains flottants, Michael Hutchison
*La bibliothèque des enfants, Dominique Demers
Bien s'assurer, Carole Boudreault et André Lafrance
Le bridge, Denis Lesage
Le cœur de la baleine bleue, Jacques Poulin
Conte pour buveurs attardés, Michel Tremblay
*La France à la québécoise, André Bergeron et Émile Roberge
*Le guide du répondeur bien branché, Robert Blondin et
    Lucie Dumoulin
J'avais oublié que l'amour fût si beau, Évette Doré-Joyal
Jean-Paul ou les hasards de la vie, Marcel Bellier
Oslovik fait la bombe, Oslovik

Ésotérisme, santé, spiritualité

L'astrologie pratique, Wofgang Reinicke
Couper du bois, porter de l'eau — Comment donner une dimension
    spirituelle à la vie de tous les jours, Collectif
Le grand livre de la cartomancie, Gerhard von Lentner
Grand livre des horoscopes chinois, Theodora Lau
Grossesses à risque et infertilité — Les solutions possibles, Diana Raab
Les hormones dans la vie des femmes, Dr Lois Javanovic et
    Genell J. Subak-Sharpe
Les maladies mentales, John M. Cleghorn et Betty Lou Lee
Pour en finir avec l'hystérectomie, Dr Vicki Hufnagel et
    Susan K. Golant
Le tao de longue vie, Chee Soo
Traité d'astrologie, Huguette Hirsig

Essais et documents

Psychologie, vie affective, vie professionnelle, sexualité

La célébration sexuelle, Ma Premo et M. Geet Éthier
Ces hommes qui ne communiquent pas, Steven Naifeh et
  Gregory White Smith
Ces vérités vont changer votre vie, Joseph Murphy
Comment aimer vivre seul, Lynn Shanan
Comment apprendre l'autodiscipline aux enfants, Thomas Gordon
Comment décrocher, Barbara Mackoff
Comment faire l'amour à la même personne pour le reste de votre vie,
  Dagmar O'Connor
Comment faire l'amour à une femme, Michael Morgenstern
Comment faire l'amour à un homme, Alexandra Penney
Comment faire l'amour ensemble, Alexandra Penney
Contacts en or avec votre clientèle, Carol Sapin Gold
Dire oui à l'amour, Léo Buscaglia
La dynamique mentale, Christian H. Godefroy
Ennemis intimes, Dr George R. Bach et Peter Wyden
Exit final — Pour une mort dans la dignité, Derek Humphry
Faire l'amour avec amour, Dagmar O'Connor
La famille moderne et son avenir, Lyn Richards
La fille de son père, Linda Schierse Leonard
La Gestalt, Erving et Miriam Polster
Le guide du succès, Tom Hopkins
L'homme sans masque, Herb Goldberg
L'influence de la couleur, Betty Wood
Le jeu de la vie, Carl Frederick
Maîtriser son destin, Josef Kirschner
Manifester son affection — De la solitude à l'amour, Dr George R. Bach et
  Laura Torbet
La mémoire à tout âge, Ladislaus S. Dereskey
Le miracle de votre esprit, Dr Joseph Murphy
Négocier — entre vaincre et convaincre, Dr Tessa Albert Warschaw
Nos crimes imaginaires, Lewis Engel et Tom Ferguson
Nouvelles relations entre hommes et femmes, Herb Goldberg
On n'a rien pour rien, Raymond Vincent
Option vérité, Will Schutz
L'oracle de votre subconscient, Joseph Murphy
Parents gagnants, Luree Nicholson et Laura Torbet
Parlez pour qu'on vous écoute, Michèle Brien
*__La personnalité__, Léo Buscaglia
Le pouvoir de la motivation intérieure, Shad Helmstetter
Le pouvoir de votre cerveau, Barbara B. Brown
Le principe de la projection, George Weinberg et Dianne Rowe

---

* Pour l'Amérique du Nord seulement